P9-ECC-782

最年幼的精修眞福

法蒂瑪的

方濟各和雅新達

待示村魯　著

至潔有限公司　出版
2005 年

謹以此書獻給

聖母
先慈 瑪利亞

待示村魯　敬獻

謹以此書紀念著者

　　著者「詩示村魯」神父原名曹金標，洗名伯
鐸。山東濟寧李堂村人，屬山東兗州教區。生於一
九二三年一月廿五日，三天後受洗。一九五一年六
月十日於菲律賓晉鐸。二〇〇五年二月八日於德國
逝世。著者渴望此書能多多引人孝愛聖母。願聖母
保佑神父永生永安！

主內弟兄　　秋剛　敬啟

目　　錄

序

狄 剛

（一）

二〇〇一年六月十日是好友待示村魯神父晉鐸金禧日，我曾經問他，要如何慶祝這個值得紀念、應當特別感恩的日子。他告訴我，他將拒絕一切外在的慶祝，遠遠跑到法蒂瑪去朝聖，希望在聖母顯現小堂舉行一台感恩祭。我聽了很感動，當即肯定這是一個好主意；但是心頭總覺得缺少了點什麼。忽然我有了一個靈感：我請他要趁去法蒂瑪朝聖的機會，好好準備寫一本有關法蒂瑪聖母的書，作爲晉鐸金禧的紀念，也作爲一份禮物，獻給聖母，表達他一生特別對聖母的孝愛。他對寫書一事有些猶豫：年紀大了、眼力不好、搜集材料不容易……等。我就鼓勵他：不要膽怯，不要遲疑，以他的語文能力，用些時間，下點工夫，應當不是問題；何況，要做的不是一部驚天動地的不世之作，只是一本表達對聖母孝愛的書，以感激天主所賞賜天大的鐸職之恩，並且可向國人介紹聖年中被教宗列爲眞福精修的方濟各與雅新達，兩位教會歷史上至今最年幼的兒童眞福。我絕對相信他勝任這個工作，而且我自願陪伴他到法蒂瑪去朝聖。於是，我們有了二〇〇一年六月八日至十六日的法蒂瑪朝聖之旅。

（二）

待示村魯神父精通英、義、德、法、班等歐洲重要語文，能參考許多有關書刊。為了寫這本書，他還特別學了一年半葡文。他做事認真負責，而且思慮周到。據他自述：他在看了路濟亞修女的全部回憶錄之後，還參考了許多有關法蒂瑪聖母的書。執筆寫時，他左手握著兩位小真福的聖髑盒，右手執著路濟亞簽過字的筆，懇求了聖母的助佑，開始寫這本書。

書中除了對聖母顯現有很詳盡的敘述外，他用了很多篇幅給我們講述兩位小真福的聖德生活實蹟，令我很感動、很慚愧，但也鼓勵我們奮勉向前。

教宗宣佈兩位兒童為真福，是要彰顯一項真理：基督徒無論是個人或是團體都有「成聖」的聖召。因為主基督給每一位受洗的人特別恩寵，使他的生命脫免諸罪，得以淨化。這是一項恩寵，也是一個使命，受洗者要努力「成聖」，追求天主期許我們的愛德的圓滿和成全。教會作為基督徒結成的團體，也擁有基督特別的恩寵，即是聖神的臨在與各種成聖的方法與條件。透過天主聖神的化工，人能夠進入天主的聖德內。他們不滿足於平庸的生活，他們不只不要表面的虔誠、不要最低的道德標準，他們以「天父」為成全的理想境界，他們的生活，無休止地引向天主聖德的深處。

（三）

兩位眞福兒童不僅是兒童成聖的典型與保證，也是對成年人的有力的勸告與警示，人人都要成聖，而且任何人不得推諉。

在祈禱、領受和好聖事、領受聖體聖事、參與感恩聖祭、克己苦身的工夫、爲罪人悔改及世界和平祈禱犧牲，尤其在孝愛聖母上，兩位眞福兒童都給我們留下了極好的榜樣，以小小的年紀，在努力成聖上，號召我們：「往深處去！」也呼籲我們：「要慷慨地甘心成爲天主救贖世界的工具！」在這新世紀的開始，他們也警告我們：「時間不多，路還很長，要加快步伐，走上宣講福音的偉大旅程！」

讓我們找出新的熱誠，負起「成聖的責任」，在聖己之際去聖人。在人生旅途上，我們難免遭受黑暗勢力的威脅與考驗，但是我們有復活的主陪伴，我們有聖母的照料。在聖母慈暉的光照下，天主給我們增加了兩顆美麗、柔和而可愛的明星幫助我們向前。

讓我們跟兩位小眞福一起去推行孝愛聖母的敬禮！

讓我們本身跟作者一起頌禱：聖母無玷聖心終將凱旋！

前　言

　　門徒們來到耶穌跟前說：「在天國裡究竟誰是最大的？」耶穌就叫一個小孩來，使他站在他們中間，說：「我實在告訴你們：你們若不變成如同小孩一樣，你們就不能進天國。所以：誰若自謙自卑如同這一個小孩，這人就是天國中最大的。」（瑪十八1-4）　──好一段福音！

　　我們有幸生活在聖女小德蘭以後，能走她以言以行教我們的神嬰小道。

　　她死後僅十多年，在葡萄牙中部山區窮鄉僻野裡，出現了兩個小牧童：法蒂瑪的小兄妹方濟各和雅新達[1]。他們不必變成小孩，就在兒童生活中，修了超人的聖德，還不滿十一歲，即已「達成基督圓滿的程度」（弗四13），蒙聖母親手抱去天庭[2]。

　　筆者多次自問：他們短短的一生中，有甚麼可歌可泣的？數十年來，越認識他們，越覺得他們了不起的偉大；真應當盡力讓更多人敬愛他們，跟他們一起走升天的小路！

　　但是，要我這八十歲的老村魯給兩個小孩寫傳，談何容易。再三閱讀過十幾本有關法蒂瑪的書，多次翻遍了路

---

[1]. 方濟各生於 1908 年 6 月 11 日，雅新達生於 1910 年 3 月 11 日。

[2]. 方濟各於 1919 年 4 月 4 日病逝家中，雅新達於 1920 年病死葡京里斯本。聖母曾多次許下：不久就來接他們升天。

濟亞修女的六卷回憶錄[3]，捉緊了她簽名用過的原子筆，端坐在二小眞福的大像前，左手拿著倆人的聖髑盒，戰戰兢兢的開始寫。 —— 法蒂瑪聖母助佑！

眞願意能夠返老還童，能說小孩子話，再唱兒童歌曲；或至少能記起一些特別有鄉土氣息、既會意又傳神的農村辭句……然而這小兄妹二人偏偏又說些大人話！爲能領會他們的語氣，我學了一年半葡萄牙文；因此，又能多讀幾本有關的書。

這些書中，首推羅馬聖經學院教授馮西加神父的大作 LE MERAVIGLIE DI FATIMA[4]。馬爾克神父著的 FATIMA From the Beginning 也很有權威[5]。文筆最盛的是美國大文豪沃爾士的 Our Lady of Fatima[6]。……除了歷史和文學的價值以外，它們都很具教育性，值得一讀再讀。

狄總主教囑我平舖直敍，不咬文嚼字，寫得越簡單越好。我願從命，書中儘量少用成語典故。

---

[3] 聖母顯現的主要見證人路濟亞：二小眞福的六表姐，她奉主教命先後寫的回憶錄，是有關法蒂瑪的最重要、最可靠文件。

[4] L. Gonzaga da Fonseca，劉鴻逖把它譯作馮西加，袁意可神父譯作馮斯各，筆者不另譯，馮氏原著在短短五年中出了十二版，被譯成十幾種外文，中譯本先有劉鴻逖的《天國和平之后》，繼之袁意可的《警告》。

[5] John de Marchi 1914 年生於意大利，他把 Consolata 傳教會引進葡萄牙（在法蒂瑪有會院）；在美國創辦 Rainbow（虹）雜誌，爲著本書親赴該處，遍訪三牧童到過的地方，和所有認識他們的人晤談，寫成 FATIMA THE FACTS。三十年後改成現在的書名，路濟亞修女讀過文稿後很表贊同。

[6] William Thomas Walsh 著作等身，爲寫 Our Lady of Fatima，也親赴該處探訪、搜集資料，1947 年初版，1954 年精裝本已出第十二版；袖珍本在 1954～1955 兩年中連出四版。

　　我早已和法蒂瑪結了不解之緣，上面提的三本書，和馮著的兩個中譯本，我都在上世紀五十年代熟讀。只欠沒去過法蒂瑪朝聖：因為沒有機緣，財力也不足。

　　1978 年 8 月，在馬德里朋友家作客休假，蒙他們帶我去法蒂瑪。事前沒作準備，說去就去，連旅館房間也沒預定，八月裡竟能立即在聖言會辦的旅館中找到六個大人歇宿的床位！又蒙他們的會友康道爾神父安排，得於次日早上在聖母顯現小堂作當天第一台彌撒！── 聖母的特惠！

　　彌撒後，聽說康神父[7]開始辦理了二小牧童的列品案，教會至此還沒受理過非致命兒童的列品案件，故此很佩服他的勇氣與先見。一鼓作氣跑去看他，才知道他在教區裡辦妥了一切，只等送達羅馬。長談以後，他很大方地送我二十五盒「聖髑」[8]，和幾本書（方濟各和雅新達的小傳，分開印給男女兒童看的），回寓所後，很快就把聖髑盒分給憂苦和病患中的人們；小冊子也續訂了幾百本，分送給初領聖體和領堅振的兒童青年，只剩最後一盒聖髑我一直珍留著，白天帶在身邊，夜間抓在手心，一直祈望著在我有生之年、終有一天，可以參加他倆人的列品盛典，拿出來公開和合法的當聖髑敬。

---

7. 康道爾神父（P. Luis Kondor SVD），聖言會士，匈牙利人，曾在我寓所附近聖奧斯定修院讀書。除其本國話外，會說德、英、西、葡等國語言，數十年來，一直在法蒂瑪工作，很受各界人士器重。

8. 小聖髑盒上方，有雅新達棺木碎片；中間是聖母顯現時立腳的小樹木屑；下面是方濟各的棺內「灰塵」。

二十世紀中，我又去過法蒂瑪四次，包括1992年的聖母顯現七十五周年大朝聖，和1997年的八十周年慶。

2000年初，聽說法蒂瑪二小牧童即將列真福品，馬上跑去專門辦理露德、法蒂瑪……等地朝聖的「露德會」搶先登記，要他們給我保留一個位置 —— 不拘列品大典是在羅馬或法蒂瑪舉行，我一定要去參禮。如此，果真能於2000年5月13日，持照與教宗共祭，參與空前的列真福品大典9。列品禮後，我在百萬信友中，拿出稀有的二真福聖髑給人親吻，每人都想留下它，據為己有。我緊隨不捨，終能取回來，珍藏到今天。

每次去法蒂瑪，都問康神父，還有沒有聖髑盒，他總是笑著搖搖頭。他開始分送時太大方了……近幾年來，他更大方的送給東歐信友數百萬本聖經。 —— 將來有人為他辦列品案嗎？

2001年6月初，我去法蒂瑪過晉鐸金慶。原想獨自一人去的，狄總主教好心要作陪。我請康神父預定兩個旅館房間，他保留了第一和第二號的雙人房；另請他代租一輛計程車，司機兼嚮導，他找到一位在德國出生長大、又會說英文的葡國專業導遊，給我們幫了八天忙……。最重要的是：他又安排我在我的慶節日於聖母顯現小堂做當天第一台彌撒！ —— 那裡來的這種福氣：在聖母朝聖地，我總能覺得她特別優待我這大罪人！

---

9. 在羅馬參加過列品典禮，好多次；都不太盛大。

　　2001 年 6 月 9 日到 11 日，乘預定的計程車，遍訪小見證們到過的地方，攝影留念，也爲本書插圖用。12 日，總主教病了，不能參與當天特別動人的兒童大朝聖。13 日是月份大朝聖，14 日適逢聖體瞻禮，朝聖者在大禮彌撒後，才陸續散去。下午，大家都空閒了，總主教說要去拜訪康神父，一星期內，我已在「聖地」見過他幾次，他已交上我爲他做的珍貴念珠，和我要的照像定單[10]，說過幾句話。總主教卻還沒碰到他。

　　康神父很親切的接待我們，暢談一小時後，狄總主教突然說：「神父！我們也能見見路濟亞修女嗎？」他先愣了一下，拿起電話聽筒，撥考因布拉的聖衣院號碼：「××，我們今天能來嗎？我和一位台灣的總主教，跟一位過晉鐸金慶的中國神父。」對方說：「我們唱晚禱後，有整整一小時給你們。」

　　我們回旅館讓總主教小憩，我跑出去作最後的準備。因爲我動身赴法蒂瑪以前，冥冥中已有預感：可能有幸往訪路濟亞修女，只不曾說出來。除準備兩架相機外，還特別訂購了一個袖珍錄音機。在法蒂瑪買了幾張兩小眞福的大照像，獨缺一張路濟亞修女與當今教宗的合照。找來找去，上百的書店和聖物攤舖都只有小明信片上有他們，連「聖地」的文物館也沒有他們大的彩色像了。我不死心，用

---

10. 從康神父展覽的老照像中，我選了五十張，請他複製（託攝影師拍照後再放大到 15 × 20cm，他說趕工很貴，我說沒關係，書中能用就好）。

動身去聖衣院前的整整兩個鐘點，跑遍全法蒂瑪，也只找到一幅在櫃檯上當貨樣的破舊彩色照，買了下來，一同帶去，請路濟亞修女簽名留作紀念。

下午四點，康神父自己開車來接，九十公里的高速公路，他只用四十分鐘就駛到目的地[11]。下車後，進堂聽修女們天使般的歌聲：阿肋路亞！阿肋路亞！—虧得她們能自己譜出這樣的美韻！

晚禱後，十四位修女一窩蜂似地簇擁著老路濟亞修女，有說有笑的擠進會客室，很像一夥天眞的女孩。厚布帘已經拉開，格子櫃兩邊同時鼓掌大笑，表示親切的歡迎。晤談中，路濟亞修女先後簽了兩本她的近著（書店還沒出售），簽照像時，笑著說：「這張給過金慶的」，還特別多題了幾個字：「在祈禱合一中的」；簽三張她表弟妹的照像後，她突然大聲喊起來：「你們爲羅馬的那些樞機們祈禱呀！教他們回心轉意，快讓他們二人列入聖品」！—筆者幸好有錄音爲證。同時，我也由格子小洞裡，試著給老修女拍照，竟有一張相當清楚，至此，本應當心滿意足了：我們倆個都不貪心啊。不過，仍是心猶未足，總主教說：「修女！我們交換念珠！」話一出口，引得每人鼓掌大笑。路濟亞修女顯然也有準備，不慌不忙的掏出兩串黑念珠，換回兩串羅馬念珠。

---

11. 考因布拉（Coimbra）在葡國中西部，離大西洋不遠，曾作過葡國首府，一直是著名的大學城。聖衣院在城中心，從1948年3月25日得教宗特准後，路濟亞改作赤足聖衣會修女，隱居于此，原則上只接見教宗或樞機主教。

　　至此，我們不敢再奢求了；連聲說謝謝，一同給修女們降福後，退出會客室。—— 聖衣院！再會！捐了一筆錢，求她們代禱。—— 噢！路濟亞修女和我合一祈禱！還有她的念珠……！

　　回程中，一路共同念玫瑰經，以後合唱Salve Regina，不知不覺地，已接近了法蒂瑪。還清欠康神父的照像錢，也捐給他的事業數百元，一身輕的回旅館去「喝湯」，——我們真的只喝了兩盤蔬菜湯作晚飯：心裡太快樂了！

　　總主教累了，在法蒂瑪的最後兩天，我讓他儘量在旅館休息，自己每天跑去「聖地」，找機會在聖母顯現小堂共祭 12、念玫瑰經、喝「聖水」、拍照，就寢前去向聖母道晚安，求降福。去里斯本機場的途中，跟司機兼嚮導結了賬，他說不好意思，因為車子用得太少，小費又太多……希望我們再來。回「家」後，還接他一封信，一張法蒂瑪明信片。

O Fá-tima, A-deus, Virgem Mãe, A-deus!
噢，法蒂瑪，再會，童貞母，再會！

---

12. 路濟亞修女的呼求，一直縈繞耳畔，動人心絃。二小牧童的列品案送到羅馬時，人都不願受理，說得是：哪有小孩子能修成完德的。康神父等反說：「音樂界有神童，科學界有奇才，偏偏聖德上不能有神童？」案件還是被塵封了多年，當今教宗多才多智，又勇毅果斷，才能破例把聖母的兩個小寶寶宣佈為精修真福。—— 他還能把兩小真福列入聖品？願聖母助佑！

一、歷史背景

幾百年來，葡萄牙一直有「聖瑪利亞之邦」的美名（A Terra de Santa Maria）。事實上，葡國人民也真特別敬愛聖母，敬得讓一般西歐人認為太過。比如說：哥倫布出海前，先給他的旗艦更名為「聖瑪利亞」（Santa Maria）；他的船員在每天的晚禱後一同高唱「又聖母經」（Salve Regina），葡國教友，不分男女，受洗時，好多人要聖母作代母，再加找一位代代母：男人的名字中間也加上「瑪利亞」。

不僅宮廷顯要和地方官員，連一般教授和大學生，也都跟主教神父一樣當眾宣誓：終身效忠和護衛聖母無玷始胎的信條，為此不惜犧牲性命。

葡王若望第四，竟在1646年召集宮廷大小官員到 Vila Viçosa，當眾摘下王冠，放在聖母態像腳前，正式宣佈她是葡國王后和主保，名銜是「無玷始胎」。並且鄭重告誡：以後任何人都不得再戴冠冕。同時下令各城市都為此立碑留念，認葡國為「我聖母之邦」（Terra de Nossa Senhora）。

一般老百姓，尤其勞工和農夫家庭，敬愛聖母還更熱誠，玫瑰經是大家公共朗誦和每晚在家必念的經文。

不幸，1908年葡王嘉祿被刺，1910年大革命，瑪奴爾王二世被放逐，廢除王權。聖母之邦也隨著變色。共和國臨時政府成立，舊法令重新生效，開始壓制各修會，放逐

耶穌會士……一切違犯這Pombal法令的修會、團體，都被視作國家公敵。10月18日的新法令取消法庭裡的宣誓，同月25日立法嚴禁教授與大學生宣誓效忠聖母，三天後公告全國，把教會所有的瞻禮日都視作普通的工作天。11月3日，初次許可離婚，同月14日封閉考因布拉公教大學法庭。12月25日聖誕節上，政府宣佈：婚姻只是一種社會制度，與宗教無關。1910年的最後一天，政府警告僅存的會士和神職：不得公開活動，不准執教，不可穿會衣和神職衣服……違者可由任何公民逮捕入獄。

1911年4月20日的政教分離法令，將教會大部分的財產充公，把許多聖堂改作倉庫或馬房，無數會院變作政府機構或其他公共場所……一切全看共和黨的喜怒。

乘機興起的是「自由馬松黨」。他們的大師馬戛利亞利馬[13]大聲宣佈：「不多幾年後，在整個葡萄牙，不會再有一個要做神父的人！」出名的司法部長阿爾方索考斯塔（Alfonso Costa）解釋法令時，竟大膽預言：「公教會是人民痛苦的主要根源。這法令將能在兩代的時期內，把它完全消除。」

誓反教也乘機打進這小公教國，尋得共和政府的優遇。理由很簡單：他們衛理會的赫爾才主教（Hertzell）

---

13. Magalhães Lima，馬松黨大師，馬松黨也叫作自由馬松黨：Freemasonry，或互助會，1917年成立於英倫，迅速傳遍歐陸。是一秘密性團體，提倡自由思想，反對天主教義，法蒂瑪特別遭其禍害，後詳。

1911 年 1 月在里斯本，猛烈攻擊天主教，外交部長樂得請他赴筵。

自此，葡國已無安寧的一天。革命再革命，1910～1926 短短的十七年中竟有十六次真正的革命！不是地方性示威或小暴動，是全國性革命！最可怕的一次是 1921 年的所謂「白蟻革命」。執政的短期官員，把葡國搞得不能再混亂，直到 1926 年高邁斯考斯達（Gomes da Costa）軍變後，政局才開始穩定下來。

這實在是葡國歷史上最黑暗的時代。它為期雖短，卻造成空前的浩劫，留下永久的傷痕。無怪聖父教宗庇護十一世，在他 1942 年 10 月 31 日向葡國教友的廣播中[14]，把它叫作「黑暗和痛苦的時代」。為多災多難的葡國好老百姓，苦患還不只局限於國內！

世界大戰爆發，驕橫昏愚的政府不聽「和平教宗」本篤第十五世的呼求，反而輕信英倫的諂言，不自量力，把小國青年投入戰場。他們雖是葡國精英，卻沒受過良好的軍訓，傷亡很重。於是政府禁止敲喪鐘，「以安民心」！

軍事費用使國庫空虛，負債累累，民不聊生，怨聲載道。數世紀來，葡萄牙素稱海上強國，幾十年內，精神和

---

14. 1942 年是聖母在法蒂瑪顯現二十五周年，也是教宗庇護十一世陞主教銀慶，上主排定他在 1917 年 5 月 13 日中午被祝聖，正是聖母選定在法蒂瑪初次顯現的時刻……他後來被人稱作法蒂瑪教宗。
葡國教友，上自總統，下至村婦，都盛大慶祝這雙重的大銀慶，10 月 31 日中午，銀慶結束典禮中，葡國各處人民，都聽到教宗的聲音！不勝驚喜。

物質方面都一落千丈，變成西歐的病夫和窮鬼，為人所不齒。

　　上面引述的教宗廣播中，還有一句話，語意深長：「葡國忘記了天主，天主卻不曾忘記葡國。」

　　救援就要來了！來自窮鄉僻野：和平天使、和平之后、玫瑰經之后降來法蒂瑪。法蒂瑪！

二、地理環境

法蒂瑪？有誰曉得它在哪裡啊。八十五年前，只有它鄰近的村鎮中，才有人知道它的所在。

葡國中部山區叫作 Serra da Aire，乾旱貧瘠，深藏著一個農村，約有兩千七百人，散居各處。

法蒂瑪是一個很地道的天主教村莊。即使在這空前的大教難中，村裡還一直有位神父駐守；每星期日和大瞻禮上，至少有兩台彌撒。為此還經常由外地請神父來幫忙聽告解、講道和獻祭。最受人歡迎的，竟是一位里斯本來的被禁的耶穌會士「聖克路士神父」[15]。他們還敢在聖堂外面大遊行，在廣場中慶祝本堂主保聖安多尼和其他大瞻禮。教友百分之百「滿教規」，公經以外，還每天晚上在家念玫瑰經。白天在外牧羊、工作的人，午飯後也念玫瑰經。—— 哪裡來的這種福氣？

原來，在1158年，回民還佔有葡國大半部。若翰瞻禮早上，一群身著華服的回教青年男女，由撒爾堡騎馬下到撒爾道河畔過節。突然出現一隊葡國青年兵，由外號 Traga

---

15. P. Cruz，耶穌會士，人都叫他「聖人神父」，他克苦耐勞，中年已彎腰駝背，經常面帶笑容，腰帶上掛串大念珠，手持日課經本，一文錢也不帶，冒著性命危險，走遍全國，講道、聽告解、行其他聖事。是他聽路濟亞告解，以後給她說：「女兒啊！你的靈魂真是聖神的殿堂，好好保持它清潔！」也是他說服本堂神父，容許路濟亞六歲就初領聖體。聖母第三次顯現後，他特地由葡京走去法蒂瑪慰問三小見證，教他們短誦、神修。

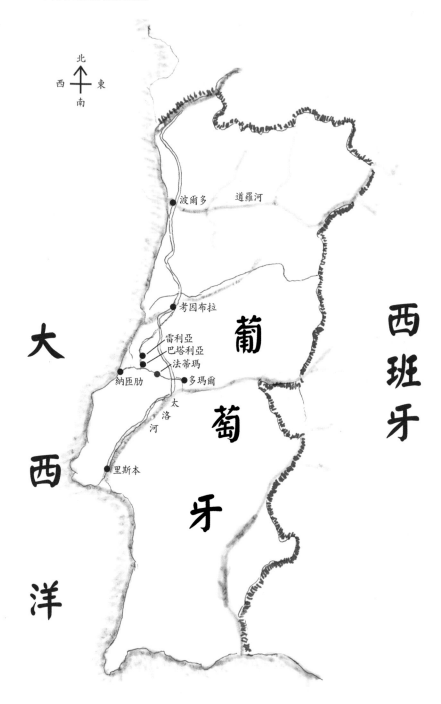

Moiros（吃摩羅人）[16] 率領，衝進回民陣中，勇猛的廝殺。回民大部分戰死，沒有一人生還；沒死的都被拉去桑達萊王府作俘虜。國王[17] 稱讚騎士們的英勇，問領隊的亨利格要甚麼獎賞。他答說：「今天能爲我王報效，引以爲榮。如蒙慨允，願娶法蒂瑪爲妻。」法蒂瑪是俘虜中最面美的女郎，撒爾堡主的女兒，非常賢慧。國王應允，條件是她須皈依天主教，也要她自己同意這婚姻。

法蒂瑪女郎同意了。學好要理去領洗時，取名歐萊阿納（Oureana），舉行婚禮時，國王御賜亨利格一個小城，即命名歐萊阿納，今名歐萊姆（Ourèm），法蒂瑪村就在它轄下。

歐萊阿納婚後不幸早逝，亨利格慟失良妻，棄俗修道，進入國王在附近新建的聖伯爾納定隱修院。幾年後，院長命將歐萊阿納的遺骸遷葬到離歐萊姆城約六里的一個村裡，並爲敬禮聖母，在村中建築一所會院和一個小聖堂。從那時起，村子取名叫法蒂瑪。如今會院早已淹沒，聖堂至今還作村裡的本堂。

小聖堂外觀不甚耀眼，內部卻富麗堂皇。木地板中間切開，鋪了一條磁磚路。在通向正祭台的通道上，高出了一級顯示古小堂的大門台階，上面還架著羅馬式的拱頂。兩邊牆上都貼著葡國人愛用的磁磚，鮮豔的藍白黃色相間。穹頂頗高，給人尊威莊嚴的感覺，它是藍綠色，使進入聖堂的信眾仰望天庭。小小的正祭台在圓頂下方的中

---

16. 原名 Don Gonçalo Hermingues，復國忠臣，戰績輝煌。

17. Don Alfonso Henriques，打敗回軍後，始創葡國王朝。

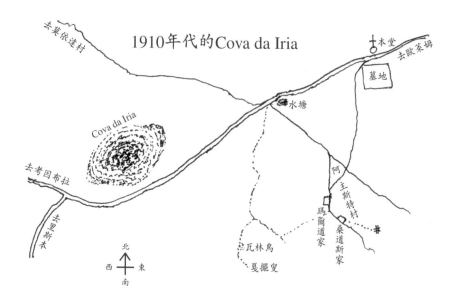

1910年代的Cova da Iria

去蒙依達村
去歐萊姆
本堂
墓地
水塘
Cova da Iria
去考因布拉
去里斯本
阿主斯特村
瑪爾道家
桑道斯家
瓦林烏
夏擺叟
北
西 東
南

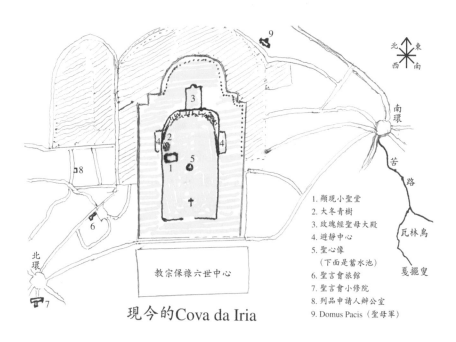

現今的Cova da Iria

教宗保祿六世中心

北環
南環
苦路
瓦林烏
夏擺叟

9

3
4 2 4
1 5
✝

1. 顯現小聖堂
2. 大冬青樹
3. 玫瑰經聖母大殿
4. 避靜中心
5. 聖心像
　（下面是蓄水池）
6. 聖言會旅館
7. 聖言會小修院
8. 列品申請人辦公室
9. Domus Pacis（聖母軍）

央；圓頂呈深藍色，猶如蒼天，上面畫了許多金星。聖堂兩側，各有一告解亭（需要時在靠近入口處再臨時設置一座），還擺設了幾個非常逼真的聖人態像。當然有本堂主保聖安多尼，站在玻璃櫃裡（為了保險）；不遠處有穿著褐色會衣的聖五傷方濟各，只可惜窮會衣上綴了些金星；他手抱的小耶穌聖嬰，眼神非常可愛，好像一直跟隨注視祂的人。祭台左邊，有一尊玫瑰經聖母像，鮮紅的長衣和藍披肩異常醒目。她一手拿串十五端的長念珠，一手托著小耶穌聖嬰，面色莊重，幾乎可說是嚴肅，好像要責斥人似的；眼神專注，能刺穿人心。耶穌聖心偏祭台沒甚麼特別，一旁的大苦像卻惹人注意：十字架上的救主顯得矮小粗壯，像個葡國山地人；又從頭到腳，渾身灑滿鮮血。它上面懸著個加爾默羅聖母像；小耶穌雙手拿著聖衣，倆人都注視著地獄裡的受刑者，和邊上站著往外瞧的……一個男孩掙扎著要逃脫下墜的危險，一個女孩業已獲救。誰也不會看不見入口旁的高大聖洗池。它古色古香，白色的大理石已呈老象牙色。

聖堂右側有本堂神父住宅和辦公室，再遠一點就可看到小學校。聖堂前面的廣場不算大，也不太小，右上角有古老的墳地……法蒂瑪的中心就約略如此。

幾乎在葡國的正中心，藏著小法蒂瑪。往南去里斯本約一百二十公里；北上波爾多城，距離也差不多。*18*

---

18. 葡國加入歐洲共同市場後，人家給修了條南北縱走的高速公路，經過法蒂瑪附近，比走以前崎嶇窄狹的山路近了一些，也快了許多。

它幅員不算廣闊，除住宅區外，大部分是丘陵，種著一些橄欖、果樹和橡子樹。農田大部在凹窩裡，叫作什麼Cova，或以地主為名。其中最大（將來也最出名的）是Cova da Iria[19]，它略呈橢圓形，長約五百公尺，寬四百五十多公尺，中央頗低（雨後能保持溼潤），形同天然的露天圓劇場。

一條東西橫貫的土路，由村裡經過，往西去考因布拉和大西洋岸；向東去六公里的縣城歐萊姆，再遠到葡西邊境。最近的火車站在十二公里以外。村子裡的人士都沒見過火車。交通工具是自家的馬車或牛車，騾馬和小驢子；再不然，只好赤腳徒步。

村裡有一個坑，是唯一在露天終年積水的地方[20]。因為缺水，有些村婦來洗衣服，農夫和牧童們也經常讓牲畜和群羊來飲水，弄得這死水非常污濁。大人都警告小牧童，千萬不要喝坑水！不過，還有兒童在坑裡嬉戲、游泳。

村西北角，離中心兩三里路，有一叫作莫依達（Moita）的小村子，住著幾十戶人家，也屬於法蒂瑪本堂。

---

19. COVA：坑洞，凹地，小小的法蒂瑪就有十多處，連路濟亞帶羊去喝水的大石上的小凹坑，也叫Cova，譯作山谷，有些欠妥；翻成盆地，又嫌誇大；叫它窪，比較適宜，它們只在雨後積一點水，很快就被鬆石灰質的山土吸下去，── 伊利亞窪？或意譯作和平窪？外文書中都保持原名，筆者不自作聰明。

20. 法蒂瑪地區不容易存水（參閱註19）。大家把水坑叫作Lagoa（水塘），小牧童們喜歡稱它Barreiro（泥窩）。

法蒂瑪本堂

作者攝於 2001 年 6 月 9 日

三位小牧童都於此受洗

作者攝於 2001 年 6 月 9 日

路濟亞故居（1917）

路濟亞故居（作者從後院攝於 2001 年 6 月 9 日）

　　同樣，在聖堂南方約一公里，有一個叫作阿主斯特（Aljustrel）的地方，也住著幾戶農家。較高的地方，在路右邊有長方形矮房，是馬爾道家，即二小眞福出生和成長的家園；路濟亞[21]的家園，要下來一些，在路左側，比馬家的院落大得多。後院深處的水井，至今仍佔有重要的地位[22]。

　　兩家是雙料的近親屬，住得又近，往來頻繁，甚至於有時不分彼此，讓孩子們互換食宿。

　　每家和每塊園地，都圍著個用石塊堆砌的矮牆。在這乾旱地區，誰家若能挖口水井，算是特別幸運。路濟亞家室內也有一口井，卻很少有水。

　　冬季，由大西洋吹來的西北風非常凌厲；夏季燥熱，爲避風躲太陽，農房都蓋得矮小；厚牆小門窗，房門都開到廳裡，跟小廚房相通。傢具粗笨卻非常實用，件數不多並不一定表示窮乏，農人有吃有住很容易滿足，何況家裡已夠擁擠，哪還要多餘的傢私？重要的衣物和食品，很可以掛在牆上或房頂下面。倒是牛屋和羊圈必不可缺。由此可有個糞堆，即是種田用的天然肥料。

　　爲了冬季擋冷風、夏天遮太陽，院裡都種幾棵樹，以果樹爲多，尤其在園子裡。樹幹上盤著些葡萄枝，夏末秋

---

21. 路濟亞家姓桑道斯，她爸爸是二小眞福的舅父。

22. 三小見證在家時，最喜歡躲在後院深處，既清涼又僻靜的井邊遊戲和祈禱，晚上到附近的打麥場去看日落和數初現的星辰，天使第二次顯現，也在這井邊。
　　── 爲此這裡也成了朝聖地，有磨光的大理石路引領，可以膝行到井上，喝一杯水。水少了，井有人看守，不准隨意汲水。

初結實累累。果樹中無花果比桃李都重要，葡萄在不造酒的人家，只有三五棵而已。……這一切，主要是爲增收營養食品，不爲賣錢。山崗上稀稀落落的長些橄欖樹和橡子樹。亂石太多或太陡峭的地方，讓亂草自生自滅，牛羊也樂得有好吃的。可是，飲水一直是個大難題，更不消說種田澆水了。

　　馬爾道先生（二位小真福的爸爸）說得好：「我們這裡沒有窮人：大家都有鞋穿。」知足，心常安。和平的法蒂瑪！教世界和平安寧！

三、身家、童年 [23]

　　真福方濟各和雅新達姓馬爾道（Marto），父親叫瑪奴厄爾伯多祿馬爾道[24]，母親的名字是奧林匹亞德耶穌桑道斯[25]。

　　馬爾道先生正直沈默，說一不二；又在非洲當過兵，見過世面，很受村人敬重。他長得頗帥，一表人才；濃眉大耳，腰幹挺直；家裡也不窮，又是好教友。他生活的原則和依靠是：奉行天主聖意，和熱心祈禱。表面看來，他並不特別熱心，每星期日參與聖祭和在家好好教養子女，為他卻是天經地義。勤勉工作，樂意助人，更博得眾人讚賞，太太比他年長，結婚時帶來兩個男孩，他都視作己出，跟後來的六個子女一樣愛護。住太太承繼的房子，也不丟他的臉。

---

23. 兩位小真福的傳記，一直分開寫的，每人一本。理由很簡單：第一部傳記都出自路濟亞的手筆。1935 年雅新達的遺體遷葬時，完好如初，主教遂命路濟亞寫她所認識的小表妹，是所謂的第一個回憶錄，六年後：1941 年 10 月 7 日，主教親自來取她受命寫的第三回憶錄，並要她補充以前可能遺漏的一切，特別為方濟各寫個小傳。因此，開始時，只有雅新達傳問世，以後的傳記也都分開寫。
時過境遷，兩本大同小異的傳記（重要部分竟致雷同，一字不差），應可合併起來了。何況他們兄妹二人，在世上真的形同手足，形影不離；一心一德：他們一同起床吃早點，一同遊戲，一起放羊，一塊兒念經……一同克苦犧牲、作補贖行善功……現在又同在天堂為我們罪人轉禱，何忍將他們割離？——只讀過一本二人的合傳：C. Calabresi 寫給兒童看的。

24. Manuel Pedro Marto（1873～1957）。

25. Olimpia de Jesus Santos（1864～1956）。

馬爾道夫婦　　　　聖克祿斯神父
（二小眞福的父母）

在別人還懷疑或甚至反對攻訐小牧童們報告聖母顯現時，馬爾道先生已是第一位信徒；他不但敢陪著子女去顯現地，還聽信小女兒的話，每天念玫瑰經。

奧林匹亞，原姓桑道斯，是安多尼桑道斯的妹妹[26]。她在 1888 年 6 月 2 日嫁給若瑟斐爾南德羅撒[27]，成為瑪利亞羅撒的大嫂，生有二男。1889 年，瑪利亞羅撒嫁給安多尼桑道斯，反成了奧林匹亞的大嫂。如此：小姑變成大嫂，大嫂變作小姑，真的世界少有。她們二人也給孩子們造了福：雙重的親（血親加姻親），有姑母兼舅母。1895 年 10 月 10 日，若瑟裴爾南德病逝，奧林匹亞再嫁給馬爾道先生，桑道斯家的孩子們又多了一位姑丈[28]。

奧林匹亞瘦瘦高高的，面色略微蒼白，好似弱不禁風。事實上，如同她本人一直說的，真是位「堅強的婦人」。大嫂瑪利亞羅撒於 1942 年病逝後，她還多活了十五年。在勤儉生活中，她一直是賢妻良母。

天主賞給馬爾道夫婦六個孩子[29]，一個比一個可愛。

---

26. Antonio dos Santos，路濟亞的父親，奧林匹亞的長兄。

27. Josē Fernandes Rosa，曾在非洲經營回國後在法蒂瑪買地蓋房子；兩位小真福出生和居住的房子，就是他的遺產，至今還保留著。

28. 葡萄牙文和其他西洋語言一樣，不分叔伯姑表、伯父、叔父、舅父、姨丈都叫作 Tio，伯母、叔母、舅母、姨母都是 Tia，一般人都尊稱馬爾道先生 Tio Marto。

29. 不知道馮西加神父和其他幾位作家，怎麼會說他們兄妹九人，再加上奧利匹亞前夫的兩個兒子共十一人。馬爾道先生說他生了六個孩子，路濟亞也如此說，並且寫出他們的名字：Josē、Florinda、Teresa、João、Francisco、Jacinta. 路濟亞姊妹七人，倒被他們寫成六人，忘了夭折的小 Rosa，路濟亞也是老么。

二小眞福出生的房間

馬爾道家屬

（聖母已接走了方濟各、雅新達和 Florinda，德肋撒即將去世，只剩父母和四男兒）

方濟各排行第五，雅新達是老么。奧林匹亞前夫的兩個兒子，已經大了，可在田園中給父母幫忙。

方濟各很像父親，是個夠漂亮的男孩，眉目清秀，五官正常，眼神專注，和藹可親，又能忍讓服從。父親特別讚賞他那點牛脾氣：他決定要做什麼，不會輕易改變主意。這孩子非常勇敢，什麼也不怕，黑夜和濃霧中，他肯出門；野兔和狐狸，他都敢捉來養在家中。見小蛇和蜥蜴，他會用小木棒挑起來扔到水坑裡，看它們游走。小鳥是他的寶貝，絕不容人捕捉或破壞鳥窩。他喜愛大自然，獨自坐在山石上吹吹小笛子，看看日出日落，數數星辰，欣賞晶瑩的露珠在葉上閃耀，聽聽鳥叫，吹著口哨跟牠們合奏或競賽……多麼幸福的童年！跟大自然的創造者多麼近！

更好的是，他不只一人獨個兒享受這一切，小妹妹尤其可愛。雅新達生來俊俏，大眼明亮，雙眉平直，顯得聰明伶俐。薄薄的雙唇拉成直線，有點執拗似的……總之，她外貌很像小哥哥，性情卻幾乎完全相反，甚至讓他們最知心的好友和玩伴路濟亞說：「若不看他們的面貌，誰也不會拿他們當兄妹。」兩人都有點執著，這是唯一相似的地方。

方濟各安靜，妹妹卻像隻小鹿，蹦蹦跳跳；一聽小哥哥吹笛或別處有音樂，就會翩翩起舞。她也真有跳舞的天才，有好舞的伴侶：小表姐路濟亞。方濟各忍讓謙虛，把世物看得很不重要，有沒有都無所謂，「無所謂，沒關係」，是他的口頭語。他妹妹卻生性好強爭勝，什麼都

要：遊戲時只准贏不准輸；贏得的東西到晚上也不願還回去，寧願留著，等輸了的時候，不必拿自己的東西出來。方濟各能忍讓，不輕易動聲色，雅新達卻非常感情用事，幾乎可以說只有感性，不高興就顯得不高興，再不然，就會嚎哭，等別人委屈求全時，才破涕為笑……這些，小哥哥都能容忍，因為他跟大家一樣，都特別寵小妹，開始時，路濟亞卻吃不消，不高興跟她玩耍；反正桑道斯家裡經常有鄰居寄託看管的孩子們，不在乎她一個小執拗。時間長了，親屬和鄰居關係，一天天把她們拉近，成了特別親密的玩伴；日久天長，終至形影不離；聖母顯現後，成為真正「知心」的密友。── 這是後話。

雅新達從小就特別喜歡找路濟亞。玩什麼呢？遊戲的樣子多不勝數。我國小孩子也玩的有：捉迷藏、拾石子、紙牌、賽跑、瞎子摸、賭輸贏、扔石片（或銅錢）看誰的最近牆根、追蝴蝶……反正孩子們會幻想，情之所至，什麼遊戲都好，只怕時間不夠。

穩下來，就席地而坐，聽很會說書的路濟亞講故事。她記性特別好，大凡母親晚上念給她聽的故事和聖人行傳，尤其聖經段落，她都能幾乎背誦如流。聖堂裡講的道理，她聽了也記在心裡，要理問答背得爛熟，所以能得克路士神父幫忙，才六歲就破例獲准初領聖體。

雅新達最愛聽的是耶穌苦難事蹟，百聽不厭。每次都淚流滿面，一連喊：「可憐的耶穌！」路濟亞能領聖體，他們兄妹問她：「我們為什麼不能領？」「你們不會要理啊。」

於是，他們一定要路濟亞教要理問答，好能早領「隱藏著的耶穌」。他們認真的學會路濟亞能教的一切，要去本堂考試，結果是：等到九歲再說。又何況方濟各沒把信經背誦通暢。——好長好苦的等待呀！

好在總有忙不完的事情要做，玩伴也一天比一天多。其中難免有幾個口出惡言或不誠實的孩子，這種機會上，小雅新達就撅起小嘴，手牽著哥哥離去：「爸媽不要我們跟這樣的孩子們玩；不要我們學壞話。」

有一次，代母給方濟各買了條很「珍貴」的頭巾，上面印著納匝肋聖母像[30]。他很高興地拿去給路濟亞看。一群孩子見了，都要拿到手裡細細地賞玩。傳來傳去，頭巾失蹤了！不久以後，一個壞男孩掏出來一條頭巾，大聲說：「我也有同樣的。」孩子們都知道他撒謊，方濟各卻滿不在乎的說：「算了吧！這塊布為我並不重要。沒關係，讓他拿去吧。」

可是，也有一件他非要不可的東西：小笛子。沒錢買怎麼辦？偷拿了父親兩個銅板，為此，在臨終前一天，還又告了一次罪。

---

30. Nazarè在法蒂瑪西方大西洋岸，是個風景秀麗的漁港，也是聖母朝聖地，經常有遊客、魚販子和朝聖的外方人。
再過來一點，名城巴達利亞（Batalha），有一會院和著名的「未完成小堂」。它是白大理石精工建造的，為感謝聖母的助佑（葡王若望依恃聖母，以寡抵眾，驅除入侵大軍），也為紀念衛國功臣真福奴瑠，和無名烈士，法蒂瑪村人多來此處趕集。

　　雅新達雖說是什麼都要，但並不貪戀別人的事物，只是要得徹底：全部都要，不要半吊子。爲此也很會犧牲，捨棄自己。有一次她玩輸了，應當聽贏家的話去受罰。表姐指著旁邊寫信的哥哥說：「去給瑪奴厄爾三個吻！」雅新達反說：「叫我做點別的。」「我只要你親他三次。」「我唯一要親的是救主！祂要我親多少次，我就親祂多少次。」表姐答應了，雅新達跑去端了一把椅子，爬上去，恭恭敬敬的摘下牆上掛的苦像，吻個不停。這下可肇禍了，舅母進來，看到他們拿苦像「玩」，一氣之下，就要打路濟亞。雅新達連忙喊著說：「別打她！是我的不是。」趕忙把苦像掛了回去。

　　晚上，他們最愛到打麥場或井邊去看落日和數初現的星辰。他們把太陽叫作「救主的明燈」，它是方濟各的偏愛，因爲它明亮閃耀，光照大地；又能使遍地的露珠閃閃生光。月亮是聖母的燈，雅新達特別愛它，因爲它不耀眼，可以仰視。星辰是大使們點的燈，放在天庭的窗口。路濟亞喜歡它們。天上的日月星，天庭裡的救主、聖母和天使們，都跟這三個寶貝孩子很近，很親切！

　　可惜，聖母的燈有時候「缺油」，沒有月光，夜裡黑得可怕。總會令人茫然。

　　爲了聖體遊行，路濟亞被選定當小天使，穿白衣在聖體光前撒花。雅新達聽說了，央求表姐也設法讓小表妹有此榮幸。練習的時刻一到，女教員講解如何向小耶穌散花。雅新達問：「我們能看到小耶穌嗎？」「當然可以，本

堂神父捧著祂呀。」雅新達喜得一直跳著問，還有多久才
到聖體瞻禮。

　　渴望的那天終於來了，她們二人穿著潔白衣衫，走在
聖體傘前面，手裡提著一個花籃。路濟亞在指定的地點撒
上鮮花，也示意雅新達同樣做。她的眼睛卻一直盯在神父
胸前，其他一切都不去看。聖體遊行結束的時候，她的花
籃還滿滿的。路濟亞問她為什麼沒有撒花，她答說：「我
沒看見小耶穌呀。」出堂以後，她問路濟亞：「妳看到小耶
穌了嗎？」「沒有啊。妳不知道，人看不見祭餅裡的小耶穌
嗎？祂隱藏在裡面，我們領聖體時，領的就是祂。」

　　「妳領聖體後，也跟祂說話嗎？」

　　「當然噢！」

　　「為什麼看不見祂？」

　　「因為祂是隱藏的。」

　　「怎麼可能，有這麼多人同樣領隱藏著的小耶穌？莫非
每人都只領祂一小塊？」

　　「不是的！妳不是看到好多小祭餅嗎？每一個裡都隱藏
著整個的小耶穌。」

　　不要竊笑我們的小神學家。你能給一個五歲的小女孩
更好的解釋嗎？

　　雅新達不離題：「我去求母親，許我領聖體。」

　　「本堂神父在妳十歲以前，不會給妳領聖體的。」

「妳也還不到十歲，卻已經領了聖體。」

「因為我學好了要理問答。你們還沒學會。」

他們小兄妹二人，要求路濟亞快教要理。學得如此心切，竟把遊戲也忘記了。不幾天，路濟亞會的，他們全學會了：「我們還願意多學……。」可惜，不識字的小老師已不能多教。不拘如何，她總得一而再、再而三的講「隱藏著的小耶穌」。小兄妹二人望主心切！

孩子們都盼望著長大。路濟亞八歲了，母親以為她可以幫忙工作，要她接替哥哥，出去牧羊。她把這「新聞」告訴表弟和表妹，他們說：「今後，我們不能一起玩耍了？」

丟掉好玩伴？不成！小兄妹二人央求母親，也讓他們去牧羊。母親開始怎麼也不答應：他們太小了，要他們開始工作，不也丟臉？但終於拗不過他們整天的懇求，分給他們幾隻羊，讓他們趕出去牧放。

三小牧童樂極了！除星期日外，每天絕早起床，吃點早餐，帶些中午要吃的乾糧和下午點心，趕羊出門，到水坑邊會合，議定去哪個牧場。星期日則先去望彌撒。

最喜歡去、最常去的當然是考洼達依里亞。因為那裡的土地幾乎全是桑道斯（路濟亞）家的，不怕侵犯別人的權利 31，況且，在窪凹地裡放羊，孩子們在高坡上遊玩，也容易看顧群羊，不致失散。他們整天只嫌時間不夠，玩得不過癮。美好的大自然也助長他們的遊興。

雅新達特別喜歡在山頂大喊，聽它的回聲。她遍喊所知的一切人名，發現「瑪利亞」的回響最妙。把聖母經[32]一字一字的喊出去，還是「瑪利亞」最好聽。

方濟各的特愛是飛鳥。他很慷慨的拿麵包分給牠們吃，跟牠們一起唱，吹口哨與牠們「共鳴」競賽。他永不讓人破壞鳥窩。有一次，他見一頑童捉了一隻小雀，便把他全部財產拿出來（兩個銅錢），買了小鳥放生；看它飛走時，還在後面喊著說：「當心呀！別讓人再捉到你！」

他的好心，不只限於對飛鳥，在牧場上，他們屢次碰見一位老婦人，趕著一小群羊。她腿腳不靈活，羊群很容易分散。想把牠們再聚集起來，談何容易。如果小牧童們正在附近，方濟各會馬上跑過去，幫忙老婦人把羊聚起來。事後也不要人道謝，一聲不響的走開。老婦人把他叫作小護守天使。

追蝴蝶的機會和時間更多了。田野中，牠們的種類及花樣也比較多。小雅新達顯得最靈活，捉到一隻，細細端詳後，讚頌不已地放牠飛走，再去捉另一隻。

---

31. 對於這一點，小牧童們一直非常在意。有一次，路濟亞要把羊趕到代父田裡去牧放，表弟妹們都反對，說是必須先得到主人明言許可。 —— 她代父代母的農田，都由她父親和哥哥們代為耕種收割。

32. 識者都認為：葡萄牙文的聖母經最動聽，試試吧：Avē Maria, cheia de graça, O Senhor ê convosco! Bemdita sois vós entre as mulheres, e bemdito ê o fruto do vosso ventre, Jesus! Santa Maria, Mãe de Deus, rogai por nõs pecadores, agora e na hora da nossa morte. Amen 。

安靜的方濟各坐在大石上，一面看著羊群，一面拿出小笛子來，吹奏童謠和聖歌。那時候，小妹的腿會發癢，不得不高興地跳起舞來，路濟亞也不願落後，跳起舞來沒完沒了，直等跌坐在地上才停下休息。

山坡、窪地有的是石頭，兩個女孩子撿拾起來，搬不動的，三個人一齊來抬，要工程師（方濟各）築牆蓋房子。

不知不覺中，早已到了中午，肚子也真餓了。麵包夾肉或奶餅，吃得很香。——噢！日中的玫瑰經！母親千萬叮嚀的，不可不念。念吧，哪裡有那麼多時間？有了：一領一答，只念每段經的前兩個字：Pai nosso（我們的天父），Ave, Maria（萬福，瑪利亞）（十遍），Gloria ao Pai（光榮歸於父）；如此再來第二端，第三端……五端玫瑰經，一兩分鐘就念完。可以再去玩了！

野花多得很，各式各樣，各種顏色的都有，真的採不勝採，雅新達特別喜愛白玉簪和野紫蘿蘭。有時會編個花冠給表姐戴。問她為什麼，她說不為什麼。

夏天，他們最愛去戛擺叟（Cabeço）放羊，那裡有桑家的一塊山園，離家又近。園裡的橄欖樹和松樹，既可遮陽又可給人清香的新鮮空氣。大石陰影裡也頗清涼。何況到處都有灌木，野草叢生，園子又有石牆圍繞，羊圈在裡面，可以很久也不需要人照管，盡情去玩吧。從小山頂上，一面可以看到全村，另一面山嶺起伏，頗為壯觀。難道上天也選中了這地方？

下午點心後，玩了又玩，太陽就要落了。趕羊回家

時，雅新達會抱個小白羔羊，走在群羊中間，問她為什麼這樣做，她說：「聖像上的善牧童耶穌是如此做的呀！」

　　快樂、無邪的童年一晃就過。上天要降大任予三幼童了。豐功偉業，要等三位小牧童去完成。

四、顯現

聖母選定了她要用的人才，還先要他們作準備，及早變成有用的器材。

先派誰來教他們？頭號的總領天使？

天使的顯現

八歲的鄉村女郎路濟亞，沒上過學，不知道什麼年月日，星期幾也搞不清，只約略記得是在年中（4月到10月之間）[33]，她開始牧羊；表弟表妹還沒得到父母的同意，不能陪她。她只好跟其他三個比較大的女孩出去。她們還依稀的記得[34]，曾發生過什麼事。

路濟亞記性好，回憶錄上這樣寫著：

> 我們吃完午飯，剛開始念玫瑰經，突然看到山谷裡樹頂上[35]，有一塊比雪還白的雲朵，既透明又像個人形。

女孩中的一個，回家後告訴母親說：她見過一個白白的東西，在樹頂上，活像個沒有頭的女人。這話傳出去，

---

33. 應當是 1915 年夏。
34. 「她們」：路濟亞、Maria Matias、Teresa Matias，和 Maria Justino。
35. Cabeço 山谷。

議論紛紛，卻都不得要領。稍後，這奇特的形象又出現過兩次，在路濟亞的心靈上，留下不可言喻的印象。在母親面前，她只能說：曾見過一個好像用被單遮蓋著的人。這種形容法，立即變成了折磨路濟亞的笑柄：「你們瞧呀！那個見過被單蒙頭人的女郎來了。」

如果沒有後續的事件發生，我們應能把這些都忘記了。

路濟亞回憶錄上這樣說。36

這為「後續的事件」只是個前奏；方濟各和雅新達又不在場；在場的四個女孩沒看清楚是什麼，更沒聽到任何訊息……。

一年後，二小兄妹已獲准跟六表姐一同牧羊。這次，天使真清晰可見的出現了。又是在孩子們特愛的戞擺叟（Cabeço）小山上。

應該是上主的安排，跟路濟亞牧羊的，只剩小表弟和小表妹二人。他們三人整天在一起，不再跟別人合夥。以後的天使和聖母顯現，只有他們三個無知的小見證。目不識丁、誠實無欺、樸實天真的小牧童們，絕不會製造出幾乎不可置信的事故吧？且聽路濟亞敘述：

---

36. 有幾位作者很認真的記下，所引用的辭句是出自第幾個回憶錄的第幾頁，只差第幾行，筆者不願抄錄來打擾讀者。讀者也無處去尋。

戛擺叟山石（1917年）

戛擺叟（天使於此顯現兩次）

（作者攝於2001年6月9日）

　　1916年春季的一天，我們到夏攞叟谷底我父親的園地裡放羊。那塊地叫Chouza Velha。上午開始下小雨，我們領著群羊爬上小山，找個山洞[37]避雨。如此，我們第一次進到那神聖的地方。它處於我代父的橄欖園中間。從那裡可以看到我出生的村子，和我家的房子……雖然雨已經停了，太陽又普照大地，我們仍舊留在裡面。吃過午飯，念玫瑰經，以後開始玩「撿石子」。剛開始不久，一陣烈風吹得樹木亂搖。我們抬頭看，在這晴朗的天氣裡會發生甚麼，見到東方遠處的樹頂上有一白光（比雪還白），樣子像個青年，透明閃耀，猶如日光下的水晶。漸漸來近了，我們開始看出他的體型。我們不勝驚奇，不發一言。他來到我們面前說：「不要怕！我是和平天使[38]。跟我一齊祈禱！」他跪下去，額頭俯在地面。我們也被一種超自然的力量促使，同樣跪在地上，眉頭觸地，跟他重覆地念：「我的天主！我信、我欽崇、我望、我愛祢。我求祢寬恕那些不信、不欽崇、不望、不愛祢的人們！」他重念了三遍，遂即起身說道：「你們這樣祈禱吧！耶穌和瑪利亞聖心已準備好了，要俯聽你們（的禱聲）。」他不見了。

　　超性的氣氛圍繞著我們，強烈得使我們幾乎忘卻了自己的存在。這情形持續浪久。我們一直保持跪倒的狀態，重念天神的經文，一遍又一遍。天主的臨在

---

37. 洞並不深，只能在背風時，才可躲在裡面避雨。

38. 教會禮儀中，只稱彌厄爾總領天使爲和平天使。應當是因爲他曾（用利劍）驅逐惡魔濟弗爾，締造天庭和平？第二次顯現時，他呼自己葡萄牙的護守天使。他是天主的特使，預報法蒂瑪的訊息：拯世救人的祈禱和犧牲。

也如此強烈貫澈，使我們三人中間也不能交談。第二天，我們仍被圍繞在這種氣氛裡。它浪慢浪慢的漸漸散去。我們三人中誰也不想談天使的顯現，更不必許下保密。好似它強迫我們緘口：它太神秘、太密切了，不容人輕易談它。也因為這是我們第一次清晰的跟天使相遇，印象特別深刻。

然而，他們並不曉得這第一次跟超性界接觸的真義。他們只覺得心神恍惚，舉止沈重，除了跪念天使所教的經文文外，對其他任何事物都沒興趣。好多天以後，生活才回復正常。

他們又會玩、會唱歌跳舞了，並且一天比一天有勁。只是，也更願意和別的孩童們隔離。是上天促使的嗎？

夏天到了，乾旱和燥熱也跟著來，絕早就把羊趕出去，讓牠們啃帶著露水的青草，好在太陽高照以前趕回家來，直等黃昏時，再去牧羊。

躲藏和乘涼的最好去處，仍是路濟亞後院深處的井邊。那裡不只有樹蔭、有涼清水，蓋井的大石板也可用作牌桌；井邊的石條當板凳……好極了，盡情玩吧！

人家午睡的時候[39]，天使又來了：「你們在做什麼？祈禱！多祈禱！耶穌和聖母聖心對你們有憐憫的意圖，願把你們的祈禱和犧牲獻給至高者。」

---

39. 炎熱的夏天，午飯後，大家都「午睡」。筆者第五次去法蒂瑪時飛機在中午降落Porto機場，公車站停滿空車，直等到下午三點，才有車夫來開門收乘客。

「我們應當怎麼樣做犧牲？」

「可以用每一種方式，把你們的犧牲獻給天主，為補償冒犯祂的罪惡；也為求罪人悔改。如此，你們可以為祖國招來和平。我是葡萄牙的護守天使[40]。首先和最重要的是：應接受上主將要加給你們的痛苦，耐心忍受！」

天使去了，跟上一次一樣：方濟各只能看見天使，卻聽不到他說了些什麼。要祈禱了，他不會再緘默：

「路濟亞！天使說了什麼？」

「等明天再問。或者去問雅新達。」路濟亞沈浸在超性的氣氛中，不想說話。

「雅新達！妳告訴我，天使說什麼。」

「我明天告訴妳，今天我不會談話。」她也和表姐有同感。

第二天早上，方濟各的第一句話是：「昨夜妳睡了嗎？我一直想天使，想他可能說過什麼。」路濟亞遂把天使第二次顯現時所說的一切都講給他聽。方濟各還有些不懂的：

「至高者是什麼？耶穌和聖母聖心願把我們的祈禱和犧牲獻給天主又是什麼意思？」

路濟亞給他解釋了以後，他還有別的問題。路濟亞精神還不能集中，又要他等明天再問，他好像滿意了。不

---

40. 聖母特別愛護她的邦土？不然，怎會派頭號的總領天使作葡國的護守天使？

過，機會一來，他又開口發問。小妹聽了，喊著說：「當心噢！我們不應該談論這些事！」 —— 以上這幾段，也都出自路濟亞的記述。

祈禱、犧牲，是天使傳來的天訊，是聖母的福音。小牧童們已經會祈禱了；卻還要更多祈禱！他們已經會長時間俯伏在地念天使所教的經文，早上也念短早課，午後念玫瑰經、飯經和晚上的家庭玫瑰經及晚禱。還須更多祈禱！?

犧牲？怎麼做？天使的說法太籠統了，究竟要用什麼方式呢？

在阿主斯特山腳[41]念完玫瑰經，又念天使所教的經文。他第三次顯現了。

> 天使手中拿著聖爵，上面有個大祭餅，從裡面有幾滴血落在聖爵裡。他讓聖爵和祭餅懸在空中，俯伏在地，念三遍經：「至聖聖三，父、子和聖神！我深心欽崇祢！我把世上一切聖體龕內的耶穌基督至尊至貴的聖體寶血、靈魂和天主性，全獻給祢，為補償祂所受的虐待、凌辱和冷落。因著祂至聖聖心和聖母無玷之心的無限功勞，求祢使可憐的罪人們悔改！」
>
> 天使站起來，拿了聖爵和祭餅，把祭餅給路濟亞，把聖爵裡的（聖血）分給方濟各和雅新達，同時說：「你們領耶穌基督的聖體、飲祂的聖血吧[42]，祂

---

41. 小牧童們不知年月日時，路濟亞只說是在第二次顯現後兩三個月，炎夏過去了，他們又能整天在外放羊。

路濟亞家的宅院

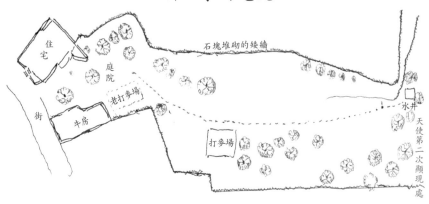

路濟亞家後院的水井（天使第二次顯現地）

被不知恩的人們虐待得很可憐。你們為他們的罪行作補贖吧！安慰你們的天主！」天使再次俯伏在地，跟孩子們一同念剛才的經文：「至聖聖三，父、子和聖神……。」念完第三遍，天使離去。

孩子們繼續伏在地上，一遍又一遍的重念下去。他們的存在，完全沈浸於天主的臨在中，使他們有種新穎、奇特和快樂的感覺。彼此互視，好久不發一言。最後又是方濟各打破沈靜，因為他沒聽到天使的話，只跟她們學著念經：

「路濟亞！天使給妳領的是聖體，他給我和雅新達的是什麼？」

「同是一樣，也是聖體。」「妳沒看見，那是從祭餅滴下來的聖血嗎？」雅新達高興的接著說。

「我感覺到天主在我內，卻不知如何。」

雅新達說：「不知怎麼回事，我不能說話，不能唱歌，也不能跳舞……沒有氣力做任何事。」

---

42. 天使不是神父，不能作彌撒、成聖體。他哪裡請來的聖體？法蒂瑪東北約二十五公里，Juncal 村的本堂叫聖彌厄爾堂，1916 年 9 月 29 日過主保瞻禮；聖體遊行後，Luis da Costa Carvalho 神父把聖體光裡的大祭餅拿出來，放到聖體龕裡，同時也照他的怪習慣，把每天用的聖爵鎖進去，把唯一的鑰匙帶在身邊。
第二天早上，他準備作彌撒，開聖體龕拿聖爵時，發現它不在原來的地方，並且用過了沒有擦洗；大祭餅也不見了，他把這事告訴管堂的人和幾位教友，誰也不知怎麼回事，神父卒於 1937 年 9 月 3 日。
天使在 Cabeco 顯現、給他們送聖體。莫非彌厄爾總領天使借用了自己聖堂的聖爵和祭餅？他堂門頂上雕著一尊好大的彌厄爾像，下面小天使們圍繞一只聖爵。是意味他分送聖體？反正路濟亞也不知道確切的日期，這莫非是巧合？

方濟各接下去：「我也不能。但有什麼關係呢？天使比它們都美。」

孩子們一直不曾向人吐露過天使顯現的事。沒受過什麼教育的鄉下兒童，不識字，又純樸誠實，絕不會捏造這種故事，更不會編出那些使神學家也震驚的經文，況且還每天花費好多個鐘頭俯伏在地虔誠的誦念，一字不差，直到昏過去才肯休止。他們實在沒法道出這種既神秘又親切的經歷：還是緘口為妙，路濟亞更是守口如瓶，保密到極點。多年後，主教命她寫下「一切」時，她說是挖空了她，只還剩個軀殼。

他們的父母和家人都悶在鼓裡，在百忙中，不覺得孩子們有什麼轉變。事實上，半年前愛玩好舞的小牧童們，很快就學會了多祈禱、吃苦、做犧牲。以前是玩不夠，沒時間念經；現在呢，整天只嫌念的經不夠，不再想遊戲、唱歌、跳舞了。克苦犧牲吧！

路濟亞的家境驟變，直走下坡。兩個姐姐原來在家織布、做裁縫，掙不少錢補助家庭收入；現在出嫁了，母親只好要下面的兩個女兒出去做傭工，自己也在鄰家照護病人，得一點酬勞（以前她只義務幫忙，還倒貼食品和衣物）。兒子Manuel要去從軍，上戰場。家裡吃晚飯時，只有四口人，又都愁眉苦臉，一言不發。母親看著四個空位，實在受不了，大哭起來：「天啊！這家的歡樂到哪裡去了！」三個人都跟著哭起來。路濟亞回憶說：「那是我一生中，最悲慘的晚餐！」

不久，母親病了，病情一天一天惡化，群醫束手，連她害的是什麼病，也診斷不出。只好叫一個在外做傭工的女兒回來料理家務。本堂神父[43]看不過去，親自趕自己的騾車，載病人去Coimbra就醫，已出嫁的女兒德肋撒陪著服侍母親。名醫做的診斷只嚇人，不給人希望。最後，San Mamele的一位外科醫生才說出實情：心肌破裂、脊椎錯了一環、兩臂都不作用……可憐的小路濟亞！她多少次獨自躲到井上去祈禱哭泣？

二小知心，當然也跟她流同情的眼淚！同時，他們自己家裡也有大轉變：她們的兩個哥哥，也有一個去當兵了，並且謠傳已經陣亡。全家為此痛哭不已，良久良久，直到他突然安返家園。

三小牧童都體會了天使的話：「要接受上主將要加給你們的痛苦，耐心忍受！」

無憂無慮的童年過去了。十字架的奧秘展現在眼前。愁苦壓在他們幼小的身上，刺痛小小的心靈……，生活中全是哭泣、祈禱、犧牲！

天使沒有白來，孺子也可教！

---

43. 換了新本堂神父：Boicinha，他比較嚴肅，有話直說：教人不要舞蹈……跟一些教友合不來。他心腸卻很正直，會助人為善。

聖母初次顯現

嚴冬過去，春暖了[44]。空中和地面仍舊死氣沈沈。不但路濟亞母親的病沒有起色，她哥哥在前線也沒信息。喪鐘還不時震憾人心。方濟各和雅新達聽信謠傳，以爲哥哥已經陣亡，悲慟不已。路濟亞設法安慰他們，邀他們跳舞，也無濟於事。1917年眞是多災多難的一年？

他們板著臉，低頭看著習見的山石和園地，總覺一切都變了色。豔麗的五月（聖母月）也褪色了。5月5日，教宗本篤第十五爲這「殘酷的戰爭和歐洲的自殺」而悲慟，他先呼求天主，轉變政客的人心，繼而督促每一個人驅除罪惡並爲和平祈禱，特別向大能的聖母祈求。爲此，他在聖母德敘禱文中加了一個呼求：「和平之后，爲我等祈！」

和平之后，不讓人徒然呼求，她在1917年聖母月的13號，看中了葡國境內還算平和的一隅法蒂瑪，選了小路濟亞家的一塊窪地，顯現給她預選的三小牧童[45]。這可是納匝肋精神的重現？

「和平教宗」的牧函還沒公佈，在1917年5月13日（星期日）馬爾道夫婦一早就套了車，去巴達利亞望彌撒，以

---

44. 法蒂瑪地處山區，海拔約五百公尺，冬季嚴寒，夏天酷熱；太陽落山後相當清涼，朝聖客若要參加晚上的燭光遊行或守夜，須穿暖。

45. 天主爲他特選的民族召叫一位大國王時，從最小的支派中找了個小牧童（達味）。「達味之子」基督降生時，先召叫窮牧童們，天主母在露德叫小牧童伯爾納德，在法蒂瑪選三小牧童路濟亞、方濟各和雅新達，傳達她的訊息窮苦卑微的人是上天的偏愛。無怪聖母會唱：「祂舉揚了卑微貧困的人。」

後去趕集買小豬，養肥了在秋天殺。孩子們留在法蒂瑪望彌撒。快到中午，方濟各和小妹才把羊趕出去，到水塘邊與表姐會合，議定去她家地裡放羊！去 Cova da Iria。

　　天空不能更藍，萬里無雲。群羊出來得晚，只管啃草，幾乎不用人看管。孩子們不知是出於無聊，或者有預感，在窪北較高的地方[46]，藉用一叢小樹，為它建個圍牆和大門，造座房子。反正石塊多得很，去揀拾吧……就在他們專心一意的忙著建築時，忽見一道閃光。他們大吃一驚：晴天霹靂？山後有不測風雲？他們嚇得拋下石塊，連跌帶跑的奔向右前方一棵大冬青樹，去避風雨。突然又來第二道閃光，嚇得孩子們連忙離開大樹，朝有路的方向奔逃。不多遠，在面前一棵一公尺高的小冬青樹上，有個光球，中間站著一位貴婦。

　　　貴婦全身潔白，比太陽還亮，清澈、明亮、強烈得勝過太陽光透射一杯淨水。[47] 她面貌美得無法形容，「不憂、不喜，只是嚴肅。」[48]

　　雖有點和善，也有責斥的表情。她雙手捧著，手指向天，右手上掛著一串白色念珠。衣服也是白的，直垂到腳面；上邊蓋著塊頭巾，全白色的，跟衣服同樣長（到腳面）。衣衫和頭巾邊緣閃著強光，好似鑲了金邊。頭髮和

---

46. 正是建造玫瑰經大殿的地方。
47. 48. 都出自路濟亞的回憶錄。

耳朵都看不到……她看起來只有十五、六歲。她亮麗耀眼，讓人不能長時間直視。

孩子們站在她的光圈裡，離她只一米半，抬頭看呆了。

她開口了，聲音美得像音樂，使人終生不忘：「不要怕！我不傷害你們。」

他們這時並不怕，只感到無比的快樂。怕的是剛才的閃電。路濟亞壯了壯膽，用最客氣的口吻說：「您從哪裡來？」

「我從天上來。」

「您要我做什麼？」

「我來要求你們，一連六個月，在 13 號的同一時刻，到這裡來。然後，我要告訴你們我是誰，我要什麼。」

她從天上來，且問問她：「我也要去天堂嗎？」

「妳要去。」

「雅新達呢？」

「她也去。」

「還有方濟各？」

她略停了一下，看著男孩說：「他也去，他應當念很多玫瑰經。」

我們三個要升天了！剛死的兩個女孩子呢？她們生前常來家裡跟瑪利亞姐姐學織布，熟得好像自家人。

「瑪利亞納味斯現今在天上嗎？」

「是的，她在（天上）。」

「阿美利亞呢？」

「她要留在煉獄裡，直到世界終窮。」[49]

貴婦接下去說：「你們願意把自己獻給天主、忍受祂要加給你們的一切痛苦，為補償祂因罪惡所受的冒犯，也為求得罪人的悔改嗎？」

「是的，我們願意。」好壯的雄語！出自兒童之口！

「你們將要受很多苦，然而天主的恩寵要做你們的助力。」

她說「天主的恩寵」時，伸開雙手，從手掌中射出兩道強光，把孩子們圍在裡面，穿透他們的心胸，照亮他們的靈魂，使他們在天主內看清自身，比在最好的鏡子裡看得還清楚得多多。一種不可抗拒的力量強迫他們跪倒地上，促使他們熱誠的念道：「至聖聖三！我欽崇祢！我的天主！我的天主！我愛至聖聖事中的祢！」

貴婦等他們念完，向他們說：「要每天念玫瑰經，為求得世界和平，使戰爭結束。」

說罷，她開始安祥的上升，從小冬青樹上向東滑走，消逝在無際的蒼天裡。

---

49. 馮西加神父作有條件的解釋：如果沒人為她念經作補贖大赦，她將在煉獄裡待到世界末日，不過，阿爾斯本堂傳記中說：聖人曾指示一位修女，她父親在煉火裡要待到世界末日，聖味增爵的妹妹方濟加也有同樣的厄運。
二十歲的 Amelia 病逝於 1917 年 3 月 28 日，臨終前已妥領聖事，還要受這樣久的煉苦？一說：因為她不曾竭力保持貞潔。

　　孩子們還一直望著東方，目不轉晴，良久良久。等他們從出神的狀態中醒回來以後，仍沈默不語，若有所思。不像見過和平天使以後那樣心情沈重。聖母顯現後，他們正好相反，心情平和、輕鬆、快樂、開朗。他們覺得像鳥一樣，幾乎要飛起來。雅新達高興得不時就會跳著喊：「啊！多漂亮的婦人！噢！這麼美的貴婦！」

　　他們開始盡情自由的談論剛才的事，路濟亞意會到應警告二小兄妹必須保守秘密，不把他們剛才所見所聽的告訴任何人，連母親也不可告訴。方濟各根本只看見聖母，沒聽到她說什麼，更沒說過一句話；再加上他生性沈默寡言，很容易就許下絕對保密。雅新達卻仍在喊：「多麼美麗的聖母。」路濟亞遂就說：「好了，我等著瞧，看妳是不是要告訴別人。」小雅新達爽直地說：「妳放心，我不會講。」

　　方濟各追問路濟亞，聖母對她說了些什麼。她一五一十的重述一遍，方濟各聽說：他須念很多玫瑰經才可升天，雙手合十後大聲喊起來：「噢！我的聖母！妳要我念多少玫塊經，我就念多少！」

　　晚上他們兄妹二人到家的時候，父母還沒回來，家裡卻異常熱鬧喧嚷：除了當兵的哥哥以外，兄弟姊妹都在家過星期日，並且還多了個舅父。黃昏時，姐姐們煮了一大鍋白菜馬鈴薯濃湯，從櫥裡拿出來幾條粗麵麵包……聽見外面有車輪的聲音，知道是爸媽回來了。

　　雅新達急忙跑出去，看見母親站在車旁，一直盯著父親在車裡掙扎，用盡他所有的氣力和技術，想把一隻也在

拼命挣扎的小豬拖出來。她看到母親和善的臉帶微笑，跑
過去抱緊她的雙膝，脫口而出：「媽！我在 Cova da Iria 看
見了聖母！」

　　奧林匹亞咯咯的笑著說：「我不信，妳是個這麼好的
小聖女，可以見到聖母了？」

　　「可是，我真的見到了她！」小女孩堅持著說，有點受
委曲的樣子。她繼續著講完事情的經過，母親只哼哼哈哈
的沒拿它當一回事。雅新達特別著重要每天念 terço [50]「我
念玫瑰經，你們也應當每天念！」好一個大人的口吻！

　　母親進到家裡，雅新達跟在後面嚷嚷，奧林匹亞覺出
來不是兒戲，又說了聲：「妳說妳見過了聖母。聖母怎會
偏偏顯現給妳！」

　　「路濟亞也看見了。方濟各也見過！」

　　母親忙著去弄豬食，父親好不容易把尖叫著的小豬鎖
在圈裡，走進來，很疲乏似的，默默地洗手吃晚飯。他坐
在火爐旁邊，吃滾燙的白菜和馬鈴薯。母親來坐到他身
旁，為讓他鬆散一下心神，把雅新達的話講給他聽。然後
叫道：「雅新達！雅新達！來！把妳告訴我的聖母在 Cova
da Iria 顯現的事，講給爸爸聽！」

---

50. Terço：三分之一，他們都把五端玫瑰經叫作三分之一，聖母也跟他們這樣叫。
2002年10月16日當今教宗在他當選二十四周年上，簽署《童貞瑪利亞玫瑰經》
牧函，增加了光明五端，今後不會再有三分之一了。

雅新達馬上把她的故事重述一遍。她面頰通紅，兩眼閃閃生光。顯然，她非常激動。

馬爾道先生把湯盤重重的放在桌上[51]，問方濟各對這事有什麼話說。不清楚他說了些什麼。總之，他簡短地證實了妹妹的敘述。

他們講得這麼清楚，這麼流利，讓人不能不信。何況孩子們誠實可靠，從來不撒謊，父親低頭沈思了一會，做了「法蒂瑪的第一位信友[52]」。舅父安多尼席爾瓦也有同感。

他說：「好了。如果孩子們見過一位穿白衣服的貴婦，除了聖母以外，還能是誰？」這家又多了位信友。

奧林匹亞還不願接受這種意見，她又說：「好一個小聖女！竟使聖母來顯現給她！」母親的猶疑，也可能出自她的謙遜，她怎敢奢望上天特別惠顧她粗野、通俗而又不特別聖善的家庭！她絕想不到，天主聖母多麼喜愛馬爾道家四個年幼的孩子。

路濟亞不知道姑母家裡昨夜出了什麼事。聖母顯現，她一字也不提，吃過晚飯，念完玫瑰經和夜課，她很快活地去睡甜覺。可是聖母的容光一直在眼前和腦海裡，好不容易才

---

51. 像我國北方人一樣，他們晚上也「喝湯」：把它盛在湯盤裡，用湯匙送到嘴裡喝。路濟亞在她第六回憶錄裡，詳細述說他們的飯食習慣。

52. 馬爾道先生思考進行緩慢，非常正確。他知道孩子們不會撒謊，又看到他們表情如此眞切，深信他們不會騙人。一直到老年，還常聽他說：「我一直認為方濟各很誠實可靠；雅新達更是如此。」

馬爾道家住宅

（作者攝於 2001 年 6 月 11 日）

三牧童（1917 年攝於馬爾道家屋角）

能入睡。一覺醒來時，已是清晨。她起來，躲到房子附近一棵無花果樹下去遊玩，等應當把羊趕出去的時刻。

不一會，她姐姐瑪利亞找來了。她嘲笑著說：「路濟亞！我聽說妳在 Cova da Iria 見過聖母！」路濟亞默不出聲，注視著她姐姐，瑪利亞又問：「是眞的嗎？」

「誰告訴妳的？」

「鄰居們說，奧林匹亞姑母說是雅新達講的。」

「我跟她說過，不要告訴任何人。」路濟亞要流淚了。

「爲什麼？」

「因爲我不知道她是不是聖母；她是一位很美的小婦人。」

「那小婦人對妳說過什麼？」

「她要我們一連六個月（13號）去 Cova da Iria，以後她要告訴我們她是誰、她要什麼。」

「妳沒有問她是誰？」

「我問她從哪裡來，她說：『我從天上來。』好像她不願意再多告訴我。」

「我想追問下去，看見方濟各走來，聽他說：雅新達控制不住她的口舌，全家都知道在 Cova da Iria 發生了什麼事！」瑪利亞姐姐回憶著說。

只怪奧林匹亞控制不住口舌，一大早，她就把雅新達的密事告訴了鄰居。如此，一傳十、十傳百，不久全村都

風聞了。路濟亞家也聽說了。姐姐瑪利亞才跑出去找她，問了上面那些話。這可苦了路濟亞。母親以為她開始撒謊，那是她最不能容忍的過犯！一直要強迫她到各鄰居家裡去道歉，求他們寬恕。姐姐們和哥哥也為此嘲笑她，鄰居們和她昔日的小朋友更變本加厲，有時竟投石子打她。她最最知心的小表妹還靠得住嗎？……聖母預許的「很多苦」，現在加在她身上了！誰教她理直氣壯的答：「我們願意」的？

有苦，大家一齊受！他們三個表親兼密友，原是一心一德，形影不離，當然要共甘苦。何況，錯出自雅新達，誰教她多嘴了？

路濟亞低著頭、愁著臉，一再想著母親的恐嚇和家人的譏笑；村人的謾罵還在其次。小雅新達看了，忍俊不住，雙膝跪下去，喊著說：「饒了我吧！都是我的錯。我許下：再也不告訴任何人了！」不管是誰錯，現在苦頭來了！

在牧場裡，雅新達獨自坐在一塊石頭上沈思，好久不說一句話。路濟亞看在心裡，非常難過。勉強擠出個微笑，喊著說：「雅新達！來跟我們玩！」

「今天我不想玩。」

「為什麼？」

「因為我在想：聖母要我們念玫瑰經，做犧牲、為求罪人回頭。現在，我們念玫瑰經時，應當每段經都念全，不能再像從前一樣剪短了！可是，我們要怎樣做犧牲啊？」

方濟各提議：「我們可以把午飯給羊吃。」

提議被接受了。中午，三個孩子空著肚子，流著口水看著羊大嚼母親們好心準備的麵包和奶餅。

方濟各不但聰明，也勇於承擔錯誤。早上，他去跟路濟亞會合時，流著眼淚。路濟亞安慰他說：「別哭啦！別再告訴任何人聖母向我們說的話！」

「我已經講過了！」他寧可怨自己，不怪小妹。

「你講過些什麼？」

「我說聖母許下要把我們接去天堂。他們問我眞的如此？我不能撒謊。請寬恕我！路濟亞！我再也不告訴任何人了！」

方濟各提議把午飯餵羊，他得設法去找代替食品。他爬上一棵橡樹上採還青的橡子。它們雖然已經夠苦，小妹卻發現軟木樹的果實更苦[53]。好了！又可以多做一種犧牲。

路濟亞回憶：

> 那一天，我們只吃了些橡子。別的時候我們吃松針葉，吃草根、黑莓、草菇、和一些在松樹根上可能找到的東西；它們的名字我記不清了。如果我們正在我家的園子附近，早晚也吃一些生果。

---

53. 它的果實跟橡子差不多，只是更酸、更苦。路濟亞告訴小表妹不要吃它，她卻正因爲它不好吃，才選中了它，爲多做犧牲。

後來，他們想到：如果把午飯給 Moita 村裡來求乞的兒童，不給羊吃，當更能悅樂聖母之心。在第一個機會上，他們一見那群乞兒，雅新達立即把三人的紙袋收集起來，跑過去給「新的小朋友們」。從此時起，兩隊兒童總會在街頭相遇。牧童們樂得空手去放羊，比乞兒們更「樂在其中」？

最能照聖母的意願去做犧牲的，是小雅新達。且聽她表姐敘述：

> 一個熱天，他們到路濟亞家租的一塊田裡去放羊。半路上，習慣性的把午飯給了小乞丐們，炎陽下走到目的地時，實在又累、又渴、又餓。走過泥窩時，水混濁不能喝。這裡更沒有可喝的。他們把這困苦也獻上了，為求罪人悔改。太陽也太不留情，照得越來越熱。下午還長得很，他們的決心開始動搖；還是叫路濟亞到最近的農家討點水喝吧。她去了。好心的老婦人給她一罐子水，還加了一塊麵包[54]。
>
> 「方濟各，你先喝！」
>
> 「我不要喝。」
>
> 「為什麼？」
>
> 「我願意為罪人悔改而吃苦、做犧牲。」
>
> 「你喝吧，雅新達！」
>
> 「我也願意為罪人做個犧牲。」
>
> 路濟亞輕描淡寫的接下去：「我就把水倒在一塊

---

54. 乾麵包好像分開吃了。但沒提餵羊的事。

大石的凹窩裡，給羊喝了。然後把空罐子送還女主人。」

　　天氣越來越熱。田裡的蟋蟀和紡織娘，田蛙和樹上的蟬，各處齊鳴，吵得要命。雅新達越來越虛弱，雙手按著額角，很天眞的說：「路濟亞！妳教蟋蟀、蟬和青蛙安靜些，我被它們吵得頭疼死了！」

　　方濟各說：「妳不肯爲罪人受這點苦？」

　　「當然，我肯。讓它們唱下去吧！」

　　他們體會了口渴的煎熬，以後還要特別在這方面拼命下功夫。

　　聖母的警告和許諾：「你們將要受很多苦，然而天主的恩寵要做你們助力。」都一步步的實現出來。不然，小牧童們哪裡能有這種英勇的耐性和毅力！當然他們自己也努力奮發。上天扶助自助的人。

　　晚上回家，方濟各和雅新達還能感到家人的親切，生活跟聖母顯現以前沒甚麼分別。路濟亞不這麼幸運，母親用盡各種方法逼她承認撒謊：利誘、愛撫、恐嚇……甚至用掃把柄毒打。母親原是非常虔誠的教友，教管子女的責任全落在她肩上。她絕不能容忍孩子們不誠實。現在自怨自艾地說：「正應當是我，來承擔這個重任！這是我的晚年所需要的？正因爲我一直教孩子們只說實話，現在女兒撒這麼大的謊！」

　　光說沒有用，她採取了行動。有一天，在女兒趕羊出門以前，掃把柄又派了用場。路濟亞只有哭泣的份，絕不

能用謊言來遮蓋真實，何況這事有關天上的聖母？

母親還不放鬆：「出去放羊吧！今天好好的想一想，我從來沒容忍過孩子們撒謊，更不會放過如此的大謊！晚上回家後，我要妳去見妳所欺騙的人，要妳承認妳撒謊，向他們求原諒！」

這一次，方濟各和雅新達先到水塘邊，等路濟亞來。他們跑過去迎她，見她滿臉淚痕，問她為什麼哭。她說：「母親一定要我說我撒了謊。我怎麼能那樣說啊？要我怎麼辦？」

方濟各向小妹說：「都是妳的錯！妳為什麼把它講出來？」雅新達再跪倒地上，伸出雙手，哭著說：「都是我的錯！以後我再也不告訴任何人了！」

晚上，母親問路濟亞想好了沒有。又設法要路濟亞承認撒謊。女兒一言不發。她遂即決定，第二天要把女兒拉到本堂神父那裡去：「妳到那裡，就跪在神父腳前，告訴他妳撒了謊，求他寬恕！聽清了嗎？我不管妳怎麼想，只有兩條路：或者妳了結這樁事，承認妳撒謊；不然，我就把妳關在黑屋裡，使妳再也見不到日光。至今，我一直能使我的兒女們不撒謊，現在莫非要我放過最小女兒撒這種大謊？唉！若不是這麼重要的大事……！」

聖母第二次顯現

好不容易挨過了一個月，到6月12日了。這期間，聖母顯現的消息已經傳遍了附近的村鎮，少數人相信，其他的都不信；其中還有許多人極力反對，跟小見證過不去。路濟亞的家人，給她最大的苦吃。馬爾道家的兩個小孩，在家還沒受多大折磨，雖然也有人罵他們的父母昏愚懦弱，不會管教孩子。還沒有人敢當面得罪馬爾道先生。他也極力維護自己的孩子，不讓任何人侵害他們。

路濟亞的母親眞去找本堂神父了。裴萊拉神父聽了她的敘述，授意她讓孩子在13號去Cova da Iria；事後把孩子們帶來，他要一個個的訊問[55]他們。

回家的路上，她遇見馬爾道先生，把神父出的主意告訴了他。馬爾道就去跟神父談一談：「本堂神父啊！剛才我的親家婆告訴我，您要我在下次顯現後，帶孩子們到您這裡來，一個一個的來。我現在想跟您商量個最好的做法。」

神父嚷道：「這麼個大混亂！誰也分不清青紅皀白！」

馬爾道先生很平靜的站在那裡。神父又接下去：「我從來沒聽過這種事。」他顯然心裡非常不安，頓了一下又說：「每個人都比我先聽說……如果你願意帶孩子們來，就來；如果不願意，別帶他們來。」

---

55. 訊問：寧可說是「審問」。讀者後來可以認清：神父們對小見證們做的訊問，簡直比一般律師質問更可怕。官方的正式的審問也好不了多少。

「神父啊！我今天來，完全是一片好心。」說完這話，馬爾道先生起身離去，他下階梯時，神父從後面喊著說：「馬爾道舅舅[56]！全託給你啦。如果你願意帶孩子們，就帶來；如果不願意，別帶他們來！」

「神父！好啦。我來，只是爲跟您商量，做什麼爲我們最好，不是來製造麻煩的。」

相信三個小孩的人中間，應當特別提出來的是瑪利亞加肋拉太太（Maria Carreira）[57]，後來人人都叫她「小堂瑪利亞」。她一直患病，已經七年多。醫生們束手無策，認爲她不幾個月就會病死。聖母顯現後兩三天，他丈夫在路濟亞家裡幫工，桑道斯先生把女兒路濟亞的事情講給他聽。當天夜晚，他跟太太說：「親愛的！桑道斯告訴我，聖母顯現給他家一個孩子，最小的那個；也顯現給他妹妹家的兩個小孩。聖母許下，每一個月要來，一連六個月，直到 10 月。」

「我要去弄清楚，是不是眞的！如果是眞的，我要走到那裡去！Cova da Iria 在哪裡？」[58]

「你瘋了？你想你也能見到聖母？」

---

56. 神父也跟村人學著叫他 Tio Marto，可見他多麼被人重視。

57. Maria dos Santos CARREIRA（～ 1949），住在 Moita 村，病得很重，幾乎整天臥床不起，很少行動，卻竭盡氣力每月去等聖母顯現，是法蒂瑪事蹟的重要見證之一，也給三小見證幫忙不少，後來還要多次提到她。

58. 問得好，雖然她家離此窪地不過兩公里，她卻從來沒聽過這個名字，更沒去過 —— 聖母偏選在那裡顯現！

「我知道，我不會看見她。如果我們聽說國王要來，我們不會待在家裡。既然他們說聖母要來，我應當去，至少試試看可能見到她。」

6月13日，聖安多尼瞻禮，是法蒂瑪主保良辰，每年都大事慶祝。有大禮彌撒和遊行，家長們都把車洗淨，插上旗幟和鮮花綠葉，還有樂隊和舞蹈……彌撒後供應免費午餐，回家時還可拿一條又白又軟的大麵包……。這一切多吸引人，尤其是好歌愛舞的兩個小女孩！

路濟亞的母親心想，上天保佑，孩子們一定要去趕瞻禮，忘記去Cova da Iria。不料，孩子們都情願犧牲安多尼大瞻禮，渴望著6月13日的到來。雅新達喜不自勝，還要求母親分享她的快樂：「噢！媽媽！明天妳一定要跟我們到 Cova da Iria 去見聖母！」

「什麼聖母啊？妳這個小糊塗……。明天我們都去過安多尼瞻禮。妳不願意去過這節日？去聽音樂、講道，去看煙火？」多麼動聽的名詞，奧林匹亞以為小女兒一定不能抗拒這些誘人的節目，那知道，她在一個月內竟修成了捨棄唱歌跳舞，甚至犧牲午飯和飲水的克苦習性。她想的是只是歸化罪人和要見聖母。

小女孩堅持著說：「但是，媽媽！我們的聖母要來 Cova da Iria ！」

「我一定不去。（妳說）聖母顯現給妳，不是眞的。」

「她眞的顯現！她說過她要再來，她就要來。」

「妳不願意去看聖安多尼？」

「聖安多尼不好（看）。」

「爲什麼？」

「因爲聖母美得多多了。我要去 Cova da Iria，別人也去。雖然我們也想去看聖安多尼 —— 如果聖母叫我們去。」

馬爾道先生猶疑了，跟孩子們去 Cova da Iria？如果沒發生什麼事情呢？或者讓他們自己去，我們去趕瞻禮？……也不是好主意。唉！有了！明天 Pedreira 有年會，我去那裡買幾頭牛：「太太啊！明天我們不過瞻禮也不做別的，我們去趕會，買幾頭牛。等我們回來的時候，孩子們的問題都解決了。這辦法再妙不過了吧？」

13 號早上，雅新達眼睛還沒睜開，就從床上跳下來跑到媽媽房裡，想再邀她去 Cova da Iria。房間空著，母親不見了。哥哥走進來，說父母出去了，到晚上才回來。小妹大失所望：「母親見不到聖母了！但不拘如何，我們可以自由去了。」

她跑過去叫醒小哥哥方濟各。他穿衣洗臉時，小妹把羊趕出來，趁早料理好一切，好能準時去 Cova da Iria。一路啃著麵包奶餅，急忙去會六表姐。路濟亞在街口已等得不耐煩：「今天我們去 Valinhos，那裏比較近，草也多；我們可以很快的結束一切。」

只用一個半鐘點，羊都吃飽了。他們趕回家，把羊圈好，連忙去換上最好的衣服。路濟亞走到姑母家，向他們小兄妹說：「我不等你們了。我去法蒂瑪找幾個和我一同

初領聖體的女孩。」

　　母親看見路濟亞打扮得如此漂亮，跑去法蒂瑪，心裡想，這可好了，聖安多尼又顯了個奇蹟。姐姐在一旁說：「且看她終究是去法蒂瑪，或去 Cova da Iria。」

　　看著吧。家裡的人總得看著小孩子做什麼。於是，她們約定了，如果孩子們眞去 Cova da Iria，羅撒姐姐要跟在後面，躲起來，看個究竟。如果沒有什麼奇事發生，有人攻擊孩子們，她要出來干涉保護；另外因爲兩小兄妹的父母出了門，派個女兒去，也可以避免大人丟醜。

　　母親輕聲告訴羅撒：「我去進堂，你且等在這裡，等下告訴我事情的經過。」說罷，她低頭出去了。她心情從來沒這樣低沉抑鬱過。半路上，碰見一夥生人，以爲他們也來趕瞻禮，好心的對他們說：「要去法蒂瑪，應走另一個方向。」

　　「我們從法蒂瑪來，找見過聖母的孩子們的家。」

　　「你們家在哪裡？」

　　「Carrascos。您能告訴我們，他們住在哪裡嗎？」

　　「他們家在阿主斯特。不過，他們就要來過聖安多尼瞻禮。」

　　她沒說出她跟孩子們的關係，自己心裡想，有外方人來 Cova da Iria 了。這夥人看起來還相當可尊重的……唉！奉行天主的聖意吧。

　　路濟亞的瞻禮，這次有另一種過法。她找到了一同初領聖體的女伴後，建議她們跟她去 Cova da Iria。雖然路濟亞比她們小四、五歲，但她們一向聽她的，這次也不例外。一行十四人正待出發，路濟亞的哥哥跑來警告她：「不要去！如果妳不去，我給妳錢。」

　　「我不要你的錢。我要去。」

　　她們動身前往，男孩跟在後面嚷嚷，要她們停步，她們卻一直走下去。

　　中途，有別人加入她們的行列，她們來到窪地北頭的高崗上，見有一些婦女在那裡等小見證們，我們的「瑪利亞小堂婦人」也在，領著她十七歲的跛腳兒子。且聽她自敘：

> 　　我死心的決定要去 Cova da Iria（在6月13日）。12號晚上，我跟孩子們說：「如果我們明天不去趕聖安多尼瞻禮，而去 Cova da Iria 呢？」他們回答：「去幹什麼？我們寧可去趕瞻禮。」我轉身問我跛腳的兒子若望：「你願意去趕瞻禮呢，或者跟我去？」「跟妳，媽媽。」
>
> 　　第二天，他們還沒動身去趕瞻禮，我和兒子就上了路。他拄著條棍子，吃力的跛行。我們來到的時候，還沒有一個人影。我們走回路邊，等見過聖母的孩子們。晚一會，一位 Loureira 的婦人走過來，看見我，不勝驚奇，因為她想我病在床上：「妳？妳在這裡做甚麼？」「跟妳一樣。」
>
> 　　她坐到我身旁，見有一位男子和幾位婦女走過來。我問他們：是不是從過瞻禮的地方來的。他們答

說：「是。人家都笑我們，我們不在乎，還是來看看這裡發生什麼。等後來看誰要笑誰。」

來的人更多了。十一點前後，孩子們終於來到，還帶來些小朋友，和幾位遠方來的人。地名我記不清了。我們一起走向小冬青樹，路濟亞停在離它約兩三公尺的地方，向東看了看，大家都不出聲。我問她：聖母顯現的時候，站在哪棵樹上，她把手放在樹上說：「這一棵。」

小樹約一公尺高，枝葉繁茂，長得浪正常。路濟亞離開了些，再注法蒂瑪的方向看了看，走到一棵大樹蔭裡去。寂然無聲。她背靠樹幹坐下去，雅新達和方濟各分坐在她兩邊。

—— 以上是「小堂瑪利亞」的敘述。

孩子們等得不耐煩，開始遊玩，雅新達也禁不住，玩起來。路濟亞要她安靜，因為聖母就要來了。小堂瑪利亞繼續說下去：「遠路來的，開始吃午飯，也給孩子們東西吃；他們每人接了個橘子，卻沒有吃，只拿在手裡。Boileros 來的一個女孩打開經本，大聲念起來。我因為有病，又弱又累，遂問路濟亞，她以為還要等多久聖母才來。她說不久了。她又看看有沒有聖母到來的跡象。我們公念了玫瑰經。Boileros 的一個女孩打開經本，開始念聖母禱文，路濟亞制止了她，說是沒時間了。她馬上站起來喊著說：『雅新達！聖母應當來了。那邊有閃光！』他們三個走向小冬青樹，我們緊隨在後。我們跪倒在大大小小的石塊上[59]，路濟亞舉起雙手，像似在祈禱。我聽她說：『您要我到這裡來，請您告訴我，您要什麼。』」

「我們只聽到個微弱的聲音，聽不清它說什麼。它好像隻蜜蜂營營嗡嗡的聲音。」

路濟亞聽得清楚：「我願你們下個月13號再來這裡；要每天念玫瑰經；要去學校讀書識字。稍後，我告訴你們，我要什麼。」

有一位病人，曾央請過路濟亞為他代求聖母，於是她鼓足了勇氣，求聖母治好他。聖母答說，如果他悔改，可在一年內痊癒。

路濟亞想到這世間的苦惱，尤其在自己家中受的屈辱，向聖母說：「我想求您，把我們帶到天上去。」

「是的。不久我就要接雅新達和方濟各去天堂。可是妳得在這裡留得久一些。耶穌要利用妳，叫人認識和愛慕我。祂願意在地上制定我無玷聖心的敬禮[60]。」

「我必須獨個兒留在這裡？」

「不，我的孩子。不要為此悲哀！我永不離開妳。我的無玷之心將作妳的庇護，當作領妳到天主那裡去的路。」

這些話深刻地印在路濟亞的心上，她時常可以在病苦

---

59. Cova da Iria 亂石很多，大小不一，牧童們不只用它們當坐位，也用它們築圍牆、蓋房子玩。（請參閱第38頁）也請細看聖母第六次顯現時的照片（第171頁）。

60. 聖母無玷聖心敬禮，是路濟亞告訴神師的第一個秘密。時在1927年12月17日，耶穌告訴路濟亞：把聽告解神父要的都寫下來。……聖母啟示的無玷聖心敬禮也在內，關於這敬禮的作法，請參閱88頁註70。

中找到那顆心的安撫，得它強力的助佑，來跟地獄和世界的惡勢力奮戰。

> 說完那句話，聖母像第一次顯現時那樣，伸開雙手，從手掌中射出兩道強光，把我們也圍在她的光圈裡。在這光裡，我們看到自己沈浸在天主內。雅新達和方濟各好像是在注天上去的那部分光裡，我自己在射向地面的光裡。聖母的右手在胸前托著一顆心，它被荊棘圍繞著並被刺穿。我們明白，那是瑪利亞無玷聖心[61]，叫我們補償人類給它的污辱。

路濟亞回憶錄上是這樣寫的。

聖母輕輕的上升，離開小樹，飛快的滑向東方，消逝在無際的天空裡。周圍站著的五、六十個人，都注意到冬青樹上的嫩葉都偏向同一方向，好似聖母的衣衫在上面拖過。好幾個鐘頭以後，它們才回復原來的位置。

路濟亞還在凝視著穹蒼，瑪利亞加肋拉聽見她說：「哦！看不到她了，她進了天堂。門關上了。」

人們都非常激動，爭著問孩子們，或彼此談論剛才的感受。他們雖然沒看到聖母，卻很明顯的覺得有過什麼異事：晴空中的閃光、太陽光轉暗、聽不清的細聲、冬青樹葉轉向……。噢！小冬青樹！好幾個人搶過去要摘它的葉

---

61. 天神為三小牧童作準備時，已經說過聖母無玷聖心，現在聖母本人也來說教。可見：敬禮聖母無玷之心，是個法蒂瑪訊息的重要部分。以後還要多次談到它。路濟亞應留在世上宣講，來制定這首星期六敬禮。

子作紀念，幸好路濟亞神志清醒，叫他們只採下面的、聖母沒有碰到過的葉子。瑪利亞加肋拉把小樹周圍的迷迭香和雜草拔掉，收集起來；已經想到要建個小堂了。

遠路來的人要念剛才沒能念的聖母禱文，回家的路上再念玫瑰經。念完禱文，群眾散了，遠路客人離去，近處的人還一直纏住三小見證，問東問西，直到下午四點前後，孩子們才能上路回家。可是仍有好奇的人們跟在後面，問個不停；求他們轉禱的，更不顧一切。

「到法蒂瑪的時候，大禮彌撒剛完，開始遊行。人們問我們從哪裡來，我們答說：從 Cova da Iria，並且很高興從那裡來。有些人因為錯過了機緣，感到難過。可是，太遲了！」瑪利亞加肋拉如此說。

孩子們還有點神志昏迷，很不高興聽大家不停的質問。他們有時給個很簡短的答覆，對另些人，根本不回答，最常說的是：「這是秘密！」終使他們漸漸失望，離開孩子們走回家去。

方濟各也有他的許多問題，因為他跟上次一樣，只看見，沒能聽見聖母說什麼。他們給他講述了一切，可是還有些細節，他搞不清楚。

「聖母為什麼手裡托著一顆心？為什麼又發出那強光、照射大地？光是天主呀，我見妳和聖母在地上，雅新達和我卻向天。」

「正是如此，你和雅新達不久要升天堂，我跟聖母無玷聖心留在世上，要久一些。」

「妳要留在這裡多少年？」

「我不知道。好多年。」

「是不是聖母如此說的？」

「是。我在射穿我們心胸的光裡，看到它。」

「對了，我也看見那個！」雅新達插嘴說。

「我快要升天了！」從此時起，方濟各一再高興的這樣喊，喊得出神。「雅新達和我快要去天堂了！天堂！天堂！」

兄妹二人跑回家去，滿心快樂。路濟亞卻千頭萬緒，獨自思索著走回去。

闖進家門，看到爸媽已經回來，買了兩頭肥牛；其他家人都還在法蒂瑪過節。父母轉臉瞪著方濟各和雅新達。雅新達不禁大聲叫起來：「媽呀！我們又見了聖母！她說我不久要去天堂！」

奧林匹亞說：「胡說！什麼聖母呀？」

「那個美麗的貴婦。她今天又來了。」

「美麗？她像某某人那樣美嗎？」

「美得多多了！」

「像聖堂裡那位穿著綴滿金星的華服的聖女62一樣美？」

---

62. 聖女 Quiteria。本書第 21 頁沒有她的名字，小堂裡聖像太多了。

「不！比她美得多多了！」

「像我們的玫瑰經聖母那樣美？」

「還更美得多。」

「好啦，她這次給你們說過什麼？」

「要念玫瑰經；直到 10 月，每月 13 號都要去那裡。」

「就這些？」

雅新達覺得她已經說得太多了：「其餘的是秘密。」

「噢！秘密！秘密！告訴我們這秘密！」

什麼也不能說服二小見證做這種事。父親從來沒問過是什麼秘密。為他來說，秘密就是秘密，不可告人的。

路濟亞的聽眾，完全另樣。她越說聖母又一次顯現給她，母親的火氣越盛大。想到五十多個人被女兒愚弄，騙去 Cova da Iria 出醜，幾幾乎把她氣死。

第二天，第三天，她更氣 —— 如果還能更氣 —— 因為全村裡的談話資料，都是她家無用的路濟亞。都是她惹的禍。如今，在這種情形中，路濟亞竟敢求母親許她去上學！因為這是聖母的要求！女孩子上什麼學？女子小學根本還沒動工建造。聖母！聖母會跟個小醜妮兒講話？……

越想越氣，幸虧她終於想起了本堂神父說的：讓孩子們去 Cova da Iria，事後把他們帶來，我要一個一個的訊問。

「路濟亞！我們明天再去本堂神父那裡。這一次，妳可要對他講實話！」

第二天清晨，她們兩個出門，先到馬家去。母親板著臉，一句話也不說，走在前面，路濟亞尾隨在後，心思更沈重。母親去找奧林匹亞訴苦，女兒哭著去找小表妹傾訴心聲。

「別哭啦！我去叫方濟各。妳走了以後，我們去爲妳念經。」雅新達安慰她說。

路濟亞跟母親到本堂神父住宅。路上，母親不曾回頭看她一眼，更沒跟她說過一句話。她一身黑衣服，蒙個黑頭巾，一言不發，簡直跟劊子手一樣可怕。

先進堂去望彌撒，女兒這可輕鬆一下了。她把一切都獻給被釘死在十字架上的救主，願跟祂一同受苦。領聖體後，更把自己交托到隱藏著的小耶穌手裡。想著聖母的話：「你將要受很多苦！」

彌撒後，母女二人出堂，到本堂住宅去。爬了一半台階後，母親才開始說話：「別再給我煩惱了！現在要告訴神父妳撒了謊，好讓他星期日在堂裡發表說是個謊言，來結束這回事，免得大家都跑去 Cova da Iria，在一棵小樹前祈禱！」

神父既客氣又嚴肅，要她們坐在一條板凳上，過了一會，才邀路濟亞到他辦公室裡，問了很多問題，問得不能再仔細。二十年以後路濟亞寫回憶錄時，說他「幾乎鑽牛角尖，雖然他外表一直溫文爾雅。」他已經訊問過方濟各

和雅新達。把他們三人的答覆比較了又比較，深信孩子們都說實話。然而，他的結論可嚇壞人：「它不像從天上來的啟示，我們已經每天念玫瑰經了，何須聖母再來要我們念？況且，受上天啟示的人，一般都先告訴神師或本堂神父，這些孩子們反而保持秘密……，可能是魔鬼的欺騙。等著看！等著看！」他起身讓她們回去，又給瑪利亞羅撒加上一句：「以後我會發表我的意見。」

魔鬼的欺騙！這可苦了她們母女二人；她們從來沒這樣想過，然而這是神父說的！他的權威不讓人置疑。這句話在路濟亞心裡拋下了疑惑的種子：如果神父說得對，怎麼辦呀？……這根刺扎在心裡，讓個才十歲的小女孩實在難忍難當，愁霧重重。噢！神父不會錯！……且聽她本人的記述：[63]

　　那時候，我開始疑惑，思索著：莫非真是魔鬼顯現出來騙我。我常聽說魔鬼帶來各種紛亂和戰爭。真的，從這些事發生以來，家裡沒有了快樂和安寧。哎呀！我在家受了多少苦啊！我把我的疑念告訴表弟表妹。雅新達喊說：「不！不！不會是魔鬼！人們都說魔鬼很醜[64]，在地獄裡；然而，我們的婦人這麼美麗，我們又見她升到天上去。」

---

63. 再說一次（以後不再說了）：我們離不了路濟亞，所有的法蒂瑪書籍，都以她的回憶錄為主要資料。二小真福升天後，她是唯一見證。

64. 小牧童們不久以後，就看到魔鬼多麼醜。

小表妹這一番話，好像一道光，射到表姐心的暗處。可惜也只是一晃就過。預定要她走的苦路，才剛開始。

漸漸的，路濟亞的熱誠冷了下來，不知如何，她竟落得冷淡無情。甚至在想，是否要到神父那裡去承認撒謊，一了了之。

幸虧表弟表妹勸慰：「不可以那樣做！妳不知道那是撒謊嗎？撒謊是犯罪！」

如此，天空放晴，以後又是烏雲密佈。路濟亞依舊想是魔鬼玩弄她。她怕得竟做起噩夢來。以下又是她的自述：

> 我看見魔鬼得意地邪笑，因為它成功的欺騙了我。它奮力拉我去地獄，它抓緊我，嚇得我大叫起來，呼求聖母。母親被我驚醒，非常不安，要知道有什麼事。我記不清跟她說了什麼，只還記得：那一夜我嚇得沒能再睡。這個夢，在我心裡留下驚恐和疑慮的陰影。

孩子們只能在 Cova da Iria 的小冬青樹旁，找回心靈的平安和快樂。在那裡，他們多次碰見加肋拉太太，要跟他們一起念經。雖然她體弱多病，卻已開始美化這「聖地」[65]，她眞是法蒂瑪聖母信友中最虔誠的一個 —— 即便不是第一個。

且停下，讓「小堂瑪利亞」自己來敘述：

---

65. 第一位法蒂瑪信友的榮銜已被人加給馬爾道先生 —— 二小兄妹的父親。

當天晚上，女兒從法蒂瑪回來，問我：「媽！Cova da Iria 有趣嗎？」「很可惜妳們沒去那裡！」「聖母真顯現了嗎？」我就把那天發生的一切都告訴她們。其中一個說：「下個星期日，我們該到那裡去！」我們去了。我們正在念玫瑰經，看見有兩個人來[66]。他們也看見了我們，說是已經有人在小樹旁邊。我們躲到樹叢裡，窺視著，看他們要做什麼。他們帶來些石竹花，把它們掛在小樹枝上，以後就跪下念玫瑰經。我們留在原地，免得打擾他們，直等他們念完，才跟他們會面。從那時起，我常去 Cova da Iria。在家裡，我覺得沒有氣力，等我走到那裡，就成了另一個人。我開始清理小樹周圍，把地面弄平坦，剪除雜生的亂草和灌木，修條小逕，搬走亂石……在小樹枝上掛了一條絲帶。─我是第一個在樹上放鮮花的。

路濟亞的疑慮還在。她不時告訴表弟表妹，她不想再去赴約會，因為她怕是魔鬼來騙她。雅新達說：

「妳怎麼能想是魔鬼？妳沒看見聖母和救主在那光裡嗎？沒有妳，我們怎麼去？是妳替我們說話的呀！」

「我不去了！」

「我去！」方濟各堅決的說。

「我也去！因為聖母叫我們去。」雅新達接著說。

晚一會，方濟各見表姐獨個兒在打麥場上，他要做最後的努力，來說服她：

「瞧！妳明天要去了」。

「我不去！我已經給你說過絕不再去。」

「妳看不出來，不會是魔鬼？爲了這麼多罪惡，天主已經夠難過了，如果妳不去，祂更要難過。」

「我再給你說：我不去！」

母親聽說女兒絕不再去Cova da Iria，心情輕鬆了。第二天早上，看路濟亞還沒有動身的意思，連羊也不去放了，表示頗滿意：好了！一切都過去了！

到了眞不能不把羊趕出去的時候，路濟亞內心突然有一個衝動：想見見雅新達和方濟各。跑到他們家，見他們雙雙跪在床前，悲慘的哭著。

「你們還不去？」

「沒有妳，我們不敢去啊！」

「好啦！我改變主意了！我去！」

他兄妹倆跳起來說：整夜爲她做了祈禱。

「我們走了！」他們跑上只有他們會走的捷徑，在炎陽下，趕著去會聖母。

聖母第三次顯現

奧林匹亞開始為孩子們的安全發愁。她跑去找瑪利亞羅撒，對她說：「我們最好跟孩子們去，否則我們再也見不到他們了！什麼都可能發生，他們也可能被人殺掉！」

回答的是：「平靜些！如果聖母真顯現，她會照顧他們。如果不呢，……我不知道……！」

兩個母親商量了一陣，終於決定去 Cova da Iria。她們披上頭巾，蒙起頭臉，不讓人看出來是誰，走背路趕到窪地去。每人都帶了一根聖過的蠟燭，一盒火柴，準備驅魔。

她們來到以後，藏在大石後面，觀察下面的動靜。那裡已經聚集了兩三千人，有熱心的信友，也有好奇的男女。

馬爾道先生既然深信孩子們誠實，不會撒謊，故能公開的跟他們直到小樹近旁。不遠處，站著加肋拉婦人，和她丈夫、她女兒們，及跛腳的兒子若望；後者不能久站，坐在一塊石頭上等聖母治好他的殘疾。── 幾天前，他母親真的求過路濟亞代求聖母治好他的跛腳，路濟亞也許下了，一定照做。

一般葡萄牙人頗有紀律、守秩序，這次卻有一夥一夥穿著華麗、頭戴奇形怪狀大帽子的婦女，引起馬爾道先生的反感，這種「現世的權力」，不恭不敬，還要譏笑不識字的農夫村婦；陪她們的紳士們也好不了多少。馬爾道先生嚷著說：「可憐蟲啊！沒有一點信德，怎麼能相信聖母？」鄉村裡來的婦女，穿著黑長裙，披著黑頭巾，赤著腳，她

們的先生們換上了星期日的好西裝，才眞像朝聖的。

　　雅新達和方濟各並沒看到後面的父親，給他們擋住擁擠人群的兩個壯漢發現了他，把他拉到前面去，並說：「這是兩小見證的父親，讓他過來！」他才走到雅新達身邊。讓他講一會事情的經過吧：

　　　　路濟亞跪著領念玫瑰經，衆人琅琅的答念。念完了經，她浪快的站起來，好像上面有人拉她似的。她看了看東方，遂即大喊：「收起你們的陽傘！聖母就要來啦！」我睜大眼睛極力觀望，起初看不到什麼。繼後，我見一朵小雲彩停在小冬青樹上！太陽不怎麼熱了，空氣涼爽，不像炎夏。人們開始聽到個聲音，嗡嗡隆隆的像蚊子在空瓶裡發出的。我沒能聽見一句話！這應當像人在電話裡說話一樣，不過，我還沒有用過電話……那是什麼呀？是來自遠方或近處？這爲我是個奇蹟的確證。

　　爲三位小見證，這些外界的異象和聲音都不重要。他們眼裡，只有從東方滑行來停在小樹上的聖母，看得出神。一種不可言喻的喜樂充滿他們的心靈，心境也平安了。尤其路濟亞覺得不可能的事發生了。聖母慈祥憐憫的望著她，使她神靈超拔，不動不語。雅新達把她從出神的狀態中喚醒：「路濟亞！開口說話呀！聖母要跟妳談話！」

　　路濟亞後悔曾懷疑過聖母，很謙恭的說：

　　「您要我做什麼？」

　　「我要你們下月13號再到這裡來。要繼續每天念玫瑰

經，爲光榮玫瑰經聖母，爲求得世界和平，和戰爭結束。因爲只有她能做到。」

路濟亞受夠了母親的不信，眾人的嘲笑，本堂神父竟說是魔鬼的愚弄⋯⋯想求聖母「幫助」！

「我願意問您是誰，您是否願意顯個聖蹟，讓眾人都相信您曾向我們顯現。」

「繼續每一個月到這裡來！10月裡，我要說我是誰、我要什麼；我也要顯個靈跡，叫每人相信。」

路濟亞放心了。想起來有好多人請她代求聖母。把眾多的請求說出來後，只聽聖母說：她要治好其中的幾個，不使其他的痊癒。不過他們都須悔改，念玫瑰經。至於加肋拉家的跛腳兒，聖母很清楚地說：她不治好他，也不解除他的貧困，卻讓他能生活下去[67]⋯⋯他也應當跟全家每天念玫瑰經。

路濟亞說：有一位Atougia的女病人，求聖母早些讓她去世升天。

聖母答說：「告訴她不要心急。我知道得很清楚：什麼時候來接她。」

有些人求聖母歸化罪人，其中有法蒂瑪的一位婦人和其子女；還有 Pedrogão 的某人，和一些醉漢⋯⋯。

---

67. 若望後來作「小堂若望」多年（第一位小堂管堂人）；他母親「小堂瑪利亞」也在朝聖地工作多年！

聖母又說：他們須念玫瑰經，才能得到悔改的恩寵。

以後，爲讓小見證們記起他們特殊的召叫，也爲激勵他們更勇於面對未來的苦難，向他們說：

「把你們自身爲罪人獻上，要一再地說——尤其在你們有所奉獻的時候：『噢！耶穌！我做這個，是出於對你的愛，爲使罪人們悔改，也爲補償冒犯瑪利亞無玷聖心的罪惡。』」

不僅要多做犧牲，還要將自身獻做犧牲！慈祥憐憫的母親，怎麼會向無辜的孩子們這樣要求？那是爲救人免下地獄。

路濟亞繼續記述如下[68]：

> 她說最後幾個字的時候，像前兩個月一樣，伸開手。
>
> 光線好像洞穿地面，我們同時看到一片火海，和沈潛在火裡的魔鬼及人靈。人靈都透明、烏黑或紫銅色，像燒著的焦煤，帶著人形。他們沈在這海裡，從他們身內冒出的火焰、煙霧騰騰地把他們衝起，向各方跌落，好似大火中的星花，沒有重量和平衡。痛苦及絕望使他們哀嚎和呻吟。這景象眞嚇人，使人顫抖。（我應當是在這一瞬間大叫一聲哎呀，像人們聽到的一樣。）
>
> 魔鬼跟其他不同的是：有著討人厭又不知名的怪獸身形，既可怕又可憎。他們也透明烏黑，像燒著的

---

68. 以下的九段，都儘量忠實地譯自路濟亞修女的回憶錄。看到地獄，是秘密的一部分；多年後才如此透露。

見地獄後，心有餘悸
（攝於 1917 年 7 月 13 日晚）

病婦瑪利亞加肋拉的
跛腳兒
「小堂若望」

焦碳。

　　我們嚇壞了，像求救似的抬頭仰望聖母。她滿懷憐憫和悲傷地向我們說：「你們看見了地獄。可憐的罪人靈魂下到那裡。爲救他們，天主願在世上建制對我無玷之心的敬禮。如果人們照著我告訴你們的去做，會有許多人得救，也會有和平。戰爭就要結束。如果人們不停止得罪天主，會在教宗庇護十一世治下，發起另一個更凶的戰爭。你們什麼時候見異光照亮一個黑夜[69]，就要知道：它是天主給你們的大預象。他就要爲了世上的惡行大施懲罰，而發生戰亂、饑荒、教難和教宗的受迫害。

　　爲預防這些，我要來要求奉獻俄國與我的無玷聖心，和首星期六的補辱（領）聖體[70]。如果人們聽從我的意願，俄國要回頭，就要有和平；否則，它將把它的邪說散佈普世，與起戰爭和教難，好人將被屠殺，聖父（教宗）將有很多苦受；不同民族被消滅；然而，到末了，我的無玷聖心終要凱旋。聖父（教宗）要把俄國奉獻給我，俄國要回頭，世界要獲得一段和平的時期。在葡萄牙，教會的信條保持得住⋯⋯這些都不要告訴任何人，但可以跟方濟各分享。

---

69. 1938年1月24日到25日的夜空裡，出現一種異光，照射大半個北半球，又不是普通的北極光，天文學家都不能解說。路濟亞認爲那就是聖母說的大預象，第二次世界大戰即將開始。爲她說，希特勒吞併奧國，就是第二次世界大戰的開始。

70. 耶穌願意人敬聖母聖心，像敬耶穌聖心一樣：首星期五辦告解、領補辱聖體⋯⋯爲敬耶穌聖心；首星期六辦告解、爲補辱反聖母無玷聖心的罪過領聖體、念五端玫瑰經、陪聖母十五分鐘：默想一個或多個玫瑰經奧跡。誰能一連五個月如此敬禮聖母無玷聖心，必能在死的時候，蒙聖母賜給獲救的恩寵。　—— 聖母本人如此許下。

　　你們念玫瑰經的時候，在每一端後面加念：
『噢！我的耶穌！寬恕我們的罪過，救我們出離地獄
永火，領一切靈魂進入天堂，特別是那些最需祢憐憫
的[71]。』」

　　以後，緘默了一會兒，我問：「您不要我們做別
的？」

　　「不，今天我不要你們做別的。」

　　跟以前一樣，她升起來，滑向東方，直到她消逝
在無盡的穹蒼裡。

瑪爾道如此敘述[72]：

　　我們聽到一聲悶雷，懸兩盞燈的木拱門[73]搖擺得
好似有地震。原先跪在地上的路濟亞起得這麼快，竟
使她的裙子吹得像氣球一樣，她指著天空喊著說：
「那裡！她走了！那裡！她走了！」再過了一會兒：
「你們看不到她了！」

　　那朵小雲彩從冬青樹上消失後，人們的情緒慢慢回復
正常。他們把孩子們圍攏起來，擠得更緊，爭相發問：

---

71. 筆者照原文逐字譯出，可能與信友習念的略有出入。 —— 大凡路濟亞的手稿，
筆者都盡量字譯，以期忠實。 —— 唉！說出來吧！我讀過的中文法蒂瑪書籍，
除了劉、袁二位譯的馮西加大作，多有不實，尤其那些複印的冊子。有的將第
二和第三次顯現弄混，有的寫六次顯現，都把每天要念玫瑰經漏掉……不要玫
瑰經，還要什麼法蒂瑪聖母！她自稱是玫瑰經聖母啊！ —— 希望負責人能及早
更正補遺。

72. 路濟亞手稿以外，還有很多可靠的資料：證人出庭宣誓後的敘述和答覆，幾位
神父和大作家做的訪問筆錄……作者不敢牽強附會。

73. 木拱門上在中間裝了個木十字，兩邊各懸一盞燈和幾朵花……是我們「小堂瑪
利亞」的精心傑作。

「路濟亞！聖母說了什麼，讓妳這麼憂苦？」

「那是個秘密。」

「好秘密？」

「為一些人好，為另一些人壞。」

「妳能告訴我們嗎？」

「不！我不能。」

人們越來越擠得緊，馬爾道先生不忍，用肘和肩衝開人群，抓住小雅新達，抱在懷裡，把自己的帽子給她戴上，衝向路上去。

兩位母親在她們躲藏的地方，嚇得緊緊的彼此抱住。下面的喧嚷嘈雜，實在嚇人！奧林匹亞哭著說：「瑪利亞羅撒啊！他們殺死我們的孩子們了！」

稍後，她看到雅新達安全的被父親抱在懷裡，才鬆了口氣。方濟各被另一人抱著，路濟亞在雄武的 Carlos Mendes 醫生[74]懷裡，奧林匹亞喊著說：「噢！瑪利亞羅撒！看那個巨人！」

沒什麼可等的了。她們遂轉身回家。

馬爾道先生和三個孩子剛上路，有人願意用汽車載他們回家。這是他們第一次坐沒有馬拉的怪物。孩子們沒心欣賞，他們已筋疲力盡。

---

74. Carlos Mendes 醫生後來一直在法蒂瑪朝聖地醫院主治病患，他認為奧林匹亞認錯了人。他是在 9 月 13 日從人群中，救出路濟亞的。

消息很快就傳遍了葡萄牙，意見莫衷一是。公教報紙都只簡略的報導，保持著審慎的態度。歐萊姆報標題竟寫作：「真顯現或假幻影？」

世俗報刊倒費了更多的篇幅。大都為攻擊教會，說她造謠惑眾，想恢復以前的勢力，增加收入；尤其說又是被禁的耶穌會暗中促使領導。里斯本第一大報《世紀報》(O Seculo)登了篇諷刺性的歪曲報導。7月21日的大標題是：「天上來的訊息——經濟投機？」稍微客氣一點的，也說是可能的精神病發、癲癇、集體幻覺……仇教人的言論反倒激起了信友的興趣，法蒂瑪！聖母來救我們了！去法蒂瑪！

報刊的攻訐，三小見證和家人都覺不到，日夜不絕的訪客，卻苦了他們，鬧得真無寧日。孩子們盡量設法逃避那些不情的盤問和騷擾；再去牧羊，走背道，躲過人群，只找清淨。小笛子不吹了，歌不唱了，舞也不跳了，只想沈思祈禱、做犧牲。地獄的景象真把他們嚇壞了，若不是聖母事前曾許給他們天堂……！

他們在聖母溫柔而有力的助佑中，都變成了另一種人。當然他們的努力合作，也功不可沒！他們已開始一種更高超的生活，幾乎已生活在超性界。外面看來，他們還是些普通孩子。他們隱密的功夫，令人驚歎不已！

他們靜坐在石塊上，回想剛發生的一切細節，傾聽聖母的每一句話[75]，縈繞在耳邊，越想、越聽、越能更深切

---

75. 當然，她們已經把聖母的話講給了方濟各聽。

的明瞭它們的眞意，付諸實踐。

　　路濟亞看到坐在一旁的雅新達面帶愁容，問她說：「妳在想什麼？」

　　「我想地獄，和那些可憐的罪人。爲那些下地獄人，我多麼難過！他們像煤碳一樣在那裡燒……！噢！路濟亞！聖母爲什麼不把地獄顯示給罪人？如果他們看到它，一定不再犯罪！噢！路濟亞！妳爲什麼沒求聖母，把地獄顯示給這些人？」

　　「我沒想到！」路濟亞苦著臉說。

　　她們兩個女孩遂即跪倒，合起手掌，一把鼻涕、一把眼淚的重複念道。「噢！我的耶穌！寬恕我們的罪過，救我們出離地獄永火，領一切靈魂進入天堂，特別是那些最需祢憐憫的。」她們一直伏地重覆的念，把群羊置諸望外。

　　雅新達好像大夢初醒，喊著說：「噢！路濟亞！噢！方濟各！我們應當繼續祈禱，救靈魂免下地獄！這麼多人下地獄！」

　　他們想用童稚的禱聲、細弱的手臂和絕望的哀求，挽回天主義怒的手，免罰罪人下地獄！

　　噢！方濟各呢？他在哪兒啊？他沈默寡言，在家就特別討厭那嚷嚷的人群，尤其受不了他們無稽的盤問；出來樂得清靜時，還尋求更清靜。他手拿一串念珠，離開兩個女孩，找個僻靜處念他的玫瑰經。「聖母啊！妳要我念多少，我就念多少！」

「小堂瑪利亞」加肋拉與其傑作 —— 木拱門
朝聖地「第一座建築物」

雅新達不僅心裡爲罪人難過，也開始用理智尋求解救的辦法：

「路濟亞！什麼樣的罪把人打發到地獄裡去？」

「我不知道。或許是不望彌撒、偷盜、發虛誓、咒詛……。」

「就爲了這些，他們下地獄？」

「是啊。那是罪啊！」

「噢！他們爲什麼不去望彌撒？這並不難啊。我多麼爲罪人痛心！如果我能協助他們看見地獄……！」

協助他人看見地獄？這不是小雅新達能做到的。繼續念聖母所教的經吧。然而，已累得不能再念，天也晚了，終得回家面對那些等著的人們。

善心的朝聖客，大都回家去了，只還有一些等著求小見證們在聖母前代禱的苦人，再不然，就是有錢的好奇人。

馬爾道先生事後說：

> 誰知道哪裡來的貴婦人，穿著華麗。她們隨處亂鑽，沒有她們不到的地方……。我真替她們害羞！……噢！看她們多麼好奇！她們一直想知道秘密，不惜用任何方法。她們習慣把雅新達放在膝上，用各種問題來煩擾她。然而，她願意答就答，不然……。秘密？別想從她那裡鑽出來。她們試著用禮物誘惑她，金項鍊、銀錢……都只是消耗她們和我們的時間，耽誤我們的工作，擾亂我們的飯食。

也有紳士們來，嘲笑我們文盲。有時，倒是我們笑他們。這種人來時，孩子們好像已有預感！他們會躲出去，找地方藏起來。一瞬間，他們就不見了。

有一天，我真忍不住笑。一輛汽車載來一大家人，也有兒童。孩子們閃電似的跑開，路濟亞躲在床下，方濟各爬上閣樓，雅新達不夠快，被他們捉到。

事情過去以後，路濟亞問她：

「他們問妳的時候，妳說些什麼？」

「我什麼也沒說，因為我知道妳在哪裡，我不能撒謊犯罪。」她們倆個都笑了起來。這個玩笑好像很使雅新達開心……。他們問些什麼問題噢！問得真可耻！聖母有羊嗎？有山羊？吃不吃奶餅？……連無知的人也不會這樣問。

神職人員也夠囉嗦的：「他們問了又問，以後再從頭問起。我們每看見一位神父來，就想盡方法逃走。真應當跟一位神父談話時，我們就獻給天主一個最大的犧牲。」路濟亞如此追述。

不過，也有例外。有一位神父跟路濟亞說：「為了天主給妳的一切聖寵和恩惠，妳應當愛祂很多！」從此時起，她時常向上主說：「我的天主！我愛祢！我感謝祢給我恩寵！」

路濟亞把這經文教給了小表妹，雅新達這麼喜歡它，竟使她會停止一切，突然喊說：「妳有沒有想到要告訴天主妳愛祂，為了祂給妳的一切恩寵？」

另一位好神父姓克路士（Cruz）[76]，耶穌會士，他四年

---

76. 第17頁註15已有介紹。

前聽過六歲小路濟亞的告解，見她哭哭泣泣，問明原委，才知道她的要理考試順利通過[77]，本堂神父卻因她年紀太輕，不准初領聖體。克路士神父又親自考她一次，以後去找本堂神父。說：這女孩的要理，比那些大她幾歲的會得又多又好，很可以讓她一同初領聖體，本堂神父依舊不肯。克路士神父說自己負責，他才礙於告解神父的聲名權威，讓路濟亞初領聖體[78]。

　　克路士神父這次是專程由里斯本來法蒂瑪朝聖的。他要孩子們領他去 Cova da Iria，拜訪聖母顯現地。給他牽來一個小驢子，讓他騎上去。他兩腳及地，每邊有一位女孩陪著，方濟各牽著小驢在前面帶路……好一幅鄉景！路上，神父教他們一些短經，雅新達特別牢記其中兩個，反覆的誦念：「噢！我的耶穌！我愛祢！」「甘飴的瑪利亞聖心，做我的救援！[79]」

　　路雖不太遠，為這位老神父卻真是個苦路。到達目的地以後，他又慈祥的要孩子們敘述三次顯現的經過，深信他們都說實話。從那天起，他成了見證們的戰士，他們的擁護者[80]。

---

77. 別以為她母親是個不講理的婦人，實際上，她是村裡最熱心的女教友，又愛幫助鄰人；她不僅教自家的孩子跟她學要理，別家託管的孩子們也得跟著學。

78. 教宗庇護第十的通諭《叫小孩們到我這裡來》，還沒普遍執行。

79. 這兩句短經，是她將來病中最常念的。它們給小雅新達不少的慰藉。

80. 他大力的宣傳，容易被各地人民接受！人們稱他「聖克路士」。

這次顯現中，聖母特別（四次！）提到聖父教宗，並曾明言：第二次世界大戰，要在教宗庇護十一世治下發生。這不是任何人可以事前知道的，更不消說是三個鄉下牧童。他們事後還問「聖父」是什麼人？住在哪裡？誰又能知道將有一位庇護十一世[81]？教宗要受迫害（聖母沒說哪位教宗，我們現在知道得多了）；教宗應把俄國奉獻給聖母無玷聖心（我們也知道哪位教宗如此做過）；真有過一位教宗庇護十一世，真在他治下希特勒吞併奧國，開始了第二次世界大戰的序曲。接踵而來的，是聖母預告的：「戰爭、饑荒、教難和教宗的受迫害……要有很多苦受，不同的民族被消滅。」

這絕不能是無知的小牧童們杜撰的！他們做夢也想不到這些。從這時起，他們的心思，總在如何做犧牲為救罪人，如何多為他們做補贖，如何多祈禱求世界和平。尤其小雅新達，只怕犧牲得不夠，使罪人悔改、免下地獄，竟成了她的中心思想。

當然，犧牲和祈禱，是三人一起做的。爭先恐後！

雅新達再也忘不了地獄，她已問過：什麼罪把人打下地獄，現在又來了，她問路濟亞：

「那婦人說很多靈魂下地獄。地獄是什麼？」

---

81. 好多次，有人特別問路濟亞：這名字是不是聖母自己說的，她每一次都確切的答說：是的！── 小牧童們還沒變成小先知，且看後來。

路濟亞家的後門→去後院水井

（作者攝於2001年6月9日）

「小堂瑪利亞」在莫依達的住宅

聖母靈像多次被她抱來這裡

「那是個火坑，裡面滿是蟲子和烈火。犯罪的人如不告解，就到那裡去，留在裡面燒個無窮無盡。」

「再也不能出來？」

「不能。」

「很多很多年以後呢？也不能？」

「不能。地獄永遠沒頭，天堂也如此。誰升天堂，就再也不出來。誰下地獄，也不再出來。妳不知道，它們都是永遠的，沒有終止？」

永遠？這個概念爲小雅新達是太玄虛莫名了。她怎麼也驅不掉這個思想，甚至在遊戲時，她會突然停下來問：

「可是，妳說說，地獄在很多、很多、很多年以後，也不終止？」

「不！」

「那些燒在裡面的人永遠不死？他們永不變成灰燼？如果人們多爲罪人祈禱，天主要救他們出地獄嗎？再加上犧牲呢？可憐啊！我們應當多爲他們祈禱、做犧牲！」

這個想法真讓她受不了的時候，她會在聖母的許諾中尋求安慰：「聖母多麼好！是的，她曾許下，接我們升天！」

然而，小女孩並不自私，她不會長時期的享受聖母的預許。不一會兒，地獄的景象又回來，使她真的要開始苦修！能救多少靈魂，她就要救多少，不計犧牲！什麼苦都不怕吃，不拘大小，什麼都可割忍！她雖不知大聖德蘭

的名言：為救一個靈魂，情願捨掉一千次生命……，寧願吃苦不求早死。雅新達克苦、做補贖的熱情，真的如饑如渴，總不飽足！

「雅新達！吃吧！」

「不，我願為罪人獻這個犧牲。他們太貪吃！」

「喝一點吧！雅新達！」

「不！這是為那些喝得太多的人。」

她會突然轉變話題：「路濟亞！我也為妳難過。方濟各和我就要去天堂了，妳卻要一人留在這裡。我會求聖母也把妳接去天堂！然而，她要妳一時留在這裡！妳什麼時候聽到戰爭，不必害怕，在天上，我要為妳祈禱！」

她越來越沈在救人靈的意願中。有一天，表姐問她：「雅新達！妳在想什麼？」

「想那將來的戰爭。這麼多人要死去、下地獄！好可憐啊！為什麼應當有戰爭？為什麼他們要下地獄，也不終止犯罪？」

越想越難過，越來越怕，雅新達會大叫起來：「地獄啊！地獄！為了那些要下地獄的人，我好苦啊！」遂即雙膝跪地重念聖母所教的經：「噢！我的耶穌！……」，念個不停。

有一天，她已經如此祈禱了好久，喊她的哥哥說：「方濟各！方濟各！你要跟我一同祈禱嗎？我們為救靈魂免下地獄必須念很多經！這麼多人去那裡！這麼多！」

他們一同念了很多經，為那些不念經的人。

雅新達仍是問個不完：「聖母為什麼不把地獄顯示給罪人？如果他們見了，絕不會再犯罪，就不會到地獄裡去。妳應當告訴那婦人，把地獄指示給所有人，妳就可以看到，他們都要悔改。」

可憐的小雅新達看得太簡單了！即便有死人從地獄裡出來顯現給他們，又會怎麼樣[82]？他們的驚恐會維持多久？地獄留給這小女孩的印象卻極深刻！

她豐滿的面頰開始消瘦，眼窩更深，裡面射出來的銳光好似要透過另一世界。像一些上天的朋友一樣，她在8月初已經開始預見將來。二十多年以後的第二次世界大戰的殘象，她已歷歷在目。

一個大熱天，他們正在休息，雅新達忽然俯伏在地念天使所教的經：「我的天主！我信、我欽崇、我望、我愛祢。我求祢寬恕那些不信、不欽崇、不望、不愛祢的人們！」三人都靜了一會兒，雅新達說：「你們看不見這麼長的一條大道，和許多小路及田地，滿都是人，餓得哭泣，因為他們沒東西吃？還有聖父（教宗）在聖堂中聖母無玷聖心前祈禱？那麼多人跟他一同祈禱？」

是她預見教宗庇護十二世在1942年把世界獻與聖母無玷聖心？是這位聖父？或是另一位？從此，她總不忘為聖父祈禱，也希求各位好教友為他念經。

---

82. 請讀路十六：「富翁與拉匝祿的比喻」。

「我能告訴人，我見過聖父，和其他的人嗎？」

「不能！妳看不出來，那是秘密的一部分！」

「好啦！我就不說什麼了。」

不拘如何，雅新達總是忘不了這位未來的聖父教宗。有一個異常炎熱的下午，他們照例躲在路濟亞後院深處井邊，坐在涼涼的石板上，在樹下休息。又聽見小雅新達問：

「你們看不見聖父？」

「看不見。」

「我不知如何，我見聖父在一所很大的廳裡，跪在一張桌前，手搗著臉，在哭泣。廳前面有很多人，其中有一些人扔石頭打他，另一些人咒罵他，向他喊很髒的穢語。多可憐的聖父！我們要多為他祈禱！」

被人用石頭攻打的，是那位教宗？後來路濟亞說他是庇護十二世。他被許多人攻訐，直到今天還說他不能成眞福。

另一天，路濟亞去馬爾道家，發現小表妹獨自在沈思，問她在想什麼。

「我在想將要來的戰爭。這麼多人要死。他們差不多都要下地獄！很多房子要被炸平，很多父親們要死去。我要去天堂。等妳有一夜看到聖母說的異光時，妳也逃到那裡去吧！」

「妳不知道，誰也不能跑開，奔到天上去嗎？」

「對了。妳不能。可是不必害怕：我在天上多多為妳祈

禱！還要爲聖父，爲一切神父們及葡萄牙祈禱[83]，使戰爭不要波及這裡。」

她竟天眞地說：「我眞想見一見聖父！這麼多人來這裡，他爲什麼不來？」

路濟亞只好給他講，羅馬多麼遠，聖父是個大忙人……他可能還沒聽說過法蒂瑪。

小女孩很認眞執行她的使命。凡跟她有接觸的，都得跟她學多祈禱。父母也得跟她每天在家公念玫瑰經，並且越念越喜歡念。

沒人能抗拒她。她既認眞又堅持，可愛又聰明[84]。人可以一兩次不聽她的，日昔相處，逃脫不了。

早晚她還要遊戲、跑跳，不過，一切都變了色。代替兒歌的是她自己順口從心底喊出來的歌謠：「耶穌！我愛祢！聖母無玷聖心！救救可憐的罪人[85]……！」在這快樂的外表下面，深藏著窩心的憂苦。她好像看見路的盡頭：他們將來要吃的苦[86]。反宗教、反神職的出版界，和其他世上的惡勢力，實在覺得忍無可忍，教會信仰的重生，意味著他們的滅亡；尤其政界的當權人。他們原期望，能於一

---

83. 不是小葡國學乖了，是聖母指引和保護她的樂土，沒捲入二次大戰的旋渦。
84. 不只十字架的奧秘，已在她心裡生根，她還有別的智慧，後詳。
85. 克路士神父教的經，隨心變更了一些。── 能隨時隨興編些歌謠，也證明雅新達小心眼裡有的是。
86. 路濟亞因母親不信，姐姐哥哥在家嘲笑，訪客絡繹不絕……所受的苦，在此不得割愛略掉。

兩代內消除宗教信仰的，怎能讓它東山再起！

　　法蒂瑪的勁敵（也是近敵），是它的縣長阿爾杜洛桑道斯[87]。他原是個鐵匠，沒受過高等教育，卻自幼就熱衷政治和新聞事業，是個唯心和唯物論者。很會鑽營，媚上欺下，用政治手腕……，竟升爲歐萊姆小報的編輯和主筆，刻薄的攻擊君主和宗教。共和政府成立後，他竟成爲一時之選，才二十六歲，就靠共濟會朋友的提拔，混進雷利亞（Leirid）的地方支部——大東方支部，學習他們的天然論。共濟會在當時是公教的勁敵，他籌劃和領導的葡國革命[88]，在伊伯利半島上，給基督信仰很大的創傷，仇教者竟認爲，已在徹底消滅宗教的道路上走了一大步。

　　不久後，桑道斯竟能在歐萊姆城建立自己的支部，成爲當地的行政官（縣長）、縣委會主席、代理法官……集大權於一身。他太太好似還是公教徒，孩子們也都被她送去受過洗，取的名字卻非常共濟化：民主、共和、自由……。他們心底裡還存有一絲將來獲救的希望？

　　現實重要。縣長一聽說他轄下的小法蒂瑪大亂。造謠惑眾、堂外公開集會、遊行示威……等非法活動，怒從中起，要立即採取取締的行動。他已經逮捕過六位神父，使他們「失蹤」，這個小法蒂瑪鄉村本堂，還成什麼問題。

---

87. Arturo de Oliveira Santos。

88. 參閱第 14 和第 15 頁。

縣長 桑道斯
1917 年 8 月 13 日拐三牧童

車夫 Gafo

　　不過，7月13日，已經有從各地來的兩三千人跑去法蒂瑪聚會，這是個大的挑戰，不得等閒視之，他們現在正到各處去宣傳，這還了得！——爲什麼偏在我縣境內發生？

　　一不作，二不休。遂傳令兩家的父親，第二天（8月11日）上法庭，並且要把孩子們帶去。兩位父親的反應不同。

　　「帶這麼年幼的孩子們上法庭，沒有意思，路這麼遠，他們不能跑著去；他們又不會騎牲口，我一人去，給縣長解釋爲什麼沒帶孩子們。」馬爾道舅舅這樣說。

　　安多尼桑道斯說：「他們在那兒隨便亂搞。我不知道是怎麼回事。」他同意太太的想法，要把路濟亞帶去，讓她受個「教訓」，不再撒謊。如果她說的是實話，聖母應當會照顧她。

　　路濟亞聽父母這樣商量，非常悲感地想：「我父親和姑丈多麼不同呀！姑丈冒著險去保護他的兒女，我的父母毫不關心地把我交出去，讓別人隨便收拾我！忍著吧，我的天主啊！我等著要受很多的苦，爲了愛祢，也爲使罪人悔改！」

　　星期六，8月11日早上，父親要路濟亞騎上小驢子，動身爬小山崗，到馬爾道家，看到他正在悠閒的吃早點，並聽他決斷的說，他無意把兩個小孩子帶去法庭，因爲這太荒謬了。……如果桑道斯心急，儘可先走，到歐萊姆城會面。他的馬比路濟亞的小驢子快。

　　這期間，路濟亞從驢子上溜下來，去找雅新達，向她

哭訴事情的經過。表妹顯然給嚇壞了，卻出口說：「沒關係，如果他們要殺妳，告訴他們，我和妳一樣，方濟各更如此，我們也願意死！現在我和方濟各到井上去，為妳很誠心的祈禱！」

她們擁抱在一齊，眼淚橫流。好久才分離。路濟亞的父親再把她抱到驢子上，手裡拿把拐杖，走在一旁。小驢子在路上東搖西擺，安多尼桑道斯不時就吆喝一聲，或給牠一棍，叫牠快走，因為縣長要他們中午就到法庭。

路濟亞沒睡夠，在路上打盹，從驢背上跌下來三次。摔破了皮，全身痛……好不容易終算到了。父親牽著驢子走在圓石鋪的大街上；他知道法院在哪裡，走到時，門已鎖了，裡面沒有一點動靜。炎陽下，他趕著驢子去市場，希望能找個人給他指路。遠遠的看見一位瘦高個兒正在下馬，是他的親戚馬爾道。

「噢！一切都弄妥了？」馬爾道舅問。

妥了！安多尼粗野的說那地方鎖著，沒個人影兒。馬爾道建議先去吃點東西，躲躲太陽再說。飯後，慢慢地走回法院，見它仍是寂無人聲。幸虧有路人經過，告訴他們法院已遷到另一條街上去了。幾分鐘以後，他們發現自己站在惡煞面前，一旁還有幾個走狗。

縣長瞪眼看著來的三個鄉下人大聲叫道：「那個男孩呢？」

「什麼男孩？」馬爾道先生在拖延，顯然，縣長不知道

還有個小女孩。慢慢地，他想起來有個兒子沒有帶來，卻裝著不知道應當帶他來。「縣長大人啊！路這麼遠，走來嗎，孩子吃不消；又不會騎驢騎馬……。」他還想說小孩子們不應上法庭。想了想，還是不說的好。

　　縣長怒罵馬爾道太疏忽，怪安多尼遲到。然後突然轉向路濟亞，問她有沒有在 Cova da Iria 見過一位婦人？她以爲那婦人是誰？那婦人眞告訴她一個秘密？路濟亞應當說出這秘密，許下再也不去 Cova da Iria……。

　　路濟亞不肯看他一眼，也不回答。

　　「妳不告訴我那秘密？」

　　「不！」

　　縣長看看她父親，見他疲著臉，站在那裡等：「你說，人們相信這些嗎？在你們法蒂瑪。」

　　「噢！不相信，縣大人！這都是婦女故事。」

　　縣長轉問馬爾道：「你呢？你怎麼說？」

　　「是您命我來的。我跟孩子們一樣說法。」

　　「那末，你想是眞的了？」

　　「是啊！先生！我相信他們說的。」

　　慢慢圍攏過來的觀眾開始笑了。馬爾道先生不理他們。他不怕這些小政客們。縣長已看出來，再問這兩個鄉下佬也無用，路濟亞更不行，只好不了了之，打個手勢要他們走開，他的一個手下，乘勢吆喝他們快走。

縣長跟他們到門口，恐嚇路濟亞說：「如果妳不說出秘密，可能要喪命！」路濟亞回頭看看那張凶臉，相信他說的是出於眞心！

很晚才回到家。路濟亞躲過母親的目光和質問，跑到井邊，見表弟和表妹還跪在石頭上哭著祈禱一整天了！

「哎！路濟亞！妳姐姐來打水的時候告訴我們，他們已經把妳殺了！妳還活著！……」小表妹抱緊她，又哭又笑。天神們的燈已經點起來了。

第二天，8月12日是星期天，在法蒂瑪並不是個「安息日」，甚至於鄰近的各村鎮，都有些騷動，期待著明天會發生的事故。遠路的朝聖客已經來了。很多人全家出動，籃子裡帶點食品，罐子裡裝著飲水，大都赤著腳，把毛毯捲起來纏在脖子上（準備露宿）……偶爾有些富家人坐馬車或開汽車來，目的都相同，在為十三號搶個好位置以前，先去小見證們家裡訪問，問這問那，或請他們代求聖母，還有人要跟他們攝影留念，鬧得兩家不得安生，路濟亞的母親尤其氣憤，這小女孩的謊言招來這麼多煩擾！

路濟亞幾幾乎接受了一個姨母的建議：偷偷地離家去藏起來，等風波平息，── 若不是孩子們已有言在先：13日去赴約會。

天晚時，路濟亞家完全被吵得要命的群眾包圍。她回憶說：

　　落在他們手裡，眞好像一只皮球在一小女孩手裡

一樣。每人都拉拉扯扯地要問我這個那個，不給我答覆任何人問題的時間。

人群中，擠進來三個警察，傳令他們快去馬爾道家，因爲縣長在那裡等。他們暗示路濟亞，如果她不說出秘密，可能受死刑。

她緊閉雙唇，暗中私語：「沒關係！他們如果殺我們，再好不過，我們就可去見耶穌和聖母了！」

縣長審問他們，命他們說出秘密，也許下次不再去 Cova da Iria。孩子們拒絕了，因爲他們不能不聽從聖母的話。縣長態度一變，很和藹的說，這是本堂神父的事。問父母們是否同意，明天（13號）讓孩子們在去赴約會以前，先去本堂神父的住宅，反正也多費不了多少時間。

家長們不反對，縣長就告辭而去，大家都鬆口氣。

13日早上，馬爾道先生在附近掘了一會地，回家洗淨手上的紅土，準備吃早飯。他看到太太從外邊走進來，偷偷地給他打手勢，表示外面有人找他。

「好啦！好啦！」他一面說，一面刷去他手上的泥土。太太的動作更急。他卻平心靜氣地說：「急什麼呀，我來了。」他從容地擦乾雙手，才要出去，門口一暗，縣長進來瞪眼看他。

「唉！是您啊，縣長大人！」

「是我。我也要去看奇蹟。」

　　馬爾道先生心裡一顫，覺得事情不妙。他也看出來縣長相當緊張，各處四望，很快的脫口而出：「我們大家都一塊兒去。我要孩子們坐我的車。要看了才相信，像聖多默一樣。孩子們在哪兒？時間不早了，你最好叫叫他們！」

　　「他們不需人請，他們知道什麼時候應當把羊趕出來，準備出門。」

　　正在這時候，孩子們走進來。縣長和善地微笑著，請他們跟他上車，去 Cova da Iria。

　　方濟各說：「不！先生，謝謝您！」

　　雅新達也說：「我們可以走去。」

　　「坐車去可以早到，路上也不會有人打擾你們。」

　　馬爾道先生說：「不勞您大駕了，縣長大人！他們會安全地到那裡去的。」

　　縣長說：「此外，我們還有更多的時間，在本堂神父那裡停一下。你知道，他願意問問孩子們。」

　　去本堂那裡，他們不能反對。孩子們心懷疑懼，爬上馬車，方濟各跟縣長坐在前排，兩個女孩在後面。馬爾道先生徒步跟著，一會兒就到了聖堂門前。

　　縣長下車，上台階時大喊一聲：「第一個！」

　　「第一個是什麼？」馬爾道先生要知道。

　　「路濟亞！」縣長的聲調更強權了。

　　姑丈說：「去吧！路濟亞！」女孩下了車，走進神父

住宅。桑道斯向兩個更小的說：「你們等在車裡！」

神父等在辦公室裡，他的態度，顯然已由謹愼客氣的保守，變作了敵視。可能是因爲事情鬧大了，政府公開反對，他怕教會更受迫害。他問路濟亞：「是誰叫妳到處說這種事？」

「我在 Cova da Iria 所見的貴婦。」

神父嚴肅地說：「誰若像妳一樣，到處去散佈謊言，將要受審判；如果眞是撒謊，還要下地獄！受妳欺騙的人一天比一天多！」

「如果撒謊的人要下地獄，我不會下地獄，因爲我不撒謊，我只說我看到的和那貴婦告訴我的。至於群眾，他們去，是因爲他們願意去，我們沒有叫任何人去。」

「那婦人告訴你們一個秘密，是眞的嗎？」

「是！神父。」

「說出來！」

「我不能說。如果神父您願意知道，我要問問那婦人。如果她准許，我就說給您聽。」

縣長打斷他們的談話：「來！這些都是超性界的東西。我們去了。」

他領路濟亞出去，毫不客氣的催她上車，車就等在台階下面，馬拉著它向 Cova da Iria 的方向走去。一上大路，快馬加鞭，跑去另一個方向！可見早有預謀，精心設計。

雅新達連忙說方向錯了，縣長高興地向她保證：「我們看看歐萊姆的本堂神父，在他那裡待一會兒。然後，我用汽車把你們送回 Cova da Iria。你們還能準時到達。」他遂即用毛毯和大衣把孩子們蓋上，不讓朝聖客看見他們。

孩子們在光天化日之下被縣長拐走了！

一個半小時後，鐵匠帶了三個小犯人回到家裡，凱旋似地將他的俘虜們關在一間房裡，說是在他們說出秘密以前，絕不放他們出來。

雅新達說：「沒關係！如果他們殺死我們，我們要直升天堂！」他們已經準備犧牲自己的性命了！

還好，縣長太太阿德利納不忍心看孩子們受虐待，給他們做了頓好飯，端給他們吃了後，還放他們出來，到涼台上去跟她家的孩子們玩。後來還拿來一些玩具和畫冊給他們做消遣，減輕他們的憂苦。錯過見好聖母的機會，真使他們苦惱極了！聖母還會來嗎？

同時，Cova da Iria 發生什麼，「小堂瑪利亞」是見證人：

　　8月13日，我很早就到了 Cova da Iria，在聖母顯現的小樹附近坐下等。雖然曾有許多人恐嚇我，不讓我去，我還是去了。謠傳是魔鬼來戲弄人，它等人多的時候，要使地面裂開，把他們都吞下去……，我卻一點也不怕，我想不會是什麼壞事，因為有這麼多人來祈禱。我求了聖母，指引我奉行天主聖意，放心地去了。

　　7月裡人已經不少，這個月裡人多得多多！徒步

歐萊姆縣政府（樓下是大牢）

縣政府大廈側面和背面

雅新達在帶 X 的窗裡哭泣，看廣場菜市

（作者攝於 2001 年 6 月 11 日）

來的，把他們的包袱掛在樹上，還有騎馬騎驢來的，另有很多騎腳踏車……，路上交通擁擠嘈雜。

差不多十一點時，路濟亞的姐姐瑪利亞跑來，帶了幾根蠟燭，等聖母來的時候點著。

圍著小樹，人們祈禱唱聖歌，不見孩子們來，都開始心急。從法蒂瑪跑來一位報信的，說縣長把他們拐走了。大家喧嚷起來，若不是突然聽到雷聲，我真不知道要發生什麼。

很像上次一樣，有人說那響聲來自大路，有的說是從樹梢上來的，我說是來自遠方。不拘如何，眾人都嚇了一跳，有一些竟哭著喊：「我們要被殺了！」人們慢慢的遠離小樹……當然沒人被殺。雷聲過去後[89]，來一道閃光，我們開始看到一朵小彩雲在小樹上停留一會，升到天空消失了。我們看看周圍，發現一種異象，跟我們以前見過，以後又要看見的一樣。我們臉上反射出虹的七彩：紅橙黃綠……；樹像似沒有青葉，只有花艷，葉子都變成了彩色花朵。地面也變得多彩，我們衣服也如此。木架上掛的燈都成了金的。我們的聖母一定來過了，只是沒見到三個孩子。

異象消逝後，人們立即奔向法蒂瑪，喊著要跟縣長、跟神父和所有與拐孩子們有關的人算賬。

喧嚷的聲音這麼大，竟使馬爾道先生在家也聽得見。他一面想民眾有理，一面又怕事情鬧大，遂出面干涉：「安靜些！每人都要冷靜！我們不需要傷害任何人。誰做了

---

89. 先有雷聲，後見閃光，不是自然現象！這也是異象的一部分。

錯事，就要受罰。一切都在天主手裡！」他們不理，仍繼續去法蒂瑪。幸虧縣長和神父都不在，否則……。裴肋拉神父事後刊登了一封公開信 **90**，否認與縣長同謀拐騙，說他那天如果在家，一定會被謀殺。── 眾怒難犯！六千多人鬧起來，誰也擋不住。馬爾道舅舅的話也只是耳旁風。「打倒縣長！」、「打倒本堂神父！」的呼聲響徹雲霄，好像距離也救不了他們。

馬爾道走回家，見太太在哭。孩子們被拐走了！她去找路濟亞的母親訴苦：「瑪利亞羅撒！怎麼辦呀？他們拐走了我家的孩子們！」

路濟亞的母親好像漠不關心：「如果他們撒謊，要他們受個教訓；如果沒撒謊，聖母要照顧他們。」

「你家的只是一個，我們家兩個！……又都是小孩子！」奧林匹亞不停地哭訴。

桑道斯縣長卻笑得很開心！這下可好了！他的計謀成功了：孩子們不在場，讓那幾千信眾在窪地裡等吧。傻瓜們，誰叫他們來的。

---

90. 信登在歐萊姆報上：「寫給信與不信的：我作為一位公教神父，為時事所迫，願做下列聲明，以求諒解。謠傳我曾共謀監禁我堂區的三個兒童，（因為他們說見過聖母），危害我本堂神父的聲譽……我否認這種誣陷，向全世界聲明：跟這邪惡褻瀆的行為並沒任何直接或間接的關聯。縣長沒有告訴我他的意圖……託天之佑，這鬼謠言興起的風波，得以平息；不然，這本堂一定痛失被誣陷的神父。魔鬼沒能得逞，全是聖母保佑……信德是天主的恩寵，不是神父能給的。我之所以不在場，和對這重大事件表示漠不關心，正出於此……。」── 信長五十多行。

方濟各究竟是男孩，他最先清醒過來：「或者聖母會在這裡給我們顯現？」等來等去，就是沒有顯現的跡象。時間過得很快，雅新達忍不住說：「我們沒去 Cova da Iria，聖母一定很難過，她不要再顯現給我們了！」以請求的眼光看著她表姐，問道：「她還要嗎？」

「我不知道。我想她還要。」

「噢！我這麼希望能見她！」

方濟各心神定了，像個小男人似的要照護小妹和表姐。雅新達卻絕望的哭起來：「我們再也見不到父母親了！他們再也聽不到我們的消息！」

他哥哥說：「雅新達！不要哭！讓我們把這個獻給耶穌，為可憐的罪人們，像聖母所教我們的一樣：『噢！我的耶穌！寬恕我們的罪過……，尤其那些最需祢憐憫的！』」

「也為聖父教宗！」雅新達補充著說。「也為賠補冒犯聖母無玷聖心的罪惡。」然後，她勇敢起來不再哭泣，直到夜晚，她不禁又想媽媽了。

次日清晨，天色陰暗，好似跟被囚的無罪兒童表示同情。雅新達想媽媽想得又要哭，雖然她一直念經求聖母堅強她的幼弱心靈。

可怕的審問又開始了。先來的是個老女審訊官，憑她的多年經驗和狡詐，施展她所有的技能，終要騙出孩子們的秘密來。結果是徒勞無功。

十點前後，孩子們被帶到縣長那裡，路上遇到一位陌

生的神父，孩子們親他的手，約略地告訴他是怎麼回事。

縣長嚴密地審問他們，不管是用恐嚇，或是用利誘，總是不能強他們吐露任何秘密。放在他們眼前的金錢和金項鍊，也不能動搖小英雄們的道德立場。

他們再被送回縣長家去吃午飯，當然仍和昨天一樣：什麼也不缺。下午繼續審問。孩子們受盡了折磨。

既然審不出什麼來，就把他們關進監獄，跟各種罪犯混在一齊。說是要他們在那裡，等油鍋燒熱，再來把他們活活的炸焦。他們就這樣等可怕的死亡，熬過兩個多小時。小雅新達的童心最覺得苦，禁不住大流眼淚，爲了避人眼目，她走到窗口，假裝要看外面廣場上的菜市。路濟亞大了幾歲，也堅強些，走過去問小表妹哭什麼。

「我們就要被殺死了，也看不到父母！你爸媽和我爸媽都沒來看過我們，他們不管我們了！眞希望我還能見到媽媽！」

小男子漢方濟各要鼓勵小妹妹：「別哭！我們可以爲罪人們獻上這個犧牲！」

雅新達只怕忘了別的意念，連忙加上去：「也爲聖父教宗，爲補償冒犯聖母無玷聖心的罪。」

這情景感動了所有的監犯，連最心硬的也不例外。他們都圍攏過來，設法安慰孩子們。有的說：「你們就把秘密告訴縣長算了。這有什麼關係？聖母不會在意。」

雅新達喊著說：「不！我們寧願死去，也不做那個！」

小女孩的眼睛炯炯生光，路濟亞和方濟各也如此容光煥發，好像置身世外，不在監獄。

監犯另想辦法減輕孩子們的愁苦：又唱，又跳，還有手風琴伴奏。雅新達擦乾了眼淚，接受一個犯人的邀舞。犯人高大[91]，舞伴矮小，怎麼跳舞？他把輕如羽毛的雅新達抱起來，使她在空中舞蹈。

不一會兒，雅新達又想起了聖母。她摘下脖子上掛的聖牌，請一位犯人把它掛在牆上，跪在前面，和兩個同伴一起念玫瑰經。其他犯人也自動的跪下，跟他們念。其中有一個忘記了脫帽，方濟各走過去對他說：「你念經的時候要摘帽子！」他不耐煩，摘掉帽子，把它扔到地上。小男孩替他把帽子拾起來，輕輕地放在椅子上。

三個幼童為罪人祈禱，最先受惠的是他們監獄的同犯？

門外突然碰的一聲響，一個警衛衝進來，命孩子們跟他走。到縣長跟前，又開始一連串的審問。縣長要得到那秘密，不計代價！各種磨難都用過了，仍是徒然。

縣長最後再問一次，得到的仍是緘默，他做出很不忍的樣子，冷冷地說：「好啊！我用盡方法來救你們一命，你們卻不服從政府。你們要活生生地在油鍋裡炸死！」

他一下令，門開了，露出一個面貌猙獰的大漢。

「油鍋燒熱了嗎？」

---

91. 路濟亞在第一回憶錄裡說，他蒙聖母助佑，改過遷善。

「是的！縣長大人！」

「滾熱？」

「是的！縣長大人！」

「把這個帶去！」

用手指著的是小雅新達。警衛一把抓住她，把她拖出去，連辭別的時間也不給。

路濟亞熱切地祈禱。方濟各說，應當為雅新達念一遍聖母經，教小妹妹勇於致命，也不洩漏秘密。也許是聖母特別給他「思鄉心切」，方濟各只想快升天堂。小妹在受酷刑，於心難忍，度分秒如年！好似很久很久以後，門又開了：

「她已被炸焦了！再來下一個！」

一面說著，一面抓緊方濟各，把他拖出去。縣長說：「下一次該妳了！路濟亞！妳最好把秘密告訴我！」

「我情願死！」

「好啊！妳要死！」她把性命託給聖母，求她在死刑中不要離棄她。聖母不離棄她[92]，反而藉這審問把事件公開！

警衛進來，把她帶到另一間裡，看見表弟表妹都安然無恙，三人抱在一起，又哭又笑，一同跪下感謝聖母。

---

92. 參看73頁聖母的許諾：我永不離開你……。

悲劇成了鬧劇和滑稽劇，縣長卻還不認輸，他把三個孩子再關回他家的那間房裡，等明天再審他們。

重審也沒用，縣長下令把他們送回法蒂瑪。這已經是星期三，8月15日，聖母升天瞻禮！

馬爾道夫婦，心情沈重，低垂著頭，去本堂望彌撒，為兒女祈禱。這兩天兩夜夢魘似的生活，著實困擾了他們。打發兒子安多尼去探消息，他回來說：曾經看到他們三個在涼台上跟縣長的孩子們一起玩，可見縣長家裡還不都是壞人。求聖母保佑吧！懷著這點信心和希望，他們去進堂。滿堂的人，想的和談的都只是孩子們被拐的事，可是誰也想不出辦法，好把他們救出來，尤其是因為有人說，孩子們已經被解到遠遠的桑塔萊姆城的大監獄，那城又是反宗教組織的大本營。

彌撒後，有人說孩子們已經在法蒂瑪。果真，他們在一警衛的監視下，都在本堂住宅的涼台上等著。馬爾道先生跑上去，把雅新達抱在懷裡，淚流滿面。方濟各和路濟亞抱著他的雙腿，求他降福[93]。

「好了！你們的孩子都在這裡。」警衛好像行好似的。

群眾大嘩，空中高舉著拳頭和棍棒，聲浪更高，要一窩蜂似地衝上涼台，去整那警衛。本堂神父正在彌撒後跪著謝聖體，被喧鬧聲所擾，出堂看個究竟。見馬爾道舅舅

---

93. 好教友家庭的習俗：孩子們在離別和重逢時，都求父母祝福。

是中心人物，懷疑他是禍首，卻聽到他喊著說：「孩子們！規矩一點！你們當中有些在罵本堂神父，一些在詛咒縣長，另一些反對村長。別怪任何人！都錯在沒有信仰。一切都是天主容許的！」神父讚不絕口：「馬爾道舅舅說得好！說得好！」

正在這時候，縣長也出現了。當然不是從聖堂裡來的，而是從菜市，他來接警衛回家。他說：「馬爾道先生！停了吧！」因為他以為馬爾道在煽動民眾，哪裡知道他在設法平息民怨。

馬爾道先生看著敵人漸漸逼近，眼角裡還看到別的。遂即喊著說：「好了！好了！一切都過去了！」

拿棍棒的人慢慢圍攏過來，縣長只看上面，不疑有他，快活地說：「馬爾道先生！來！跟我喝一杯！」

「不！謝謝94！免了吧！」

他說完，看到拿棍子的青年人已經來近，非設法解救不可了。他走到縣長身邊，連忙說：「唉！您的邀請，我還是接受了吧！」縣長還不知危險，很輕快地勾住他的臂腕，走過聖堂廣場和大路，進到聖林墓地旁的酒店裡。

坐在馬爾道先生對面，眼見他盯住自己，縣長開始表現心裡不安：「您可以問問孩子們，我有沒有虐待他們。」

---

94. 葡萄牙人謙虛知情，一天不知要說幾百次 OBRIGADO（謝謝，感激）。

「好了！好了！縣長大人。沒問題。關於這事，民眾的問題比我的多。」

縣長猛回頭，看見拿棍子的青年人已經進門，正在想是不是要動手。馬爾道先生出面干涉，把他們推了出去。縣長要了麵包、奶餅和酒，跟他的客人搭訕起來，想讓他相信，孩子們告訴了那秘密。

「當然！當然！他們不告訴父親和母親，偏偏會告訴縣長大人。」馬爾道慧黠的笑著說。他喝過一杯酒，起身告辭。縣長要用車把他送到郵局門口，眾人看了，還以為馬爾道舅說多了話，被縣長逮捕了。

在這段時刻裡，三小見證走去聖母顯現地，有些人跟著他們，去念玫瑰經。可憐的小樹！只剩下幾個葉子了！人們把上面的葉子 —— 甚至樹枝 —— 都採去作了紀念品。旁邊有一張木桌，上面一對蠟台和幾枝花。這些都是「小堂瑪利亞」為 8 月 13 日安置的。

這好心的婦人絕沒料到她須擔負什麼責任。朝聖客在桌上留下好多硬幣，人們擠來擠去，它們大都掉在地上，有些竟被踏進泥土裡。她開始揀拾，人們好心的鼓勵她：「婦人！把錢都拾起來，好好保存，不要丟了！」人們以為她是法定的聖地監護人，殊不知她只是個多病的朝聖客。

好不容易把錢都收起來，共 1340 肋士（不到兩元美金）。次日，星期二，她把錢裝在一個小布袋裡，拿去給馬爾道舅。他拒不接受，憤憤地說：「女人啊！別誘惑我！我受的誘惑已經夠多了。」

　　她想把錢交給路濟亞的母親，因爲錢是她家地裡拾來的。瑪利亞羅撒喊著說：「老天憐見！我不要它！」

　　布袋好重，可憐的病婦瑪利亞加肋拉拎著它去找本堂神父，裝肋拉神父已經聽厭了窪地發生的一切，見了那裡來的錢，嚇得直往後退，好似說這錢著了魔，或受過咒詛。

　　小堂瑪利亞也被嗆壞了鼻子：「好啊！我也不要它！我把它放回原處。」神父才說：「婦人！不要那樣做！保存著它，或者找一個人保管它，直到我們看清怎麼處理這樁事。」

　　她把錢拿回家，藏了起來。可是仍不安心。誰都想知道她要那錢做什麼。如果她家的女孩中，有一個買雙新鞋，人們就要猜疑錢是哪裡來的。有一天，竟跑來一個四人自組的委員會，要她把錢交出來，拿去建座小聖堂。她說：「你們一文錢也拿不到！」事後，她怕自己說錯了，聖母可能要一座小堂？再跑去找本堂神父，神父不願沾手。

　　終於她想起來，扔錢的地方屬於路濟亞的父親，他是地主，能說話的，應當是他。況且，如果想建小堂，也須徵得地主許可。然而她怕見桑道斯，因爲後者曾當眾明言：「如果我碰到莫依達的那個女人在我地裡，可有得看！」

　　已經有人警告她要躲避桑道斯……或許在星期日彌撒後去冒冒險？剛望過彌撒，在星期天，他可能和善一點吧？

　　8月19日，星期日，彌撒後他還沒去酒店。小堂瑪利

亞怯怯地說：「我聽說：您安多尼先生被人得罪得很厲害，尤其因為我跑到 Cova da Iria 您地裡去採花……我願意求得您的許可，繼續去那裡。」

「你要多少花，就採多少，」他的口氣很和善：「只是我不容人在那裡建個聖體龕[95]。不能在我地裡！已經有人問過了我，我說我不要。」

小堂瑪利亞謝過了他，告辭而去。心想錢的事還是不提為妙。忽然想起來，何不去請路濟亞問問聖母，怎麼利用它。路濟亞答應要照做，但要等到下月 13 號。

---

95. 說的是聖體龕，其實是指小聖堂。說雖如此，後來還是把小樹周圍數百平方公尺的土地獻了出來，還開闢一條出路……犧牲不少！更大的犧牲是：窪地裡種的青菜和果樹，再也不見收成，路濟亞放羊也成問題，家庭收入銳減，害得她連一口麵包也不敢要，因為有時候姐姐會說：「要吃，到窪地去找東西吃！或者向你的聖母討。」最後，她家把窪地裡全部地產捐給聖地。

德國費金爾神父與路濟亞的代母、姑母、寡母和姐姐們
（攝於 1925 年 8 月 24 日）

法蒂瑪的第一座女子小學
（路濟亞和雅新達曾於此就讀）

聖母第四次、意外的顯現

就在當天，他們望過彌撒，照例趕羊出門，去Cova da Iria牧放。念完玫瑰經，把羊趕回家。午飯後，母親要雅新達留在家裡幫忙，叫她哥哥若望去替她放羊。於是路濟亞和兩個表弟又出發了，去個近的地方瓦林鳥，讓羊快點吃飽，免得太晚回家。

約莫下午四點，她覺得有聖母顯現前的預象：太陽光暗下來，氣溫突然降低，還有那閃光。聖母就要來，雅新達卻不在！

「若望！趕快去叫雅新達！聖母要來了！」

「我不去！我也要見見聖母！」

「去吧！我給你兩文錢。你可以跟雅新達一塊兒來！回來後，我再給你兩文。」

若望拿了錢，飛快地跑回家去找妹妹：「媽！路濟亞要雅新達！」

「三個人在一起玩，還不夠，一定要第四個？」

「叫她去吧！他們要她去。你看，路濟亞給我兩文錢，叫我一定要帶她去！」

「她要雅新達幹什麼？」

若望再也不能安定，急著喊：「路濟亞已經看到閃光，叫雅新達快去！」

「天啊！我叫雅新達去她代母家啦！」

若望一陣風似地竄出去，找到了她，細聲說聖母就要來了。倆人儘快地跑到瓦林烏，剛好看到第二次閃光。顯然，在這意外的顯現地點和時刻，聖母等她的小寶寶來了才出現。

她站在一棵高一點的小冬青樹上，慈祥的注視他們，好似要安慰他們，酬報他們近幾天的忠勇。

「您要我做什麼？」還是路濟亞開口。

「我要你們繼續在 13 號去 Cova da Iria，繼續每天念玫瑰經。」

路濟亞向聖母訴苦後，求她顯一個靈蹟，好叫眾人相信。聖母答說：「好！在最後一個月，10 月，我要顯個聖蹟叫眾人都信。如果他們沒把你們解到縣城裡去，聖蹟還會大一些。聖若瑟和耶穌聖嬰要一同來降福世界，救主也要來降福群眾。此外，玫瑰經聖母和痛苦之母也要來。」

路濟亞記起來瑪利亞加肋拉的請託：「您要我們怎麼處置，人們丟在 Cova da Iria 的錢和其他奉獻？」

「做兩台小轎子。妳和雅新達、跟其他兩個女孩，穿上白衣服抬一個；方濟各和另外三個男孩，也穿上白衣服，抬第二個。放在轎子上的錢，是為玫瑰經瞻禮用的。其餘的為建築小聖堂。」

「我求您治好一些病人！」

「好，在一年內我要其中幾個恢復健康。祈禱吧！多祈禱！多為罪人做犧牲！很多靈魂下地獄，就因為沒人為他們犧牲自己、為他們祈禱！」

聖母像前幾次一樣，從小樹上升空，滑行到東方，消逝在天際。

方濟各仍只看到聖母，沒聽到她說什麼。若望沒看到聖母，只在路濟亞說聖母去了的時候，聽到嘶的一聲，好像煙火一樣。

在Cova da Iria小見證們盡力保護小冬青樹，不讓人摘採它的枝葉，這次卻折斷了聖母腳站的雙叉樹枝。路濟亞和若望留在那裡看羊，雅新達和方濟各拿著寶貴的樹枝跑回家去。經過路濟亞門口時，她母親和姐姐跟幾個鄰居在聊天。雅新達高興地叫道：「舅母啊！我們又見到了聖母！這次是在瓦林鳥。」

「唉！你們都變成撒謊的小騙子了！不拘你們去哪裡，好像聖母都得顯現給你們。」

雅新達堅持著說：「我們真的見到她了！妳看，聖母一隻腳站在這根枝上，另一隻腳站在那個枝上。」

「拿來給我看看！」

雅新達把樹枝遞過去，舅母放在鼻子上聞了聞，臉上顯出詫異的神色：「這是什麼香味？」再聞一會：「不是香水，不是乳香，不是香皂，也不是玫瑰香，不是我認識的任何香味，可是很好聞！」全家人都聚攏過來，每人都要

接過樹枝來，嗅嗅它的香味。「雅新達！把它留在這裡，可能來的人中間，有人會告訴我們，這是什麼香味。」雅新達卻要拿給父母看。馬爾道先生也只會說，不知那是什麼香味！路濟亞的母親從這時起，不再那麼反對顯現的事跡，全家人對小路濟亞的態度也好些了。

且聽馬爾道舅自己敘述：

我到所有的田裡巡視一遍，黃昏時，我快到家了，一個朋友遇到我，說：「馬爾道舅，那奇蹟來得更清楚了。」

「你是什麼意思？」我這樣問。因為我對瓦林鳥的顯現和樹枝還一無所知。「你知道嗎？聖母又顯現了，剛才不久，在瓦林鳥，顯給你家的孩子們和路濟亞。你可以相信那是真的。你家的雅新達真是特別。她沒有跟同伴去放羊，一個男孩跑來叫她。聖母在她到以前不顯現！」我聳聳肩，不知怎麼回答。可是我一直想著朋友的話，走到庭院裡。太太不在家，我走進廚房，坐下，正好看見雅新達滿面笑容、手中拿個樹枝跑過來。

「爸！你看，聖母又顯現給我們了！在瓦林鳥！」

她進來的時候，我嗅到一股很妙的馨香，說不出是什麼香味。我伸過手去拿樹枝，問她：「雅新達！妳拿來的是什麼？」「是個小樹枝，聖母在上面站過。」我接過來聞時，香氣沒有了！聖母不需要給我證明她顯現過。

就在這幾天裡，路濟亞在路邊拾了一根拉車的麻繩，

它又破又粗糙。她搭在手腕上，覺得刺痛：「你們看，這東西傷人。我們可以用它做個腰帶，給天主獻個犧牲。」

說到做到：他們把繩子放在石頭上，拿一塊石頭把它敲成三段，每人一段，貼身緊緊地束在腰裡。孩子們薄皮嫩肉，不動的時候，已經刺痛得要命；要走動、要彎腰拾東西吃……！小雅新達痛得流淚，因為繩子上的三個結深深的擠在皮肉裡……。路濟亞要她解掉，小女孩咬緊牙關說她要為罪人受下去，連夜裡也纏在腰裡，有時痛得不能睡覺。救人靈要緊！

克苦犧牲的功夫，還不止於此。前面已經說過：他們如何忍饑耐渴。現在天熱了，他們竟好多天不喝一口水，偏偏在最炎酷的8月，整個月不喝！

母親摘的熟無花果，雅新達也拿到街口去給小乞丐們吃。

街上有個老婦人，每次看到小見證們，都辱罵他們，說他們撒謊騙人。雅新達說：「我們應當求聖母使她悔改。她犯了這麼多罪，如不去告解，一定下地獄。」

他們為老婦人做了些補贖。以後再也沒聽過她口出惡言。

另一婦人受重傷，真的身無完膚。小雅新達看了於心不忍，為她念三遍聖母經，病象完全消逝。無怪路濟亞說：小表妹不僅有預見未來的神恩，也已在聖德中尋得智慧，能顯奇蹟。

他們隱瞞的本事，也是一種智慧。沒任何人注意到他們英勇的克苦和犧牲！等路濟亞遵主教命寫回憶錄初次提

到聖母要他們爲罪人做犧牲時，二小眞福已死了多年，把「他們的秘密」帶到墳墓裡去了。他們只怕人問行什麼克苦，做什麼犧牲。謙遜的人有福！他們被天主抬舉！

在聖母意外的顯現中，她又提到多爲罪人做犧牲。故此，小見證們更不願錯過任何機會。雅新達採野花時，無意中碰到蕁麻，被它的葉毛刺傷了手，燒得通紅，又癢又痛。她喊了起來：「看啊！看啊！這東西可以用來做犧牲！」他們每人採了一把，不但刺痛了手，還用它抽打小腿96！

世人尋求安逸快樂，小見證們爲此拼命克苦犧牲！肉情的罪惡使最多人下地獄（二女見證都如此說），還不知肉情是什麼的童男童女給自己的肉身施用苦刑！甚至讓要他們多做犧牲的聖母於心不忍！——聽她下次顯現時説什麼。

精神的苦惱和折磨，還更難忍受。8月13日來的六千多人，回家後何止講給成千上萬的親戚鄰居！整天整夜家裡不斷有人訪問。善心的人士還好招待，他們請孩子們代求聖母時，哭訴他們的憂患和病情，向孩子們討點紀念品……已經夠受的了。好奇的人出的問題，眞令人作嘔。仇教人的攻訐謾罵，簡直是褻瀆！他們原本愛保密、惡壞話的，這叫他們怎麼受？他們的麻繩「腰帶」已經使他們不能安眠了，還要再打擾他們睡覺的時空？

---

96. 作者遷來時，園裡有三百多墩蕁麻，拔不勝拔，葉毛觸到皮膚時，就像注射一種酸素，使皮膚疼痛紅腫一兩天，不敢接觸任何東西。

反宗教的報紙，在法蒂瑪沒有人看。世界報副刊的主筆若瑟道瓦萊[97]，一如往常，幾杯下肚後，意想天開，既然反神職、反耶穌會、反異端迷信、反愚昧無知的言論都不能控制法蒂瑪事件，何不採取具體行動？

他召集各方的自由份子和前進黨，於下星期日彌撒後在法蒂瑪聚會，商議個對策，來懲罰Cova da Iria鬧劇的作者。

本堂神父聽說了，暗中傳報各信友，彌撒改在兩公里外的奧提戛聖母小堂舉行。等那些無信仰的激進份子來法蒂瑪聖堂前聚會時，堂裡空無一人，只見廣場上有縣長、村長和少數隨從。道瓦萊不洩氣，決定去 Cova da Iria 示威。

兩個鄰村的教友們已有準備，一個農夫牽來一群驢，拴在附近的樹上。等示威的自由思想家們來近時，不知他在每個小驢鼻子上擦了什麼藥水，使牠們都大叫起來，用最好的交響樂歡迎貴賓，啟發他們的智慧。在他們要毀滅的小冬青樹周圍，擺好了草料，等客人來享用。怕他們還不明瞭，高處站著一群莫依達的村人（我們的「小堂瑪利亞」也在內），打著手勢，大聲給來客解釋，請他們就坐。他們罵了起來，村民回喊：「耶穌瑪利亞萬歲！耶穌瑪利亞萬萬歲！」示威者更氣，粗野的大叫，村人也不示弱：「蠢驢！蠢驢！畜牲！」……若不是有幾個警察及時走來，真不知要如何收場。

民情的激動，將怎麼影響要來的9月13日呢？雙方的反應如何？

---

97. José do Vale, O Mundo 報副刊主筆。

聖母第五次顯現

縣長拐孩子們，把他們關進大牢，反覆的審問，最後輸在小孩子們手裡；這次跟新聞記者去示威，要揭露聖母顯現的所謂騙局，反被村民羞辱轟走，惱羞成怒，一定要設法報復。9月13日已近了，他無能為力，只好從長計議。

路上朝聖客已經絡繹不絕，從四面八方湧向法蒂瑪。

小牧童們更殷切的期待13號的到來，好能再見到他們心愛的聖母。他們受群眾的騷擾、各方的盤問、尤其一些神父們一再重覆的調查……，和許多人的不肯相信，覺得非常孤立，受人折磨。只有聖母體貼明瞭他們，他們也只知還有聖母。

9月13日破曉，人們已湧進了他們兩家。每人都想跟孩子們說幾句話，拜託他們代求聖母施恩助佑。路濟亞回憶錄上說：

> 顯現的時刻近了，我跟雅新達和方濟各動身，擠在人群中間，怎麼也走不通。路上滿滿的，都想看看我們，跟我們說幾句話。大家都不顧情面，不尊重人權：很多人，其中竟有貴婦和紳士們，從人群中擠過來，跪在我們面前求情，一定要我們把他們的困苦稟告聖母。不能來到我們跟前的，從遠處喊：「求她治好我的孩子！」「我的孩子聾了，求聖母救一救！」「求她把我丈夫和兒子從前線救回來！」「讓我家的罪人悔改！」「治好我的肺結核病！」……
>
> 人間一切的苦難，都喊給我們聽了。有一些人竟

1917年8月19日下午
聖母特別在瓦林鳥顯現
（作者攝於2001年6月11日）

瓦林鳥的「匈亞利苦路」
左下角可看到磨光的膝行路
（作者攝於2001年6月11日）

爬到樹上或牆頭上，等我們路過的時候大聲喊叫。我們答應一些人，要替他們求情，把另一些跪著的人拉起來，靠幾個雄武有力人的幫助，慢慢前進，他們在前面開路。

現在，我讀新約中耶穌在人群中走過時的奇景，就會想起我小時候在那些土路上所有的經歷。我感謝天主，把我們葡國好民眾的信德獻給祂。我想，如果這些人肯在三個小孩面前下跪，只因為他們寵幸得見過聖母，並跟他們講過話，假如這些人親見耶穌走過，更應如何？……

終於，我們到了Cova da Iria的小樹近旁，開始念玫瑰經。不久，就看到閃光，接著就見聖母站在小樹上。

「繼續每天念玫瑰經，為求戰爭結束。10月裡，我們的救主也要來，痛苦聖母和加爾默羅聖母、聖若瑟和耶穌聖嬰也來降福世界。天主很滿意你們的犧牲，但是祂不願意你們束著麻繩睡覺，只可在白天扎上。」

「有些人請我向您求很多恩惠，治好一些病人，和那聾啞的孩子。」

「我要治好其中的一些，另一些不治好。10月裡，我要顯那奇蹟，叫人都信。」她開始上升，像慣常一樣地消逝。

路濟亞就這樣簡短的結束這次顯現的記述。

一位見證，在他寫給朋友的私人信中如此說：

這個月裡，我原來不想再去法蒂瑪。然而9月12日晚上，我的朋友F用輛特大的車，載來十六位乘

客，都很期望去法蒂瑪，參與自5月以來每個月13號
發生的奇事。

第二天早上，F君請我上車同往，我接受了，還
覺得特別興奮。昨天已經有從海邊來的人，成群結隊
打從我們這裡路過……。路上，我注意到他們不可言
喻的行動，不禁多次淚下。數千人的活信德和熱心，
真是動人！

大路和小逕上都擠滿了人。沒有一條小路，連最
小的，上面也有男女走來，奔向大道。這真是名符其
實的朝聖，一看就令人感動得流淚。我一生中，從來
沒見過如此偉大和隆重的信仰表現。看不到、也聽不
見任何輕佻或無意的擾人動作。

十點前後，我們到了目的地。那時候群眾已經很
浩大，都必恭必敬的慢慢挨近聖母顯現的地方。男人
脫掉帽子，幾乎所有的人，都跪地熱切地祈禱……我
們剛到，F和我到孩子們家去，給他們攝影，也訊問
他們，這情景給我印象最深。我深信他們天使一般的
稚樸，表明他們不會撒謊。

從他們家，我們去本堂住宅，跟他和一些朋友，
對當天發生的事故，交換意見。半個小時後，回到聖
母顯現地。

中午，太陽準時開始減弱它的光焰，沒有人不觀
察到這個現象，一如過去每月13號中午重現的一般。

這次，人群裡也有幾位神父和修生。一位修生回憶說：

在9月13日，好長的暑假就要結束了。我們聽人
講過法蒂瑪的事跡，在回修院以前，一定要先去看
看。我們四五個人，徒步走去，看看會發生什麼。

我們回家時，非常疲乏，心中卻浪快樂。那天竟有不少的修生在法蒂瑪，約有三十多個，是從不同的修院來的。不必驚奇，是同一個想法把他們叫來的。我還記得見過兩三位神父 98。

好一段時間，我們隨大隊走，從這塊石頭跳上那塊石頭，爬牆過棧門，觀察和評論著眼前的情景。一位神父把我們叫過去，囑咐我們要謹慎，因為這一切都可能出自魔鬼的愚弄，結果只是個笑柄。大多數神父的心態都如此。我們注後退了一些，要從高處觀望；在顯現的時刻，又下去盡力接近孩子們。

神父們中間，有一位蒙席：若望瓜萊斯瑪99，雷利亞教區的副主教；在他寫給瑪奴厄爾道加爾冒高依斯蒙席100的信上，詳細描述那天的事件：

法蒂瑪事件已過去十五年了。那時候，憂苦和失望統治我國，陰雲籠罩著葡萄牙和其人民。在這黑暗中，人們獻上了無數的祈禱，求天主憐憫助佑。

在人們興起的浪濤中，都期待一線曙光。上主俯聽了祂僕婢的禱聲，在法蒂瑪上空像雨後彩虹似的，出現了和平的場景。這顯現跟三幼童談話後，可怕的烏雲開始消散；人們卸除了憂苦的重擔，又能呼吸了。切望光線的人眼，搜索曉星照耀的天空。

---

98. 至少有五位神父！聖加大肋納的本堂神父，Mons. Quaresma、Mons. Carmo Gois、Dr. Formigao、P. Manuel da Silva；後兩人都曾訪問過小見證們。Formigao後來助雅新達去里斯本就醫。

99. João Quaresma 後來成為審察員，來審理二小牧童的列品案。

100. Mons. Manuel do Carmo Gois 在 10 月 13 日再來法蒂瑪。

　　且說，這些無知的兒童會不會搞錯？他們不可能是幻覺的犧牲品？然而，總可能是聖母到世上來給我們報信！孩子們說的裡面可有真理？每月 13 號都有更多的人來擠滿Cova da Iria，還都說他們見過異象，這又當如何解釋？

　　故此，在一個晴朗的9月早晨，我們乘一輛搖擺的破車，由一匹老馬拉著，離開雷利亞，趕去大家都說即將有顯現的地方。高依斯神父找了個登高望遠的地處，可俯視整個浩大的圓劇場，不必走近兒童們等著顯現的地方。

　　中午，全體都靜下來，只能聽到經聲。突然，有驚喜的叫聲，讚美聖童貞女。手臂高舉起來，指向天空中的什麼事物：「看啊！你看不到？」

　　「看到！看到！我看到！」看到的人們都很滿意。天空萬里無雲，我也仰視天空，希望能分辨出那些比我幸運的人們所看到的。

　　很驚訝我能很清楚的看見一個光球，從東方緩緩地、堂皇地向西移動，滑過長空。我的朋友也在看，也有幸欣賞同一個意外的、悅人的景象。突然間，這放射異光的球不見了。

　　在我們附近，有一位小女孩，穿著和年齡都跟雅新達差不多。她繼續高興地喊：「我還能看見她！我還能看見她！她下來了！」

　　過了幾分鐘，應當是顯現的持續時間，那小女孩又開始喊起來：「升回去了！」她的視線緊跟著那光球，直到它消逝在日出的方向。我問我的同伴：「你想這光球是什麼？」他好像很熱中他的見聞，毫不猶疑地答說：「那是聖母。」

　　這也是我的確信，毫無疑問！孩子們觀賞天主之

母本人，只讓我們看到她的交通工具—如果可以這樣叫它—把她從天堂帶到乾旱的荒地裡來。我必須加重聲明：在我們周圍的人們，都跟我們看到的相同；可以聽到他們齊聲歡呼，讚美聖母……。

我們覺得非常的喜樂。我的同伴走訪一夥一夥的窪地朝聖客，直到路邊，好搜集見聞。他問過各種、各社會等級的人，一個個的都確認我們所見的異象屬實。

我們極其滿意地登上歸程，這次法蒂瑪朝聖後，決意於 10 月 13 日再回來，更確切地驗明這些事實。

不僅瓜萊斯瑪蒙席這樣說，成千上萬的人都異口同聲地明證上主的權能。其他的異象，不是每人都見到的：太陽光突然昏暗，使人在中午能見星辰；氣溫轉涼，天降花瓣，落地前消散……，也有上千的人覺察到。

路濟亞回憶錄真太「簡陋」了，她竟漏掉了小堂的事。民眾想建個小聖堂，上次顯現時，聖母自己已經說過：餘錢為建小堂用；這次又特別答應了民眾的請求。

聖母去了以後，群眾一湧而上，把孩子們困住，動彈不得。他們爭著發問，孩子們聽不清，不能回答……。好不容易，父母才把他們救出來，領回家去。——哪裡還是家？生人早已擠滿，等小見證們回來。窪地裡夜靜了，家裡卻吵鬧不休。

馬爾道家的羊，改託別人牧放，路濟亞家的，竟被父母在9月中賣了。——又少一批收入！羊奶和奶餅要花錢去買了。孩子們呢？「他們沒有病死，真是奇蹟！」這是好幾位神父訪問後的斷語。他們竟忘記說，他們自己，正是折

磨小見證們的罪魁！且看他們怎樣「訪問」：

神父們都有備而來。要出的問題早已想好，甚或已經寫好了。

先從否爾彌高神父說起[101]。他是里斯本主教座堂的議員和桑塔萊姆大修院的神學教授。當時宗主教仍被放逐在外，代理主教[102]要他徹底調查法蒂瑪事件。他已於9月13日跟瓜萊斯瑪蒙席和其他幾位神父，從高處細察窪地的情景，並親身體驗過顯現時的太陽昏暗和氣溫低降，卻沒看到同伴們見過的光球。他決意要追問根由，遂於9月27日專程回法蒂瑪，去孩子們家訪問。瑪利亞羅撒和奧林匹亞都必恭必敬的接待他，叫人去外面找孩子們，路濟亞在遠處幫忙收葡萄，二小兄妹在離家很近的地方，先找回來。小姑娘見了生人，又是神父，既怕又怯，開始的時候，雖會清楚地回答，卻只是幾個單字。等哥哥進來以後，才放膽說話。並且還注意到方濟各忘了脫帽，示意讓他趕快摘下來，他卻滿不在乎地坐在一旁，等人訊問。

否爾彌高既和善又溫文有禮，很快就贏得孩子們的信任，故此能有這麼長的好筆錄。他先問方濟各：

---

101. Dr. Manuel Nunes Formigao（1883～1958）葡國人盛讚他的學識與正直，他最先撰寫法蒂瑪事跡，筆名Visconte de Montelo：蒙太羅子爵。（138頁註98）稍後，他曾說服雅新達的父母，讓她去葡京就醫。他盡力宣傳法蒂瑪敬禮，創立聖母七苦姊妹會，在法蒂瑪聖體小堂永跪聖體，他逝世已將近五十年，仍被朝聖者懷念；聖地入口處右側「柏林牆」前面擺的黑卵石就是明證。

102. 宗主教代理人是 D. João de Limo Vidal 主教。

「這幾個月裡，你在 Cova da Iria 看到什麼？」

「我看見聖母。」

「她在哪裡顯現？」

「在一棵冬青樹頂上。」

「她突然顯現或者你見她從一個地方來？」

「我見她從日出的方向來，停在小樹頂上。」

「她慢慢地來或者來得很快？」

「她總是來得快。」

「你聽到她跟路濟亞說什麼嗎？」

「沒聽到。」

「你跟她說過話嗎？她跟你講過話嗎？」

「沒有，我從來沒問過她什麼。她只跟路濟亞說話。」

「她看誰？看你和雅新達？或者只看路濟亞？」

「我們三個人她都看，看路濟亞的時候比較長。」

「她有哭過或微笑過嗎？」

「不哭也不笑，一直很嚴肅。」

「她穿得怎麼樣？」

「她穿一件長衣服，上面罩一個外套，蒙著頭，下垂到衣服邊緣。」

「長衣和外套是什麼顏色？」

「白色的，長衣有金線。」

「她姿態如何？」

「像個念經的。她的雙手捧在胸前。」

「她手裡拿東西嗎？」

「環著她右手手掌和手背，掛著一串念珠。」

「她耳朵上戴著什麼？」

「你看不到她的耳朵，因為它們給外套蓋住了。」

「那婦人美麗嗎？」

「是的，她很美。」

「比那邊的小女孩還美？」

「是呀！」

「但是，有些婦女們比那女孩更美呀？」

「她比我所見的任何人都美得多。」

然後，叫雅新達過來(哥哥答話時，她跑出去了。)，讓她坐在身旁，同樣問她：

「從五月以來，每月十三號，妳都見過聖母？」

「是。」

「她從哪兒來？」

「她從天上來，從太陽出來的方向。」

「她穿得怎麼樣？」

「她有件白長衣，用金子裝飾過；頭上披一外套，也是白色的。」

「她的頭髮是什麼顏色？」

「你看不到她的頭髮，因爲它被外套蓋住了。」

「她戴耳環嗎？」

「我不知道，因爲看不到她的耳朵。」

「她的手是怎麼放的？」

「她的雙手捧著，到胸口的高度；手指向天。」

「念珠在右手裡或在左手裡？」

雅新達先答應說，在右手裡，神父故意再追問她，究竟在哪個手裡，她亂了分寸，指不出來聖母用那隻手拿著念珠。

「她給路濟亞講的主題是什麼？」

「她說，我們要每天念玫瑰經。」

「妳這樣做嗎？」

「我每天跟方濟各和路濟亞念。」

半個鐘頭過去了，路濟亞才從葡萄園跑回來。她比另兩個高，也較健強，不像雅新達那樣羞怯，很自然地走到神父跟前。穿著簡樸，態度沒一點虛僞矜驕，也不混亂。卻顯然已很疲乏，情緒有些低落。

她坐在神父身旁，回答他一連串的問題：

「聖母曾在所謂的 Cova da Iria 顯現，是眞的嗎？」

「是，那是眞的。」

「她已給你們顯現了多少次？」

「五次，每月一次。常在13號，8月例外，那時候，我被縣長抓去歐萊姆，在那個月的19號，才在瓦林鳥看到。」

「人們說聖母去年也跟妳顯現過，是眞的嗎？」

「去年她從不曾顯現給我，在今年5月以前從來沒有過；我沒向任何人這樣說過，因爲不是眞的。」

「她從哪裡來？從東方？」

「我不知道。我沒看過她從任何地方來。她出現在小冬青樹上。她走的時候，是去太陽升起的那邊的天空。」

「她停留多久？長時間或者短時間？」

「短時間。」

「夠念一遍天主經和一遍聖母經的？或更長一些？」

「長得多。然而並非都一般長。」

「妳第一次看到她的時候，害怕了嗎？」

「我怕了 103 。嚇得幾乎要逃走，跟雅新達和方濟各一塊兒逃。她卻告訴我們不要怕，因爲她不傷害我們。」

---

103. 路濟亞日後解釋說：他們怕的是不測風雲雷雨，並不怕聖母。

「她穿得怎麼樣？」

「她一身白長衣，直到腳面，頭上頂著一塊披紗，也是白色的，也一樣長。」

「衣服上有什麼？」

「可以看見胸前有兩條金索，從頸上垂下來，在腰裡打結，成個金流蘇。」

「有沒有腰帶或緞帶？」

「沒有。」

「她的耳環？」

「它們是耳環 104。」

「她哪隻手拿念珠？」

「右手。」

「是五端的或是十五端的念珠？」

「我沒注意到。」

「它有個十字嗎？」

「有。它是白色的；念珠子和鍊子也是白的。」

「妳不曾問過她是誰？」

---

104. 路濟亞也說：看不到聖母的耳朵。那所謂金耳環，應當是披紗的金邊在那部分捲曲閃亮，好似耳環。

最後，她把所謂的衣服和頭紗的金邊，也說是可能光線的集中照射：「因為聖母直是光、光、光！」所有的態像都不能表露眞象。

「問過。可是她說，要到 10 月 13 號才告訴我們。」

「妳問過她從哪裡來嗎？」

「問過。她說她從天上來。」

「妳什麼時候問過這個？」

「在第二次顯現時，6 月 13 號[105]。」

「她微笑過嗎？或者她顯得憂愁？」

「她不微笑，也不愁，常常嚴肅。」

「她教妳和妳表弟妹念固定的經文嗎？」

「她告訴我們要念玫瑰經，爲光榮玫瑰經聖母，也爲求得世界和平。」

「她有沒有說要很多人在13號顯現的時候，到Cova da Iria 去參禮？」

「她沒說過這類的話。」

「她告訴妳一個秘密，妳絕不肯講給人聽，是眞的嗎？」

「是。」

「只與妳有關，或者也與妳的表弟表妹有關？」

「有關我們三個人。」

「連妳的告解神父也不能告訴？」

---

105. 顯然是一時錯亂。以前和以後，都說是第一次，5 月 13 日。

路濟亞不知如何回答。神父想：最好不要重問。

「縣長把你們關到監獄的那天，妳為逃離他，講了些什麼，當作秘密來騙他，以後還以此自誇，是真的嗎？」

「不是真的。桑道斯先生真願意我洩露秘密，然而我不能也真沒有那樣做，雖然他用盡了各種方法使我照他的意願去做。聖母告訴我的，除了那秘密以外，我都說給縣長聽了。大約正因為如此，他想我把秘密也告訴他了。我從來沒想騙他。」

「那婦人告訴過妳要學識字嗎？」

「是的：她第二次顯現時。」

「然而，她既然給妳說過下個月（10月）她要接妳去天堂，學識字能有什麼用？」

「這不是真的。那婦人從來沒說過要在10月裡接我去天堂。我也沒告訴任何人，她這樣說過。」

「人們在 Cova da Iria 小樹下丟的錢，那婦人說過應怎麼處置嗎？」

「她要我們弄兩台轎子，我和雅新達跟另外兩個女孩抬一個，方濟各和三個男孩抬另一個，送到本堂裡。一部分錢用在玫瑰經聖母瞻禮上，餘下的用來補助建個新的小聖堂。」

「聖母願意把小堂建在哪裡？在 Cova da Iria？」

「我不知道。她沒有說。」

「聖母給妳顯現，妳快樂嗎？」

「是！」

「到 10 月 13 號，聖母要獨自來？」

「聖若瑟和耶穌聖嬰也要來。不久後，世界要有和平。」

「聖母還啓示過別的？」

「她說，在 10 月 13 號，她要顯個奇蹟，叫人們能相信她的顯現。」

「妳爲什麼多次垂頭往下看，不一直看那婦人？」

「因爲她有時候照瞎了我的眼。」

「她教過你們任何經文嗎？」

「教過。她要我們在每端玫瑰經以後念它。」

「妳會背誦這經文嗎？」

「會。」

「念吧！」

「噢！我的耶穌！寬恕我們的罪過，救我們出離地獄永火，領一切靈魂進入天堂，特別是那些最需祢憐憫的。」

這些訊問在否爾彌高腦裡留下什麼印象？他深信孩子們絕對誠實，還有點可疑的是，他們會不會受到黑暗世界的惡神的促使，成了幻想的犧牲？

他們答覆中或有些許的矛盾，然而都只關細節，無傷大雅；並且看在她們幼弱和疲勞的份上，容易得人諒解。

為了使自己完全滿意，否爾彌高神父願在重要的 13 日以前，再去趟法蒂瑪，問問見證們。

從桑塔萊姆乘火車，轉車，再找馬車，要到法蒂瑪的時候，天已經晚了，遂投宿在兩公里外蒙太羅村岡撒爾未家[106]。這家的兒子瑪奴厄爾異常聰明，博聞廣見，觀察力很強，又在 6 月 13 日聖母第二次顯現時，正好站在路濟亞的左邊，神父問他孩子們的家境如何，他說：

「雅新達和方濟各的父母都是大好人，聲望也好，很受村人尊重。信仰生活也很虔誠，他們的父親非常正直，很得人們信任。家境不太富，也不算窮，生活沒有問題。每年還有點盈餘，可以去趕集，買些新東西。

路濟亞的父親也不壞，只是跟本堂神父合不來，不肯向他告解，也不願從他手裡領聖體。星期日常陪全家人一起去望彌撒。要滿四規，就到附近另一聖堂去。路濟亞的母親可說是全村最熱心的女教友，非常勤謹，愛幫助鄰居。除嚴格地管教自己的兒女以外，還經常有外出工作的母親們，把孩子託給她看管。她會讀書，常念些聖人行傳或聖經段落給孩子們聽……他們家也不窮，如果父親能更努力耕種，還可以生活得更富裕些。現在 Cova da Iria 沒了出產，羊也賣了，損失頗重。」

「法蒂瑪人對孩子們的敘述，有什麼想法？」

---

106. Montelo 村的 Gonçalves 世家，在這裡，神父找了個筆名：蒙太羅子爵。

「開始的時候，人們不願去窪地。幾乎沒有人相信孩子們。6月13日，第二次顯現時，法蒂瑪大事慶祝本堂主保，去Cova da Iria的大約只有七十個人……。現在嘛，大都相信孩子們說的是實話。」

「顯現的時候，有異象嗎？」

「有！並且很多。在8月裡，孩子們沒來，幾乎每個在場的人都看到異象；一塊雲彩降到小樹上……。」

「還有別的異象？」

「天空裡，太陽附近的雲彩轉換成紅紫黃……色，人臉也焦黃。太陽光減弱，人們還聽到什麼聲音。」

「會不會是有人促使孩子們玩這把戲？」

「不可能！」

「有很多外方人來跟孩子們談話？」

「數不清有多少。從各方來的。」

「有人給錢的時候，孩子們接受嗎？」

「如果給的人堅持，他們接過一點，卻接得不甘心。」

「他們家窮嗎？他們靠勞作生活？有沒有財產？」

「他們不窮，過得還不壞。」

「這附近有人去看顯現嗎？」

「我在6月13日去過。7月13日本村的 Manuel de Oliveira 也去了。」

「顯現的時候，路濟亞做什麼？」

「她念玫瑰經。她跟聖母講話的時候，說很大聲。我本人在六月裡聽到她講。還有些人聽到回答的聲音。」

「在其餘的日子上，也有人去顯現的地方？」

「有，特別是在星期日，有很多人去！大都在夜晚才來。有遠來的，也有近處的，大都不屬於法蒂瑪本堂。他們念玫瑰經、唱聖歌，來敬禮聖母。」

次日清晨否爾彌高蒙席去阿主斯特村，路濟亞正在幫泥水匠修房頂。她連忙向神父請安，母親也出來迎接。

神父先提到幾個問題，要母親答覆：

「我想：您有一本題名《短的使命》的書，您給孩子們讀過，是不是？」

「是。我給孩子們讀過。」

「有關聖母在沙里特顯現[107]的那篇，您也念給路濟亞和別的孩子們聽了嗎？」

「只給路濟亞和我家的人。」

「路濟亞從來沒談過沙里特的顯現？沒有顯示出來，她對那故事有很深的印象？」

---

107. 1846 年 9 月 19 日，聖母曾在法國南部 La Salette 顯現給兩牧童，一男一女。聖母穿白衣服，有金邊，要人悔改……否爾彌高蒙席一定要知道，路濟亞是否深受沙里特顯現的影響。因爲這兩地的顯現太相似了。

「我不記得她曾經提過這事。」

「您允許她每月十三號到 Cova da Iria 去？」

「我不禁止她。」

「有很多人來訪問她？」

「整天不斷！」

現在又輪到路濟亞了。蒙席當著四個可靠證人的面做筆錄：

「前幾天妳告訴我，聖母要把人們給的錢給本堂用，用兩台轎子送去。怎麼可得到這些轎子？什麼時候抬到堂裡？」

「用人們給的錢去買，在玫瑰經聖母瞻禮抬去。」

「妳確實知道聖母要人在哪裡建小聖堂恭敬她嗎？」

「我不確實知道，然而我想她願意在 Cova da Iria 有個小堂。」

「她說她要做什麼，好叫人們相信？」

「她說她要顯個奇蹟。」

「她什麼時候說的？」

「她說了好幾次。」

「妳不怕人們要對妳做什麼，如果那天沒什麼奇事發生？」

「我一點也不怕。」

「妳覺得內裡有什麼力量拉妳在每月 13 號去 Cova da Iria？」

「我覺得我想去。如果不去，我會難過。」

「有沒有見過那婦人劃十字、念經、或轉念珠？」

「沒有。」

「她曾告訴妳要祈禱？」

「她多次告訴我要祈禱。」

「她曾告訴妳要爲罪人悔改祈禱？」

「沒有。她只告訴我要求玫瑰經聖母使戰爭結束。」

「妳看見過別人說起見到的徵象嗎？諸如一顆星和婦人衣服上掉下來的玫瑰花……？」

「我沒見到星星，也沒見到別的異象。」

「妳聽見過響聲或地震嗎？」

「沒有。我沒聽到過任何聲音。」

「妳識字嗎？」

「不。」

「妳去上學？」

「不。」

「那麼，妳不做聖母要妳做的？」

「……。」*108*

「妳叫人們跪下念經，是那婦人告訴妳要如此做的嗎？」

「不。不是那婦人，是我告訴他們的。」

「她顯現的時候，妳總要跪下？」

「有時候跪下，有時候站著。」

「她說話的時候，聲音甜蜜悅人嗎？」

「是的。」

「那婦人有多大年紀？」

「她看起來約有十五歲。」

「念珠鍊子是什麼顏色？」

「白色的。」

「苦像呢？」

「也是白色的。」

「頭紗蓋住婦人的前額嗎？」

「沒有，妳可以看到她的前額。」

「圍繞著她的光很美嗎？」

「比最明亮的太陽光還美。」

---

108. 路濟亞不知如何回答。她不願歸咎於母親，說她不准自己去上學。另方面，法蒂瑪第一所女子小學還沒動工建造，沒處去上學，男女合校？還言之過早。

「那婦人有沒有以首示意，或打手勢來問候妳？」

「從未有過。」

「她笑過嗎？」

「從未有過。」

「她慣常看人群？」

「我從來沒見過她看他們。」

「妳跟婦人談話的時候，聽到人們講話和喧嚷的聲音嗎？」

「沒聽到。」

「婦人在 5 月裡，要妳直到 10 月每一個月來 Cova da Iria？」

「她說，我們要一連六個月，每月 13 號來。」

「妳記得母親念過一本書，叫做《短的使命》，裡面有聖母顯現給一個女孩的故事？」

「是的。」

「妳很愛想這故事？或者也跟別的孩子們談論過它？」

「我從來沒想過這故事，也從來沒跟任何人談論過它。」

問過了路濟亞，否爾彌高蒙席走去馬爾道家。在父親和幾個女兒面前問雅新達：

「那婦人告訴過妳要念玫瑰經？」

否爾彌高蒙席
筆名蒙太羅子爵

法蒂瑪本堂神父費肋拉
（1914-1919）

「是的。」

「什麼時候？」

「她第一次顯現的時候。」

「妳也聽到個秘密？或者只有路濟亞聽到？」

「我也聽到。」

「什麼時候」

「聖安多尼瞻禮上，第二次顯現的時候。」

「妳要秘密地發財致富[109]？」

「不。」

「說妳要做好人而幸福？」

「是爲我們三個人好。」

「是說妳要升天？」

「不。」

「妳能說出這秘密嗎？」

「我不能。」

「爲什麼？」

---

109. 聖母不給她的人致富。路濟亞家的收入一天比一天少，後來還把窪地全部地產獻給朝聖地；馬爾道家把錢花光，爲給孩子們治病，不幾年內，埋葬四個幼年人；聖母親自說，不治好跛腳的若望，也不讓他富有，只給他工作，使他能生活。

「因為那婦人說，我們不得告訴任何人。」

「如果人們知道它，要難過嗎？」

「是的。」

「那婦人的手是怎麼持著的？」

「她伸出雙手。」

「常這樣？」

「有時候她反轉手掌向天。」

「在 5 月裡，那婦人說過要你們再去 Cova da Iria 嗎？」

「她說，她要我們一連六個月，直到 10 月，到那裡去。那個時候，她要告訴我們她願意要什麼。」

「她頭上有光圍繞著嗎？」

「有。」

「妳能舒舒服服地看她嗎？」

「不能，因為它傷我的眼睛。」

「妳能常常地聽清楚她跟路濟亞說的嗎？」

「最後一次，我沒能聽到一切，因為人們太吵了。」

以後輪到方濟各。

「你多大了。」

「九歲。」

「你只看見聖母？或者你也聽到她說什麼？」

「我只看見她。我聽不到她說的任何（話）。」

「她頭上有光環繞著嗎？」

「有。」

「你能好好地看她的臉嗎？」

「我能看，只是看一小會兒；因為光太強。」

「她的衣服有什麼裝飾嗎？」

「有幾個金索。」

「苦像是什麼顏色？」

「白色的。」

「念珠的鍊子呢？」

「也是白色的。」

「如果人們知道秘密，他們要難過嗎？」

「是的。」

他們答得如此直接坦然，讓訊問的人，對孩子們的忠實更加深信。今天已是10月11號了。孩子們都肯定，聖母要在13號中午顯現，並要顯一個奇蹟，等著看吧。

可是，還有一位不等聖母顯現的神父：包撒斯神父——波爾道德摩斯的本堂神父[110]。他來勢凶凶，儼然一副

---

110. P. Poças，Porto de Mos 的本堂神父。他先審問方濟各，一切徒然，才氣焰填胸的去找兩個女孩……最後，還得相信孩子們的誠實。

異端審問官的腔調：「好孩子！要聽清了！妳要給我説：
這一切都是妳捏造的！如果妳不承認，我要這樣説，並且
要散播到各處。人們要相信我。妳逃不過！」他如此恐嚇
路濟亞，小姑娘卻一句話也不跟他講。馬爾道先生聽了，
忿忿不平：

「最好馬上到各處去拍電報！」

「正應當如此做！」神父勝利似地説，跟他來的附和著；

「這不是別的，直是妖術惑眾！」

馬爾道真氣壞了。雅新達不願看人發怒，跑了出來。
他父親遂向那神父説：「如果您要那樣做，不要提孩子
們！沒有人阻止您做您願意做的。」説罷，他把孩子們領
回家，那位神父跟在後面嚷嚷。他們見小雅新達坐在門口
給另一小女孩梳頭，神父對她説：

「妳不願意告訴我們任何事情，路濟亞卻把故事全部都
告訴我們了！完全是謊言！」

「不對！路濟亞什麼也沒説。」她説得很堅決。他們看
她如此堅決，羞惱之餘，也更堅決起來：那隨員掏出一個
硬幣，要賄賂雅新達。她父親急著説：「住手！總不可做
這種事！」

「我至少可以給您兒若望一點東西。」

「不必要。如果您一定願意，您可以給。」

他們轉身離去時，神父向馬爾道先生説：

「你的角色演得很好！」

「好不好，我不知道。總之，這兒，在我家裡，事情我們都這樣做。您想弄得孩子們互相矛盾，卻沒成功。即便您成功，我仍要執著地相信孩子們說真話。」暗中，他是在相信聖母和天主。

這位神父的不信，更增長了瑪利亞羅撒的不安。她已技窮，真怕女兒被人揭穿和處罰。全家也都跟著怕起來，已經是 10 月 12 號了！路濟亞竟敢一再聲明，聖母將在 10 月 13 號中午再次顯現，並要顯一個大聖蹟！如果沒有聖跡，那些受騙的人們將如何反應？把她撕碎？或者找父母家人算賬？村子裡已經有人如此預言。竟有一婦人說，應先把路濟亞燒死，免得出大禍。

瑪利亞羅撒向女兒說：「我們更好去告解，準備著死。」女兒說：「媽呀！如果妳願意我跟妳一起去，我去；卻不是為那個理由。」母親轉身走了，沒再提告解的事。

12 日下午，烏雲密佈，開始下細雨。秋天的愁容，覆遮大地，好似要阻止朝聖客來法蒂瑪。殊不知已有幾萬人在泥濘的路上慢慢接近朝聖地；竟有數千信眾早來到了，找地方露宿；都不斷地在念經唱歌，恭敬聖母。他們不怕路途的遙遠和艱苦，不怕風雨和無信者的譏諷，不怕勞累和貧困……，只怕自己不配得聖母助佑。

小見證們呢？他們什麼也不怕。只耐心的等他們嚮往已久的聖母降來。

聖母第六次顯現

好像是魔鬼故意搗亂,跟敬禮聖母的人過不去。夜裡吹起好大的西北風,夾著豪雨,吹進路人的衣襟和褲腿,使他們渾身溼透,更難行動。如此,卻助長了在芬蘭避難的列寧同黨的勢力,使他們更容易地從西歐偷運軍火,準備10月的大革命,「以勝利奠定和平」。世界大戰正如火如荼,死傷慘重,民不聊生,小葡國情形最壞。到處都聽到法蒂瑪的訊息:聖母要結束戰爭,締造世界和平,以祈禱和犧牲爲媒介。那麼,路上就受點罪吧!

什麼路呀!它們都被各種車輛、牲畜和赤腳的行人踏成泥窩,一走一滑或陷入泥漿,寸步難行。可是,不拘那裡,都聽不到怨聲,襯著交通的嘈雜,有的只是經聲和歌聲。如此連綿不絕,混亂中井然有序。眞是個罕見的大朝聖。

世紀報(O Seculo)的主編阿爾默達[111]如此描述東方的情景(從歐萊姆城開始報導):

> 大路上,我們可以看到第一夥人注聖地的方向前進。還有二十公里。男男女女大都赤著腳,女人們把鞋裝在袋子裡頂在頭上,男人挂著粗木棍,打著雨傘。他們無視於周圍的一切和天然環境,也不理會同路人,低聲念著玫瑰經,沈潛在自己的思緒裡。
> 一位女士領念聖母經的前半段,她的同伴們接著

---

111. Avelino de Almeida是里斯本最大報紙O Seculo的經理和主編,他自己出動,表示法蒂瑪的重要。

同聲念下半段。他們快步走著，好能在入夜前趕到顯現的地方。在那裡，他們要找個最靠近小樹的地方露宿。

他們進城的時候，市民中有些婦女，顯然受了當地無神論的影響，譏笑著談論當天的話題。信衆卻毫不理會與他們目的無關的一切，繼續趕路。夜裡，有各形各色的車輛湧進廣場，載來熱心的信友和一些好奇的人。

破曉時，新來一批一批的朝聖客，打破了清晨的寧靜，他們唱著各種歌曲走過去。

太陽將出的時候，天氣嚇人。烏雲正好堆在法蒂瑪上空，卻不能嚇阻由四面八方湧來的人潮。他們用了各種運輸工具，有高速行駛的奢華汽車、慢慢走在路邊的牛車，有四輪馬車、轎車、臨時裝了座位的二輪車，都擠得不能再多一個乘客。每人都帶著自己的食糧和牲畜的飼料……，各人都英勇地扮演著自己的角色。

到處都可看到一輛輛裝飾著鮮花綠葉的車，人們都能在這慶節中保持清醒和秩序，驢子在路邊亂叫，腳踏車多得無數，但奇蹟似的不碰那些車輛。

十點前後，烏雲密佈，大雨傾盆。大風吹得緊，把雨水打在人的臉上，溼透路面和朝聖者的衣服，寒風刺骨。然而沒有人抱怨或向回轉；雖有人暫時在樹下或靠牆避一會兒雨，大多數人卻繼續趕路，不顧風雨。

聖童貞顯現的地方，一面是去雷利亞的大道。沿大道兩旁停滿了車輛。大部分的人都集中在小冬青樹周圍；據說孩子們見到聖母在這小樹上顯現……。

從路上看過去，總體地說，滿有畫意。農夫們打著好大的雨傘，一面唱歌或念玫瑰經，一面卸草料，不以為誤。另些人踏著泥漿，慢慢挨近小樹和木拱門，看個仔細。

　　並不是信仰虔誠，促使阿爾默達記者來法蒂瑪的。他是馬松黨員，毫不掩飾他對神職、聖事、信仰和教條的反感。只因爲有關法蒂瑪的言論太多太久了，他要親自來採訪。他是葡國最好的新聞記者。他的快稿，刊登在10月13日的世紀晨報上，還顯得他頗有君子氣息，既和善，又會譏諷；自己不信，也不願冒犯相信的人：

　　　　成千上萬的人，忙著去一片荒野，爲看看和聽聽聖母。熱心的人靈不必怕我們得罪，好信心也不用怕。我們並不願侮辱真信的和對奇蹟還感興趣的人。奇蹟引誘、迷惑、安慰和堅強信心，自古如此，大約幾千年內依舊如此……。這只是個短篇報導，這事故爲公教會也不算什麼新事，歷史上屢見不鮮……。一些人把它看作天上來的訊息和恩寵，另一些人拿它來證明，迷信和狂熱已根深蒂固，不容易或竟不可能泯滅。

　　　　大災大難的時期，總會重新喚起和革新宗教思想，加以培育。世界大戰給它們最理想的沃土，使它們生長壯大。戰壕裡的生活及交戰國的宗教氣氛，都給我們確證這一觀點。

　　他簡短而正確地敘述法蒂瑪前幾次的顯現，聖母在露德和在沙里特的顯現以後，口吻變得較爲譏諷：

　　　　奇蹟發生在中午和下午一點之間……不是每個人都能看到那聖像。被預選的人數很少。許多人白費心機，什麼也看不到。爲此，離孩子們近的人，能聽到他們跟一個看不見的對方談話，已心滿意足。另一些

人，在那神聖莊嚴的瞬間，卻能在日正當中的時刻，看到太空的明星！他們聽到地下的呻吟，報告那婦人的來臨。他們斷言氣溫降低，好像日蝕的時候一樣。

按照孩子們的說法，那童貞女顯現在小冬青樹上，有異光圍繞著……。被超自然的驅使，又受超人力支配的群衆，深受感動得流淚，面色蒼白像死屍，男男女女都跪倒地上，一同唱歌、念玫瑰經。

我們不知道，有沒有瞎子能重見光明，痲痺的能再行動，大罪人棄邪歸正，跳進悔改的淨水裡。

這都沒有關係。顯現的新聞傳遍了整個葡萄牙。從升天瞻禮，就有上千的朝聖客每月 13 號湧到那裡，遠近都有。交通工具，總不夠用。

當地和附近的神職界，對這些事件保持聰明的審慎，至少外表上如此。這是教會的一貫作風，教會認為在這種環境裡，只要有嫌疑，就不算事，疑懼可以來自惡魔。可是，暗地裡，教會見自從5月以來，一直有更多的朝聖客聚集在此，心中不由得欣喜。」

竟有些人，夢想一座堂皇的大殿，常常人滿；夢想個大旅館，建在附近，設備新穎舒適；夢想塞滿消費品的店鋪，賣各色各樣的聖物，和法蒂瑪聖母的紀念品；還有一條鐵路，可把我們比公共汽車更迅速、更舒服地送到將來的靈蹟朝聖地……。」

當這位記者，從歐萊姆很不舒服地乘車來 Cova da Iria 的時候，見證們和全家都沒睡好，起來就聽到風雨的響聲，和人們的嘈雜聲，他們不但包圍了兩家的房子，甚至不等人家開門，一闖而入。奧林匹亞見他們的泥腳帶進來那麼多泥水，弄得連床上、櫃子和其他傢俱上都髒兮兮的，氣得就要

發火，想把他們趕出去。馬爾道舅安慰她說：「算了吧！房子擠滿了人，別人不會再進來。」可憐的母親不知如何才能使孩子們穿衣洗臉，更不消說吃早飯了。

一個鄰居，拉著他們父親的衣袖，在他耳邊低語：

「馬爾道舅！最好不要去Cova da Iria，他們可能打你！小孩子們倒沒什麼，他們還小，沒人會傷害他們。你有被群毆的危險！」

「我要公開地去，我不怕任何人。我絕對相信，一切都要安妥。」

奧林匹亞卻沒這種信心，她正虔誠地祈求聖母保佑她的孩子們和全家。她不明白孩子們怎麼還會如此鎮靜。在這翻天覆地的混亂中一點也不怕。

雅新達說：「如果他們殺我們，我們要升天堂；那些殺害我們的人，可憐極了，他們要下地獄。」

闖進來的人中間，有波姆巴林鳥的男爵夫人。她拿來兩身華美的衣服，藍色的給路濟亞，白的給雅新達，一定要她們穿上。她們婉拒了，情願穿自身的衣衫。

在好長的忙亂後，終於能吃一口，擠出家門。

這時，瑪利亞羅撒才決定陪女兒去：「我知道他們要殺死妳。如果妳去，我也跟妳一同死！」她淚流滿面，披上黑頭巾，領著女兒，到馬爾道家去會合，一同去窪地。

路好長噢！行動又慢。他們從人群中好不容易地擠著

前進，所過之處，兩旁的泥濘中，都跪著些求情的人，伸手要摸他們的衣襟……。他們眞不知道是如何到達的。小樹只剩下樹幹，沒有枝葉。幸虧「小堂瑪利亞」昨晚在上面綁了些絲帶和鮮花。

　　大雨中，在泥漿裡聚集了七萬多人，有的還打著雨傘，都全身溼透。一個孔武有力的車夫，把雅新達扛在肩上，喝喊著要人給聖母的小見證們讓路。馬爾道舅和方濟各及路濟亞緊隨在後，到小樹跟前時，竟意外的看到奧林匹亞已經站在那裡。他在混亂中把太太忘記了。她自己繞小道先來了。

　　群眾擠來擠去，東歪西倒地，還要躲過雨傘的闖擊。抱在一塊兒取暖，等候時刻到來，不知已念過多少玫瑰經、習過多少聖歌。一位神父也參與整夜祈禱，正在念他的日課。緊張地看看鐘錶，轉身問孩子們聖母什麼時候來。路濟亞說是中午。他再次看了看鐘錶，不滿意地說：「已經是中午了！」路濟亞說：「聖母不會撒謊。等著看吧！」

　　路濟亞自己也不知道，她爲何會大喊一聲：「收起你們的雨傘！」雖然仍有傾盆大雨，人們都聽小姑娘的，雨傘都收起來了。

　　一小會後，那位神父又看了看鐘錶：「已經過了中午112，都給我走開！一切都是騙局！」

---

112. 聖母選的是當地的天文時間，他們慣用的時間是下午兩點，日中天才是中午。

他開始用手推三幼童113，路濟亞站住不動：「誰願意走，儘可走開。我不走！聖母告訴過我們，說她要來。別的幾次，我們都見過她，這次也要見她。」

她看了看東方，突然喊著說：「雅新達！跪下！聖母來了。我看見閃光。」

母親還不放心！從背後對路濟亞說：「女兒啊！仔細看清楚！不要受騙！」

路濟亞沒有聽到母親的警告，因為她已經出神，面色紅潤，透明地美麗無比。她精神貫注地凝視著小樹上的聖母，雅新達和方濟各在她左右，眼裡也只有聖母，不知道還有個外界……。還是先聽路濟亞本人簡短的回憶吧！

「您要我作什麼？」

「我跟妳說，為恭敬我，應當在這兒建一座小聖堂。我是玫瑰經聖母；人們應繼續每天念玫瑰經。戰爭要結束，軍人不久就要回家來。」

「我要向您求很多事情。您要治好一些病人，歸化一些罪人嗎？」

「是的，其中一些；另一些不救治。他們應當改善自身，求得赦免諸罪。」

她憂戚地說：「人們不應該再得罪上主天主，祂已經被人得罪得太多了！」她開開雙手，讓它們照射太陽……。

113.「小堂瑪利亞」就近觀察的。她於13日清早擠到小樹旁，待在那裡，顯現後很晚才回家。我們已多次引用她的敘述。

路濟亞不自禁的喊道：「看太陽！」

雨停了，烏雲分開，露出銀白色的太陽，不耀眼，卻還有熱力。大家都仰視著它，見它開始「跳舞」[114]。它自轉起來，像個火輪，一會兒後，停止旋轉，以後再用令人昏眩的速度轉動起來，放射出七彩的光線，使人臉、衣服、甚至大地和草木，都一會兒綠、一會兒紅、一會兒橙色、一會兒黃……。如此自轉三次，以後它抖動了一陣，好似已脫離天際，曲曲折折的奔向地面，就要壓死群眾。

七萬多人嚇得一齊大叫，以為到了世界末日，跪倒地上，有的大聲祈禱，有的哀嚎求救，有的公開告罪，求主寬赦，有一位無神論者大聲念信經……，克路士侯爵喊著說：「天主啊！祢的能力何等偉大！」

祂使太陽再曲曲折折地返回原處，像平常一般光亮。

太陽奇蹟持續約十分鐘，它回復正常後，大家都放心了，喜極而哭，不停地讚美和感謝天主、聖母，這才發覺，他們溼透的衣服都乾了！

在太陽奇蹟的同時，小見證們看到別的顯現。

孩子們目送聖母到太陽旁邊，看到聖家三口一起顯現。聖母身著白衣，披件藍色外套[115]，站在右邊；小耶穌

---

114. 這麼多人也找不出更好的字眼來形容。

115. 白藍是玫瑰經聖母的顏色！從第一次顯現，直到最後一次，她總不忘玫瑰經！這次尤其著重玫瑰經：她的命名，她三種不同的顯現，代表三種玫瑰經：歡喜、痛苦和榮福。玫瑰經的重要，不消說了。念吧！

1917 年 10 月 13 日中午
七萬人看太陽奇蹟
（請注意窪地裡的亂石）

大約只有兩歲，被若瑟抱在左手裡，他們舉手降福世界，劃了三個十字。

以後，路濟亞還看到救主耶穌上半身，穿著大紅衣服，舉手降福世界，正像聖母預許的一樣。在他身旁，站著痛苦聖母，穿個紫色長衣，胸口沒有利劍。繼後，聖母再次出現，大放光明，穿著褐色加爾默羅會衣。

如此，聖母不僅把自己叫作玫瑰經聖母，並且也這樣顯現出來。聖家代表歡喜玫瑰經，痛苦之母 —— 痛苦五端，加爾默羅聖母 —— 榮福玫瑰經。玫瑰經！聖母的孩子們要每天念玫瑰經，來光榮玫瑰經聖母！

現在，我們先聽聽離聖母顯現地最近的證人「小堂瑪利亞」：

> 「太陽射出各種顏色：黃、藍、白……。它一直顫抖，像個旋轉的火球，要落在人身上。」相信的人，只簡短的說，我們前面引證過的世紀報記者，是個無信仰的馬松黨徒。再看他如何報導。
>
> 從人們停車的高崗上（那裡還站著很多人，因為他們不敢下泥窩）。我們看到浩大的人群轉望太陽，它附近沒烏雲了。太陽好似一個銀盤。人們可以看它，不必費力；它不照眼也不使人目盲。突然一陣大喊：「聖蹟！聖蹟！奇事！奇事！」
>
> 人們眼裡露出驚恐，他們的作風使我們回到聖經時代。他們臉色蒼白，脫掉帽子，仰視天空，見太陽顫抖不已，又突然做個前所未聞、超越一切宇宙規律的動作；農夫們都說：太陽跳舞了。

一輛公共汽車的踏板上，站著一位高高瘦瘦的人，他高聲念起信經來（我信全能者，天主聖父造成天地……）。我見他以後很急切地請求還戴著帽子的人們，把它們脫下，以敬禮如此勢不可當的天主臨在。別處的情景大致相同。一位婦人，淚流滿面，哽咽著憂傷地哭泣說：「好可憐啊！在這些驚人的奇蹟面前，還有些人不脫帽致敬！」

以後，馬上波此地問有沒有看見什麼；看到的是什麼。絕大多數的人說，他們看到太陽顫抖和跳舞，有些人聲稱他們見過聖童貞的笑容。他們都誓言曾見太陽自轉，像個火輪，幾乎降到可以焚燬大地的地方；也見它先後轉變各種顏色……。如此，我們可以明瞭他在世紀報 10 月 17 日特別報導，開頭寫的幾個大字：「天下無雙、不可置信的壯觀！如果不是我親眼看見……。」

他繼續寫下去：

快三點了。天空晴朗，太陽恢復了它的運行，又亮得讓人不敢直視。牧童們呢？……路濟亞 —— 跟聖童貞說話的那個 —— 俯在一個背著她的人頭上，比手劃腳地、向一組一組的人群宣佈，軍人們要回到家裡來了。連這新聞也不能再增長聽眾的喜樂。聖蹟、天賜的聖蹟，是他們的一切。還有很多好奇的人，要見見兩個掛著玫瑰花圈的女孩，親吻小聖女的手背。她們其中的一個 —— 雅新達，更近乎昏眩，不像要跳舞的。可是，大家都期望的天上奇蹟，已夠使他們心滿意足……。

他們很快地散開，沒什麼意外，沒有一點不秩序

的陰影，不需要任何交通警察的干預。最先走的，是最先把鞋子頂在頭上或掛在木棍上來的。他們滿心喜樂，走回去向村鎮裡沒有來的親鄰報告好消息。神父們呢？有一些神父出現在好奇的人群中，不願跟那些虔誠求上天賜恩的人合夥。現在，他們中間也有些隱瞞不住自心的滿足：勝利了！……。等專家們來解釋太陽的怪舞吧！今天，在法蒂瑪，它使信眾從心底高呼：賀三納，也竟能自然地給那些自由思想者和對宗教事物完全不感興趣的來賓，一個深切的印象。這是很可靠的證人告訴我的。

記者本人也應能相信了吧？

另一報紙 O Dia 是這樣寫的：

天空灰白如珠母，大地慢慢亮起來，更顯得憂傷，太陽好像蒙了一層透明的紗布，使人能容易的看它。蒼白的珠母開始變作一個光亮的銀盤，漸漸漲大，突破雲層。銀色的太陽自轉起來，在逐漸後退的雲中運行！人們齊聲大叫，天主所造的成千上萬的人，被信仰吸到天上，不由得曲膝下跪，跪到泥地上。

以後，太陽好似透過一座大堂的彩色玻璃窗，把罕有的藍色射到浩大的中堂裡……。漸漸地，藍色退去，陽光好像透過黃色玻璃，黃色落在白頭巾上，和窮人的深色粗布裙上。遠遠近近的橡樹、石塊和小山，也都有黃色斑點。人們都受到他們期待的聖蹟的重壓，低頭哭泣祈禱。這些分秒的瞬間，好像時辰，耐人品味。

另一見證人阿爾默達戛萊特[116]，記述非常詳盡：

　　我冷靜的等著，看著顯現地的群眾。好奇感越來越淡，因為時間過得太慢，又沒有任何可引我注意的事物，只聽到千萬人的噪音。

　　我見人們都從他們希冀和恐懼的焦點，轉換方向，抬頭望天。約在戰時的下午兩點，太陽時間是中午。

　　太陽凱旋地衝破雲層，發出亮光。它吸引眾人的視線，我也向它望去，它像個光亮又自己發光的平盤。有很亮、很清晰的邊沿。它不耀眼。我還在法蒂瑪時聽人把它比作不亮的銀盤，我以為不甚正確，它的色澤明亮得多，也比純銀較為活躍、豐富，帶著東方明珠的光澤。

　　它也不像深夜晴空的月亮。每人都看到也感覺到它是活的，不像球面的死月亮。它也不僅有一種色調。它像一個磨得發亮的輪子，帶著珠母的光澤。不能說它是透過濃霧看到的太陽，那時候沒有霧氣。（雨霧都停了！）太陽並不朦朧，也沒被遮住或散光，它生光、發熱，很清楚地有個圓形的邊沿。天空裡還有些薄雲，露出一塊塊的藍天。雲彩由西向東遊走，不減太陽的光輝。它們好像都走在太陽後面，早晚有片雲從前面經過，就被染成玫瑰色或藍色。

　　太陽原是烈焰熱火，這一段時間裡，我們能觀察它，真是奇蹟！並且眼不痛，網膜也不瞎。這現象持續約十分鐘，只有兩個小小的中斷，因為太陽突然射出它閃電般的強光，逼我們向別處看。

---

116. Dr. Almeida Garret 是考因布拉大學教授，見聞廣博，很受人器重。

　　太陽的動作浪不規則，不是個極強的天體在閃閃生光，它以極高的速度自轉。突然間，群衆大嘩，極其驚恐。太陽還在轉，卻脫離了穹蒼，迅速地衝向地面。這個巨大的火磨石就要用它的重量壓碎我們。這種感覺眞是恐怖！

　　在這太陽的變化中，環境一直變色。看太陽的時候，我發覺到周圍的一切都暗下來。我先看看近處的東西，再放眼望向天邊，一切都有紫水晶的顏色，天空、周圍、一切的事物和每個人；近處的小橡樹下，樹蔭也是紫色的。

　　我怕網膜受了損傷（這不可能，否則我不會見到一切都是紫的），我轉過身去，闔上眼睛，用手搗住來切斷光線。背著光，我睜開雙眼，發現大地和空中仍保持著紫的色彩。

　　這並不給人有日蝕的感覺。我還在看太陽的時候，發覺空氣清新了，也聽見附近一位農夫說：「這位婦人的臉是黃色的！」事實上，不拘遠近，一切都變了。人們好像害黃膽病。我見每人都變得浪醜，開始微笑。我的雙手也是黃色的。

　　這位學者的證言，可說是專家的評論了。眞正的專家們（天文學家），還都蒙在鼓裡，對此現象一無所知。他們所有的天文台，沒有一個觀察到太陽的突變。聖母的奇蹟，只是顯給在法蒂瑪和附近的人們，讓他們看了相信，以後再傳播出去。

　　以上引用戛萊特教授的敍述，是他遵從否爾彌高蒙席的要求寫的。蒙席本人，從1921年到1936年著書六冊，分別介紹和宣傳法蒂瑪聖母，1917年開始的短篇還不在數。

　　蒙席在10月13日顯現後的注意力，全集中在如何可以在孩子們彼此交談，互換意見以前訪問他們。

　　另一位在場的神父瑪奴厄爾席爾瓦[117]，在當天夜裡寫信給一位主教座堂議員，簡短地說：

> 　　太陽出現了，邊沿浪清楚。它降到雲彩的高度，開始用令人目眩的速率自轉，像個被捉住的火球，這樣持續了八九分鐘，在中間停了幾次。火氣暗了下來，人都變黃，跪到地上，甚至跪在泥裡。

　　另一位神父[118]，當時還只九歲，住在阿爾布里太村，離法蒂瑪十八公里。在印度傳教時，給主教寫過一篇報告：

> 　　中午，我們驚聞學校附近街上的人大喊大叫，女教員最先跑出來，孩子們也都跟著跑到街上。人們都在街上哭叫，指著太陽。那是聖母所預許的奇蹟。我真不會描述我當時的見聞和感觸。我注視太陽，它如此暗淡、蒼白，不傷眼睛。它像個雪球，自己轉動。突然，它好像曲曲折折地跌落，要毀滅地球。我嚇得躲到人群裡。每人都在號哭著等待世界終窮。
> 　　近處，有個不信天主的人，他整個上午在譏笑那些去法蒂瑪看個小女孩的愚人們，現在他也舉目望太陽。我見他從頭到腳渾身顫抖。他舉手向天，跪到泥地上，大喊起來：「聖母啊！聖母！」每個人都在哭叫，求天主赦他諸罪。此後，我們都跑進小堂：一些

---

117. P. Manuel da Siiva。
118. P. Lnacio Lourenço Pereica 奉 Don Antonio M. Texeira 主教命，寫這報告。

人進這座堂，另些人進那座；每座堂都擠滿了人。

　　奇蹟持續的時間內，我們周圍的一切都染上虹的各種色彩。我們彼此相視，一個藍、一個黃、紅……。這使人們更怕。十分鐘後，太陽回到原處，還蒼白無光。衆人都覺察到危險已過，喜得大叫，唱歌讚頌聖母。

　　四十公里以外，著名的詩人唯以拉[119]，在他家看到這奇蹟：

　　　那天，1917年10月13日，我根本忘記了孩子們的預言。那卓越的奇景使我著迷，我從來沒在天空看過類似的景象。而我卻從涼台上看到它。

　　還能説是集體催眠或幻覺？信與不信的人同樣看到。他們心境不同，想法殊異，怎能同時同樣受催眠？怎會有同樣的幻覺？誰又能使不同等級、不同思想的七萬多人同時同樣受他操縱？何況還有十幾、四十公里以外的觀衆？

　　孩子們一連六個月都預告10月13日中午的顯現和奇蹟，事出偶然？不可能！自然界不可能的，才是奇蹟！聖母不會撒謊，言出必行！她實踐諾言顯的聖蹟，讓人不能不信法蒂瑪聖母。

　　又是哪位好心的母親，烘乾了她七萬多孩子們的幾十萬件衣服，以報答他們來路的辛勞和祈禱，以便在回家的

---

119. 詩人 Alfonso Lopes Vieira。

路上，讓他們舒服暖和一些？法蒂瑪聖母！

最好，讓萊利亞的主教給這事件做個總結：

> 10月13日的太陽異象，一如銀端的描述，性質真可驚頌，也給有幸目睹的人們極深切的印象。
>
> 孩子們已預告過它發生的日子和時辰。這消息很快地傳遍葡萄牙；雖然天氣很壞，卻有成千上萬的人聚在此地。在最後一次顯現時，他們眼見太陽的各種表現。它是來臣服比它在天頂時更光耀的天地王后的。
>
> 這個異象，沒有任何一個天文台觀察到過，故此不可能出於自然，它被各種等級、各種階層、信與不信的、各大報記者們和數公里外的人們見證到。這個事實消除一切「集體幻覺」的言論。

孩子們被人們重重包圍，每個人都想摸摸他們、問問他們；擠得越來越緊。小雅新達嚇哭了。一位勇武有力的人抱起她來，送到路上，把她交給她的父母。方濟各的勇氣不受動搖，他自己衝出重圍。這可苦了路濟亞，她被人舉起來，在一巨人手裡只看到處處是人頭鑽動，巨人卻看不到何處可以落腳。他碰到一堆亂石，跌了一跤。路濟亞沒跌下來：她浮在人浪上面……。

終於，孩子們回到家了。路濟亞的頭巾和髮辮都不見了。頭髮被人剪得亂糟糟的，比方濟各的還短。

好奇的人們緊追不捨，以各種問題折磨他們。幸好於晚上七點前後，否爾彌高蒙席進來，以他神父的尊威，把

人們都轟出去。

　　這也只是換了另一種、可能較輕的折磨。蒙席把三位小見證聚在馬爾道家，在他們還未能互換情報之前，一個個地訊問他們。他也已等得夠苦了。

　　先問路濟亞：

　　「聖母今天又在 Cova da Iria 顯現過嗎？」

　　「是的。」

　　「她像前幾次一樣的穿戴？」

　　「她穿同樣的衣服。」

　　「聖若瑟和聖嬰也顯現了嗎？」

　　「是的。」

　　「還有別人顯現？」

　　「吾主顯現了，降福群眾，兩張像上的聖母也顯現了。」

　　「妳說兩張像上的聖母是指什麼？」

　　「聖母顯現時，穿得像痛苦聖母，台上沒有利劍；另一位聖母穿得——我弄不清——，可是我想是加爾默羅聖母。」

　　「她們同時出現，是不是？」[120]

---

120. 蒙席故意用肯定句，發這問題時，惶惶不安：他已深信顯現屬實，眞怕路濟亞說同時看見三個聖母，憑添困難，——雖然嚴格地來說，並非不可能。

「不。我先看到玫瑰經聖母，之後是聖若瑟和聖嬰。再往後，我見到吾主耶穌，繼而痛苦聖母，最後才見到我以爲是的加爾默羅聖母。」

「聖嬰是站著的，或是被聖若瑟抱著？」

「被聖若瑟抱著。」

「祂已經是個大孩子嗎？」

「不。他還小。」

「祂有幾歲？」

「一歲上下。」

「妳爲什麼説，聖母有一時穿得像加爾默羅聖母？」

「因爲她手上懸著兩件東西。」

「他們也顯現在冬青樹上？」

「不。他們顯現在太陽近旁，在聖母從樹上消逝以後。」

「救主是站著的？」

「我只看到祂上半身。」

「在冬青樹上的顯現持續多久？夠念個玫瑰經的時間嗎？」

「我想沒那麼長。」

「妳見在太陽旁邊的人像待得久嗎？」

「不久，只有一會兒。」

「那婦人說過她是誰嗎？」

「她說她是玫瑰經聖母。」

「妳問過她要什麼？」

「是的。」

「她說什麼？」

「她說我們應改善我們的生活，不再得罪上主，祂已經被人得罪得太多。還有，我們應念玫瑰經，求祂赦我們的罪。」

「她還說過任何別的嗎？」

「她說應在 Cova da Iria 建座小聖堂。」

「哪裡來這筆錢？」

「我想是人們留在那裡的。」

「關於我們的陣亡將士，她說過什麼嗎？」

「沒有，她沒提過他們。」

「她曾告訴妳：要叫人們看太陽？」

「沒有。」

「她曾說過，人們應做補贖？」

「是的。」

「她用過『補贖』兩個字？」

「沒有。她說：我們應念玫瑰經，改善我們的生活，求

吾主寬恕，可是沒用過『補贖』二字。」

「太陽的奇蹟是何時開始的？是那婦人消逝以後？」

「是的。」

「妳看見她來嗎？」

「是。」

「她從哪裡來？」

「從東方。」

「妳看到她走嗎？」

「是的。」

「往哪個方向？」

「往東方。」

「她是怎樣消逝的？」

「一點一點地。」

「什麼先消失？」

「她的頭，然後是身體；我最後看到的是她的雙腳。」

「她走的時候，背向著人們或背向著對面[121]？」

「她的背向著人們。」

---

121. 蒙席又故意給路濟亞難題？他很可以問：聖母是向前或倒退著走。馮西加神父寫的是：「她退著走或轉身背著人群？」

「她走要費長時間嗎？」

「只一會兒。」

「有光圍繞著她？」

「我見她在強光中間。這一次，她也耀眼。有時候，我須要揉揉眼睛。」

「聖母還要顯現嗎？」

「我想不會，她沒提過這事。」

「妳要在 13 號再回 Cova da Iria 嗎？」

「不。」

「聖母要顯奇蹟？要治好病人嗎？」

「我不知道。」

「妳沒有問過她？」

「今天我向她說，我有種種請求。她說她會答應一些，有些她不會答應。」

「她說過什麼時候答應他們？」

「沒說。」

「Cova da Iria 的小堂應取什麼名號？」

「她今天說過她是玫瑰經聖母。」

「她說過要人們從各方都去那裡嗎？」

「她沒說誰應當去。」

「妳看見過太陽的奇景嗎？」

「我見過它轉動。」

「妳見過橡樹上的徵象？」

「沒有。」

「那婦人甚麼時候最美？這一次或者在別的機會上？」

「她常是同樣美。」

「她的衣服多長？」

「到小腿的過半。」

「聖母在太陽左邊時，她穿的衣服是什麼顏色的？」

「外套是藍色，衣服是白色。」

「我們的上主、聖若瑟和聖嬰呢？」

「聖若瑟穿的是紅色的，聖母和聖嬰，我想也穿紅衣。」

「妳什麼時候求過聖母，使眾人相信她的顯現？」

「我求過她幾次，我想第一次求她時，是 6 月裡。」

「她什麼時候告訴妳那秘密？」

「我想是在第二次顯現的時候。」

輪到雅新達了：

「今天，妳在 Cova da Iria，除了聖母以外，還見過什麼人？」

「我見過聖若瑟和聖嬰。」

「妳見他們在哪裡？」

「我見他們在太陽附近。」

「那婦人説什麼？」

「她説我們要每天念玫瑰經，戰爭今天也要結束。」

「她給誰説的這個？」

「給路濟亞和我。方濟各未能聽到。」

「妳聽她説過，我們的軍人何時回家嗎？」

「沒有。」

「她還説了些什麼？」

「她説，應在 Cova da Iria 建座小聖堂。」

「婦人從哪裡來？」

「從東方來。」

「她消逝的時候往哪裡走？」

「她往東走。」

「她後退著面對人們走的？」

「不是，她轉身背對人們。」

「她説過她要再來 Cova da Iria 嗎？」

「她以前説過這是她最後一次來。今天又説是最後一次。」

「她還説過別的嗎？」

「她今天說，我們應當每天向玫瑰經聖母念玫瑰經。」

「她說過人們應在哪裡念玫瑰經嗎？」

「她沒說在哪裡。」

「她說過人們應進聖堂嗎？」

「她從來沒說過這個。」

「妳最喜歡在哪裡念玫瑰經？這裡、在家，或在 Cova da Iria？」

「在 Cova da Iria。」

「爲什麼喜歡在那裡念它？」

「我不知道。」

「那婦人說過要用什麼錢來建小聖堂嗎？」

「她說應建座小聖堂；關於錢的事，我不知道。」

「妳看過太陽嗎？」

「看過。」

「妳見過這奇蹟？」

「見過。」

「那婦人告訴過妳要看太陽？」

「不是的。」

「那麼，妳怎麼會看到奇蹟的？」

「我轉身看到的。」

「聖嬰在聖若瑟右邊或左邊？」

「在右邊。」

「祂站著或被抱著？」

「祂站著 *122* 。」

「妳看到聖若瑟的右臂嗎？」

「沒有。」

「聖嬰有多高？祂的頭到聖若瑟的胸口嗎？」

「祂還不到聖若瑟的腰部。」

「妳想聖嬰有幾歲？」

「那個小女孩的年齡。」（小女孩叫 Deolinda Neves，兩歲上下。）

最後，輪到方濟各了：

「這一次，你看到聖母嗎？」

「是的。」

「是什麼聖母？」

「她是玫瑰經聖母。」

---

122. 聖嬰站著？被聖若瑟抱著？二小兄妹說站著，路濟亞說錯了？聖地出產的聖家像也都讓聖嬰站在中間。 —— 或者先站後抱？先抱後站？

「她穿得怎麼樣？」

「她穿白色的衣服，手裡拿串念珠。」

「你見過聖若瑟和聖嬰嗎？」

「見過。」

「你見他們在哪裡？」

「靠近太陽。」

「聖嬰被聖若瑟抱著或是站著？祂是大？還是小？」

「祂是小。」

「像 Deolinda Neves 那樣大小？」

「是的，祂正像她一般大。」

「聖母的手是怎樣把持的？」

「她捧著雙手。」

「你只看到她在冬青樹上？或者也見她在太陽旁邊？」

「我也看到她在太陽旁邊。」

「什麼更光耀？太陽或是她的面容？」

「聖母的面容更光耀。她是白的。」

「你聽到那婦人說的麼？」

「她說的，我一點也沒聽到。」

「誰告訴你那秘密？是聖母嗎？」

「不是，是路濟亞。」

「你願說出那祕密嗎？」

「不。」

「你怕，如果說出祕密，路濟亞要打你？」

「不。」

「那麼，你為什麼不說出來？是個罪嗎？」

「說出祕密應當是個罪。」

「那祕密為你的靈魂好？也為雅新達和路濟亞的靈魂好？」

「是的。」

「為裴肋拉本堂神父的靈魂也好？」

「我不知道。」

「如果人們知道它，就要難過嗎？」

「是的。」

｜聖母從哪個方向來？」

「從東方。」

「她也在同一方向消逝？」

「是的。她往東方去了。」

「她後退著走？」

「她轉身背對我們。」

「她走得慢或走得快？」

「慢。」

「她像我們一樣行走？」

「她沒步行。她只是腳不活動地離去。」

「聖母那一部分先消逝？」

「頭。」

「這次，你可容易地看到她？」

「我看得比上個月好。」

「她什麼時候最美？這一次或前幾次？」

「這次跟上個月一樣美。」

10月13日，他們記憶猶新，二位女見證人都說，戰爭今天要結束。（方濟各沒聽到聖母說什麼。）這個聲明，很可能使人懷疑顯現的真實性。為此，否爾彌高蒙席決定再去問問他們，並且要更嚴格地問。

他在10月19日下午三點到來，先停在經過窪地一端的路上。他記述說：

在Cova da Iria有幾位熱心婦女在小冬青樹前念玫瑰經。小樹還只剩幾寸高的樹幹，圍著些青葉、野花和鮮花。朝聖客出於熱誠，要留個聖母腳凳的紀念，把小樹幾乎完全消滅，雖然其他的一切，還保持著聖母顯現前夕的狀況。

以後，我到馬爾道家去，看到三個見證人在受拉塞爾達神父訊問[123]。他是彌拉格萊斯的本堂神父，

> 雷秉亞前驅周刊的主編，和葡國外遣軍隨營司鐸。請
> 短假在家，他先要見見阿主斯特的三個孩子，然後再
> 去法國。陪著他的還有另一位雷利亞來的神父，和法
> 蒂瑪本堂神父。*124*

蒙席看到孩子們筋疲力盡，精神恍惚，還只會機械式
地作答，像夢遊人一般。路濟亞的記憶，對以往的還很確
切，對最近發生的卻很混沌……，跟10月13日以前絕不相
似。如果再這樣審問下去，他們的健康一定受害。 —— 拉
塞爾達神父事後也爲此抱歉。並且說：

「雅新達的母親並不歡迎我，我求她允許我訊問她女兒
時，她猶豫不決；只是在我告訴她，我要給在法國的軍人
報告聖母顯現以後，她才同意了。奧林匹亞婦人有理抱持
那種態度。那麼多人說是來看孩子們，問個不休，使他們
不知如何答覆。有些人竟想趁他們不防備，引他們互相矛
盾。孩子們的父親也採取同樣的態度，並且責斥我們神父
們，懷疑孩子們的話。」

蒙席既然已經來了，問題又必須趕快解決，他只好狠
心地去問路濟亞：

「這個月的13號，聖母說戰爭就在那一天結束？她用
什麼字眼？」

---

123. P. Lacerda，Milagres 的本堂神父。
124. 本堂神父已問過他們好多次了。

「她說：戰爭今天要結束。很短時期內你們可等到軍人回來。」

「可是，路濟亞，妳聽著，戰爭還在進行。在 13 日以後，報紙還登載戰爭新聞。妳怎麼解釋聖母說的戰爭要在那天結束？」

「我不知道。我只知道，我聽她說戰爭要在那天結束。」

「有些人聲明，他們聽見妳說是聖母說的，戰爭快要結束。是真的嗎？」

「我說的正是聖母說的。」

「上月 27 日，我到妳家去跟妳談話。妳記得嗎？」

「我記得在這裡見過您。」

「好。那一天妳告訴我，聖母說過，要在 10 月 13 日跟聖若瑟和聖嬰一起來，那以後戰爭要結束，一定要在 13 號。」

「我現在記不清楚她是怎麼說的。她可能那樣說過，或許我沒完全聽懂她說的。」

「在 13 號，妳告訴過人們要看太陽？」

「我不記得這樣做過。」

「妳曾叫他們收起雨傘？」

「在之前的幾個月，我如此做過。這一次，我記不清了。」

「妳曾知道太陽奇蹟何時開始嗎？」

「不。」

「妳看過它？」

「是的。它看上去好像月亮。」

「妳為什麼去看太陽？」

「因為人們說要看，我也看了。」

「聖母說過，她要為戰爭中陣亡的將士祈求她的聖子嗎？」

「沒有，神父。」

「她說過如果人們不悔改，將要受罰嗎？」

「我不記得。我想她沒說過。」

「在 13 號，妳毫不疑惑聖母說過什麼。妳為什麼現在要疑惑？」

「那天我記得更清楚，因時間距離較近。」

「一年以前，妳見過什麼？妳母親說妳跟別的幾個孩子見過個蒙頭、躲在布幔後的人形。妳為什麼在上個月給我說，那不是什麼？」

「……。」路濟亞答不出來。

「那一次妳嚇跑了嗎？」

「我想我跑走了。」

「這月 11 號妳不肯告訴我，救主要來降福世人，是因

爲妳怕我像別人一樣笑妳，說是不可能；或是因爲那時候還有許多別人在場，妳不願意在他們面前說？妳知道嗎？雅新達把一切都告訴我了。」

「……。」沒有適合的答覆。

「聖母什麼時候告訴過妳，要有十三號的這些顯現？」

「是她在瓦林鳥顯現的那天，或在另一個 13 號。我記不清了。」

「妳看見救主嗎？」

「我看見個人形，我想祂是救主。」

「這人像在哪裡？」

「在太陽附近。」

「妳見過祂降福群眾？」

「我沒有看到。可是聖母說過，救主要來給群眾降福。」

「如果人們知道聖母告訴妳的秘密，他們要難過嗎？」

「我想他們還是同樣。」

訊問方濟各：

「這月 13 號，你見過救主降福群眾嗎？」

「沒見過，我見的是聖母。」

「你見過痛苦聖母和加爾默羅聖母嗎？」

「沒見過。我見的是下面（小樹上）的聖母。她常是同樣的穿戴。」

「你看過太陽嗎?」

「看過。」

「你見過聖若瑟和耶穌聖嬰?」

「是的。」

「他們靠近太陽或離它遠?」

「他們近太陽。」

「聖若瑟在太陽哪邊?」

「在左邊。」

「聖母在哪邊?」

「在右邊。」

「耶穌聖嬰在哪裡?」

「祂靠近聖若瑟。」

「在哪邊?」

「我沒注意在哪邊。」

「聖嬰大或者小?」

「小。」

「聖母在冬青樹上的時候,你聽到她跟路濟亞說什麼?」

「沒有。」

「你聽到她的聲音沒有?」

「沒有。」

「她好像不在說話？」

「對了。」

「你見她活動嘴唇嗎？」

「沒見。」

「你見過她笑嗎？」

「沒有。」

「你見過太陽的異象嗎？它們是怎樣的異象？」

「我看見了，太陽自轉像個火輪。」

「這些異象是什麼時候開始的？在聖母從冬青樹上消逝以前或以後？」

「就在聖母消逝的時候。」

「你曾聽到路濟亞告訴人們要看太陽？」

「我聽見了。她告訴民眾要看太陽的時候，喊了一聲。」

「是聖母告訴她，叫人們去看太陽的嗎？」

「是的。聖母指向太陽。」

「她什麼時候指的？」

「她消逝的時候。」

「異象立即開始？」

「是的。」

「你在太陽裡看到什麼顏色？」

「我看到很美的色彩：藍、黃，還有別的顏色。」

雅新達是蒙席和她從阿主斯特去法蒂瑪的路上，被他訊問的：

「本月 13 日，妳見過救主在太陽附近，也見過痛苦聖母和加爾默羅聖母嗎？」

「沒見過。」

「可是，妳在本月 11 號說過她們要顯現？」

「是的，我說過。路濟亞見過另樣的聖母，我沒看見。」

「妳見過聖若瑟嗎？」

「見過。路濟亞說，聖若瑟給了個降福。」

「妳看過太陽嗎？」

「看過。」

「妳看見什麼？」

「我見它一會綠，一會紅……還有別的顏色。也見它自轉。」

「妳聽見過路濟亞叫人們看太陽？」

「聽見過。她很大聲地告訴人們，太陽已經轉起來了。」

「聖母告訴過她，要她告訴眾人？」

「聖母對這事沒說過什麼。」

「聖母在這最後一次說過什麼？」

「她說：我來告訴你們，人們不應當再得罪救主，因為祂被得罪的很多；人們如果改善他們的生活，戰爭就要結束，否則，世界就要結束。路濟亞比我聽得清楚，聽到聖母說什麼。」

「她說過，戰爭就要在那天結束，或在不久？」

「聖母說，她升到天上的時候，戰爭就要結束。」

「可是戰爭還沒有結束。」

「它就要結束。它就要。」[125]

「它什麼時候結束？」

「我想它要在星期日結束。」

這不能完全令人滿意的訊問，就此暫時結束。

戰爭何時結束？仍不得要領。聖母真說過戰爭要在那天結束？或者孩子們沒有聽懂她說的？更可能的是，疲勞審問真把孩子們弄糊塗了？日夜不停的重覆訊問，別說稚齡的小見證們吃不消，連一般壯年人也會因此病倒，或竟精神錯亂。問得最凶狠的神父們也得私下承認，孩子們還能活著，真算是奇蹟。苦！有得吃了！若非聖母特別護佑……！

當天路濟亞因為回不去，人也太疲倦了，就在馬爾道

---

125. 世紀報上寫的是：不久，戰爭不久就要結束。其他報紙也說是不久，不說是今天。── 記者們較早問過見證們！

家過夜。好心的人們勸兩家的父母把孩子們送出去，避避人群，休養一陣。也眞有幾家請孩子們去散散心，然而總也不得安寧，人們很快就會找來。

　　蒙席也只讓他們稍等幾天，11月2號，他又來問孩子們；先問小雅新達：

　　「妳在10月13號看到耶穌聖嬰的時候，祂站在太陽哪邊？」

　　「祂站在中間，在聖若瑟右邊。聖母在太陽右邊。」

　　「妳看到的太陽近旁的聖母，跟小樹上的聖母不同嗎？」

　　「我看到太陽近旁的聖母穿白衣服、藍外套；我看到小樹上面的聖母穿白衣服，白外套。」

　　「在小樹上顯現的聖母，腳是什麼顏色？」

　　「白色的，我想她穿著長襪。」

　　「聖若瑟的衣服是什麼顏色的？聖嬰的呢？」

　　「聖若瑟的衣服是紅色的，我想聖嬰的也是紅色的。」

　　「聖母什麼時候吐露她的秘密？」

　　「我想是在七月裡。」

　　「五月裡，她第一次顯現的時候，說過什麼？」

　　「路濟亞問她要什麼，她說：我們每個月要去那裡，直到上個月，她說以後她要說什麼。」

　　「路濟亞還問過別的嗎？」

「她問過，她要升天堂嗎？那婦人說是的。然後她問：我也要去嗎？聖母答說是的。然後她問：方濟各也要去？聖母說：是的，可是他必須念很多玫瑰經。」

「那婦人還說過別的嗎？」

「我不記得還有別的。」

「聖母第二次，在6月裡說過什麼？」

「路濟亞說：您要什麼，那婦人答說：我要妳學識字。」

「路濟亞還問過別的嗎？」

「她問過病人和罪人的事。那婦人說：她要治好幾個人，使他們悔改，別的，不⋯⋯。」

「那婦人說過別的嗎？」

「在那一天，她沒說別的。」

「那婦人在8月裡說過什麼？」

「8月裡，我們沒去 Cova da Iria。你是說，聖母在瓦林鳥說過什麼？路濟亞問她，能不能帶瑪奴厄爾哥哥來，聖母說她可以帶任何人來。」

「還有別的嗎？」

「她說，如果他們沒把我們抓去歐萊姆，聖若瑟和聖嬰要來帶給世界和平。玫瑰經聖母帶兩位天使，一左一右⋯⋯。」

「還有別的嗎？」

「我不記得。」

「10 月裡，聖母說過什麼？」

「路濟亞問，您要什麼？她答應說，不要再得罪上主了，祂已被得罪得太多。她說，如果我們願意去天堂，祂要寬恕我們的罪。她也說過：我們應當念玫瑰經，可期望我們的軍人快回來，戰爭要在那天結束。她說，我們應當建座小聖堂，我不知道是她說，為敬禮玫瑰經聖母，或只是說過她本人是玫瑰經聖母。」

訊問路濟亞：

「那婦人穿著長襪？妳確實知道嗎？」

「我想是長襪。也可能不是。」

「妳說過一次她穿著長襪。究竟是長襪？或是她的腳？」

「如果是長襪，是白色的；然而我不能確定是長襪或是她的腳。」

「她的衣服總是一般長？」

「最後一次，看上去好像長一些。」

「妳從來沒說出過秘密，也沒說過如果人知道它，就會難過。方濟各和雅新達卻說過人們要難過。如果妳不能說，他們怎麼能說？」

「我不知道他們可不可以說人們要難過。聖母告訴過我們，不得告訴任何人任何事情。那麼我就不能說什麼。」

再訪問方濟各：

「你見祂在太陽附近的時候，耶穌聖嬰站在哪邊？」

「祂站得更近太陽，在它左邊，可是在聖若瑟右邊。」

「你看見太陽近處的聖母，和小樹上的聖母不相同嗎？」

「我看見太陽近處的聖母，和我在這下面看到的相同。」

「你見過吾主降福世界？」

「我沒見過吾主。」

蒙席也認為，真的不能再問下去了。他深信孩子們答得簡潔忠實，自己又親眼見過太陽奇蹟，聽過七萬多人齊聲歌頌聖母，念玫瑰經。此情此景，偏偏發生在荒野裡，在很多人忌諱的13號[126]……，這只能讓人相信聖母 —— 天主的謙遜婢女 —— 真的向三小牧童顯現，用兒童的口來傳佈她法蒂瑪聖母的訊息：祈禱（尤其是玫瑰經！）和犧牲，為使罪人改過，世界太平。

從此以後，他成了小見證們的保護人，不遺餘力的宣傳法蒂瑪聖母[127]，直到終老晚年。

幸好還有一位神父也親近 —— 安慰、輔導聖母的三個小寶寶：費雷拉總鐸[128]。他第一次是以總鐸的身分來正式

---

126. 當時有好多地方把8月13日當聖母的忌辰來慶祝，當大瞻禮過。8月15日慶聖母升天。 —— 偏偏在8月13日，惡勢力跟聖母搗亂！

127. 請參閱141頁註101。

128. P. Faustino Ferreira，是鄰村Olival的本堂神父兼歐萊姆區的總鐸，聖德非凡，又有學識，是路濟亞的第一位神師。他曾請路濟亞到他家作客，說是要她陪伴姊妹，實際上，是要與路濟亞日夕相處，仔細觀察她，跟她長談。

調查的。他和藹可親，立即贏得了孩子們的信任；他可以隨便問他們；他們也可隨意問他。只要有機會，他總要跟孩子們談談，教他們如何進修。他說聖母是匠人，可把孩子們的心靈徐緩且斷然地改造，來符合她聖子的模型；他本人和他的言詞，只是匠人手中的工具。

自由思想者的反應如何？他們是否被人們的傳聞和各大報的頭版新聞震攝，不再出聲？就在法蒂瑪風浪進入高潮時，惡勢力也醒過來。他們在顯現後的第十天，擬訂一個大出擊，由桑塔萊姆共濟會支部執行，把小樹和周圍的一切有關信仰的物品，全部拿來公開展覽，以後帶著它們來個大遊行，想要丟盡信徒的臉。

10月23到24號深夜，幾個桑塔萊姆的惡漢，邀同歐萊姆桑道斯縣長的幾個手下，分乘汽車到 Cova da Iria。

讓《每日新聞報》給我們敘述：

「用把斧頭，他們砍倒了那棵樹[129]。報端大幅渲染的本月13日的盛跡發生時，三牧童就站在它下面。他們把樹，連同那張臨時當作祭台，又在上面放過聖母像的木桌帶走。他們也拿去一個木拱門、兩盞燈、兩個十字架，其中一個是木頭的，另一個是紙裹著的竹竿做的。」

---

[129]. 小堂瑪利亞事後說：「他們把木桌拱門、燈都拿到桑塔萊姆去戲弄。他們以為拿走了那棵小樹，卻拿錯了。」

路濟亞也說：「政府並不就此干休……有一夜，幾個人乘汽車來，砍倒木拱門和小樹……我跑去看看是否屬實，你們可設想我的喜樂：這些壞人搞錯了！他們沒拿去那棵真正的，還只剩一段樹幹的小樹，卻砍走了附近一棵連枝帶葉的……我求聖母原諒他們。」

這些偷來的物品，都放在桑塔萊姆大修院附近的一間房內展出，還要門票，收入捐給本地慈善機關。雖然如此，結果仍不能令人滿意，來看展覽的只有小貓三四隻，微薄的收入，交給慈愛會會長時，也拒不接受，因為它來路不光彩。

當天夜晚，開始大遊行。——還是讓另一大報來記述吧：

「兩個大鼓帶路，後面就是聖母顯現時站過的著名小樹，再後，有木拱門和兩盞點著的燈，木桌和信眾放在上面的各種物品。大聲念著褻瀆的禱文，走過城裡的主要街道，回到旗幟廣場，以後解散。」——葡京的大報《世紀報》如此登載。

參加遊行的人們中，有些聚集到另一條街上。一個婦人從樓上倒下一桶污水，擊中幾個人和一位警察。等更多警察集結而來的時候，他們才作鳥獸散。

記者作個結論：「這事件真是可恥！政府官員既然嚴禁宗教遊行——幾乎全部老百姓都信教，他們的宗教儀式又不傷害別人的信念！——怎麼會容許這種惡行？」

大眾的反應是激動和厭惡，不僅公教信友如此，連那些還有一絲體統和敬重心情的人，也都有同感。反抗的呼聲，由四面八方湧向桑塔萊姆。我們只摘錄里伯羅博士寫給內政部長的公開信：

　　我們以信友和葡國兒女的身分——是它戰士們的信仰和聖人們的英勇使葡國壯大的！——以此文化和教育先導城市民的身分，強烈鄭重的抗議：政府所容

許的可恥遊行，在 24 日夜晚，走過我們桑塔萊姆的街道。

在這個只有野蠻人才參加的遊行中，把人們為和平意念而聚會地點的物品偷來，展示給大衆，眞不知羞恥！民衆厭惡透了這種由幾個社會膿疱發起的下流活動。我們救主的十字架和執掌歷史上每個時期我國命運的聖母像，被拿出來給人褻瀆和妄用！

我們的聖母禱文 —— 其中的呼號是我們戰士的力量和安慰 —— 被那些組織中的惡魔在瘋狂歡宴的醉鬼喊出來！

人們記憶中，還不曾有過這種不合理的攻擊人民信仰的行為。我們一向以尊重別人的信仰而自傲。

我們不能不提高嗓音，來反抗這挑撥性的活動，竭盡所有氣力，來唾棄這椿鬧劇；不能不公開表示我們心裡的酸痛，眼見人攻擊我們祖先和我們本人的信仰，見少數下賤青年人污辱我們的城市。

如果我們不公佈我們的抗拒，在國內和國外，應被視為最大的懦夫，不堪做葡國公民。

故此，我們聲明基督十字架的神聖；它曾在昔日跟我們的船隊遠渡重洋，為信仰和文化征服新世界。

我們也明認葡國大主保的神聖。她曾在我國歷史上困難和危機中，以慈母的憂心眷顧我們的命運。願天主開恩、憐憫這些不恭不敬的人，他們沒有一點體統，胡亂褻瀆她可敬的聖名；願天主收回、同意這種罪行的民族應受到懲罰！桑塔萊姆，1917 年 10 月 28 日，署名：里伯羅博士……。」

如此，官方和不信的人們以言論和行動，正好為法蒂瑪做了最廣泛的宣傳：被惡人攻訐的，應是美善的！信聖

母顯現的人越來越多，朝聖客絡繹不絕。這可苦了鐵匠縣長，他在兩年多以後被撤職，回鐵匠鋪製造炸彈，不知道要向什麼人施行報復，不慎被炸傷⋯⋯以後了無音訊。不可一世的英武，落得如此下場。

聖母卻一直在迅速地拾回她的邦土，並向外擴展她的慈母威能。她說過：「到末了，我的無玷聖心終要凱旋。」

五、內修 ── 放射聖德的馨香

先看大能的聖母如何在她小寶寶們心靈上施展其威能[130]。聖蒙福說得不錯：「在聖童貞的學校裡，人靈在一星期內的進步，超過在別處一整年。」在他們僅餘的一兩年內，聖母領他們在聖德的道路上突飛猛進，猶如巨人。

先看看他們的根柢：謙遜、服從。

不消說，他們生來低微，雖不貧賤，也只是鄉下孩子，沒什麼學識，並且還沒長大，連孩子們的羞怯也沒丟掉……，怎麼也不會自傲，況且忠實才是真的謙德，他們的家教中特別重要的是絕不得撒謊。他們也真的誠實可靠，又在一切事上聽從父母尊長[131]。

做了聖母顯現的見證以後，他們不因為「得天獨厚」而自大，反而謙卑得任人擺佈，受盡折磨、污辱和盤問，躲躲閃閃，只怕出風頭。 ── 聖母最謙卑，她先教人謙遜。

等人們大都相信聖母顯現以後，他們又多了一個逃避訪客的理由：「我們真討厭聽那些讚頌！」許多人拿他們當聖人敬，跪俯在地，要親他們的手背或衣衫。竟有人求他

---

130. 可能有些讀者，等我順理成章的，在太陽大奇蹟後寫幾個別的靈蹟。我怕拖得太久，先寫二小真福的餘生，把奇蹟等放在附錄裡。

131. 方濟各臨終要再作告解，特別求另二見證幫他省察，也只找出兩種小罪：偷父親兩文錢買小笛子，有幾次沒聽母親的命令。

們降福，或拿聖物來求他們祝聖……。可憐的孩子們沒力量把跪著的人拉起來，也不肯把拿聖物的人推走，只能重覆著說，自己不是神父，不能給降福，也不能祝聖物品，而一逃爲妙！有幾次，他們兄妹二人躲在山洞裡一整天，念玫瑰經和天使所教的經，行克苦，做犧牲。儼然一對小隱修士。

做什麼克苦犧牲？他們隱瞞得不能再好，除他們本人以外，眞的只有天曉得！——若不是路濟亞聽命寫出來……。

以前透露過的，不再重述，揀幾個小克苦來分享。

　　母親摘來一籃無花果，要他們吃。雅新達坐到籃子旁邊，伸手揀了個最好的，就要送到嘴裡，突然想起來說：「眞的，我們今天還沒爲罪人做過犧牲，就拿這個做犧牲吧！」說罷，將無花果放回籃裡，三個人都沒吃。

　　另一次，代母送來一大瓶蘋果汁，又涼又甜。她把杯子放在方濟各面前，要他先喝。他卻把杯子遞給小妹，叫她和表姐先喝，她們喝的時候，方濟各不聲不響的溜了出去，怎麼叫他，也沒回答。兩個女孩知道去哪裡找他。在井邊上，果然見他在默禱，「方濟各，你沒喝蘋果汁；代母叫你好多次，你就是沒來。」

看來都是小事。然而爲孩子們，在大熱天，又守過嚴齋，既渴又餓……，這犧牲眞不小。路濟亞卻輕描淡寫地如此結束這一節：「這種小事，每天不知發生多少次，數不勝數。若要寫下去，總也寫不完。」132

　　父母和家人仍把他們看著同樣的孩子，沒覺察他們有什麼改變。局外人卻感到小見證們的吸引力，來求他們代禱的人越來越多。不拘他們怎麼躲藏，好像終會被人們找到。父母每天打發人去叫他們，也叫夠了。遂把他們送去上學，讓教員們幫忙擋駕。

　　上學校的路上，當然要經過聖堂前面，他們樂得進去朝拜隱藏著的耶穌，跟祂談談；卻多次發現堂裡也有人等他們來：「好像他們預先知道我們去哪裡」，雅新達如此埋怨。

　　路濟亞記述：

　　　　有一天，一位可憐的婦人遇到我們。她哭著跪到雅新達面前，求雅新達向聖母代禱治好她的重病。雅新達見她如此跪在面前，非常難堪，想把她拉起來，卻拉不動，遂即跪下去，跟她一同念三遍聖母經。然後叫她起來，跟她說聖母要治好她，從此，雅新達每天為這婦人祈禱，直到見她來感謝聖母治好她的病。

　　　　我跪著領念玫瑰經，眾人琅琅的答念。念完了經，我很快的站起來，好像上面有人拉我似的。我看了看東方，遂即大喊：「收起你們的陽傘！聖母就要來啦！」我睜大眼睛極力觀望，起初看不到什麼。繼後，我見一朵小雲彩停在小冬青樹上！太陽不怎麼熱了，空氣涼爽，不像炎夏。人們開始聽到個聲音，嗡嗡隆隆的像蚊子在空瓶裡發出的。我沒能聽見一句

---

132. 路濟亞不便（也不願）多說，因為克苦犧牲是他們三人一同做的，對此事，他們一向保密：由於謙遜。 —— 在日常的平凡中蘊藏著性格的偉大。

話！這應當像人在電話裡說話一樣，不過，我還沒有用過電話……那是什麼呀？是來自遠方或近處？這為我是個奇蹟的確證。

另一機會上，一個大兵哭得像個小孩似的。他剛接到命令要上戰場。太太重病，臥床不起；家裡還有三個小孩，沒人照管。他求聖母或者治好他太太，或至少取消他的軍令。雅新達要他跟自己一同念玫瑰經，以後向他說：「聖母如此好心，您不要哭了。她一定會給您所求的恩寵。」

她一直不忘她的阿兵哥，玫瑰經後，她總為他再加念一遍聖母經。幾個月以後，大兵跟太太和三個孩子，一起來謝聖母給他們雙重的恩惠。出發前夕，他發高燒，豁免兵役；他太太也被聖母奇蹟似地治好。

Victoria姑母住在法蒂瑪，有一個浪子，我不知道他為什麼會離家出走，再也沒了信息。姑母傷慟至極，來家裡找我，要我為浪子求聖母。沒有找到我，她去求雅新達，小妹答應了。幾天以後，浪子回家來，先求父母寬恕，以後來阿主斯特，述說他的厄運。他承認偷過東西和錢財，浪費殆盡後，被捕禁在歐萊姆大牢裡，不知如何，他竟能越獄，逃到一個不認識的松林中，躲了起來。他以為真的迷了路，又怕風雨和黑暗，終於想到應跪下念經。他說不久，就看到雅新達出現。她牽著他的手，領他到一條路上，指示他繼續前進。破曉時，他發現自己在去 Boleiros 的路上，認識他所在的地方，感慨著跑回家去。

他聲明：雅新達來領過他，他也很清楚的認出她來。我問雅新達真的去領過他嗎？她說沒有，並且自己也不認識那些小山和松林：「我只念過經，切祈聖母救他，因為我真替 Victoria 姑母難過。」她這樣答

霆。這事應怎樣解釋，只有天主知道。[133]

方濟各的代禱也同樣有效：

有一天在去學校的路上，路濟亞已出嫁的姐姐德肋撒迎面走來，對她說，她村裡一位婦人來求她，為監獄裡的兒子代求聖母。兒子被控莫須有的重罪。路濟亞遂即把這事告訴方濟各，要他代禱。方濟各聽了非常感動，向兩個女伴說：「你們去學校，我去堂裡陪隱藏著的耶穌，求他施此恩惠。」

晚上放學回家，路濟亞見他仍在祈禱。問他有沒有替那男子求聖母，他說：「求過了。妳儘可告訴妳姐姐，他就要獲得自由。」果然不幾天後，獄犯回家，就在那月13日，到 Cova da Iria 去謝聖母。

路濟亞當然不願自我宣傳，然而有一件事，她想瞞也瞞不住。她姐夫瑪爾道如此敘述：

> 我們的母親病得這樣重，我們想她不久人世。她很久以來就呼吸困難，醫生說她心臟病發。我們聽了十分難過，也因為我們剛失去了父親。我向坐在火爐旁的路濟亞說：「路濟亞，你聽著，父親死了，如果母親也死去，我們就成了孤兒。既然妳見過聖母，求她治好母親！」
>
> 路濟亞沒有答話，起身到她房裡，穿了件厚羊毛線裙，在寒風暴雨中走去 Cova da Iria。她回來的時

---

133. 分身術，在聖人行傳中屢見不鮮。

候，拿了一把泥土[134]，敎Gloria姐姐煮成茶水餵母親喝。她向聖母許願：如果母親痊癒，她跟姐姐們要一連九天從路邊膝行到小聖堂，並且同時給九個窮苦兒童飯吃。

Gloria煮了茶，端給母親喝。

母親問：「這是什麼茶？」

「野花茶。」母親把它全喝下去。

心臟病慢慢不再犯了，呼吸困難也消失了……不久，她可以起床。

以後，她又能正常工作，不再像個老婦人。我們姊妹馬上開始還願。一連九天，晚飯後 —— 因爲白天我們都得去工作，也不願讓人看見 —— 我們從現今聖地的大門，開始膝行到小聖堂。母親也跟我們來，她慢慢地走在後面。

如此，不是天降甘露於乾旱地區？慈母不忘她的邦土！她最謙卑，總不忘記舉揚自謙自卑的人。

在日常的平凡中，蘊育著心靈的偉大，吾主說得好：「好！善良忠信的僕人，你既在少許事上忠信，我必委派你管理許多大事；進入你主人的福樂吧！」(瑪廿五21) —— 小才大用，「他從高座上推下權勢者，卻舉揚了卑微貧困的人」也是「天主的婢女」所頌讚的。(路一52)

---

134. 常有人挖小樹附近的泥土，拿回家去治病。「小堂瑪利亞」晚上從別處拿土來填平，再等人挖掘。

他們的信心，毫不動搖。不拘人們如何反對、恐嚇、審問、利誘、監禁，竟或要下油鍋，他們仍堅信不移。天主的臨在，聖母的預許，他們都毫不猶豫的接受，並且一再告訴信與不信的人們。連聖母預許的奇蹟，他們也視爲必然，從來不像別人一樣想過，如果沒有奇蹟，可能被人殺害。聖母說過！聖母不會撒謊！他們一直如此堅信。[135]

相信在聖體聖事中「隱藏著的小耶穌」竟直信得入迷。表姐路濟亞能領聖體 ——「隱藏著的小耶穌」，他們不能，眞羨煞了他們兄妹二人。第一次去考要理，因爲他們還太年幼，本堂神父要他們等下一年再來。第二次去考試 —— 讓他們的父親記述吧：

> 那時候，應當是在第二次顯現以後，我帶他們倆個到堂裡去告解。我和他們走進更衣所，向費利拉神父說：「神父，這是我家的兩個孩子，他們願意告解。您可以隨意問他們。」（我承認，我話裡有點惡意，因爲他已經審問過多次）神父說：「朋友啊！這種事（有關顯現的），不屬於告解以內。」我說：「是眞的。既然它們不屬於此，我不必再帶他們來了。」
>
> 孩子們辦了告解，神父又說，他們再等一年才可初領聖體。
>
> 下一年，5月裡，他們又去考要理。雅新達對答如流，方濟各又沒把信經背誦好。如此，雅新達獲准初領聖體，哥哥卻不能。他哭著跑回家。

---

135. 方濟各的信心尤其難能可貴：天神和聖母的話，他都沒聽到！

　　我們可以想像：他們多麼渴望小耶穌！世上唯一的願望，是把祂領到心裡來，跟祂神秘親切地結合爲一。已盼了很久，祈望得很苦了啊！聖母爲何還讓他們耐心等？他們的歲月無多了！現在他又應該先死去，看著小妹妹初領聖體，自己被拒在堂門口哭泣！

　　小妹妹如何準備，如何熱切的初領，不待贅言。

　　時間不多了，他們只期望救主、聖母和天鄉。

　　他們去學校，來回都先進堂朝拜聖體中隱藏著的耶穌。方濟各因爲死期將近，無意讀書，竟乾脆輟學，留在堂裡跪聖體、念經默想，等她們下課回家時叫他。如此從早跪到晚，樂此不倦。

　　小妹妹平日也要去望彌撒，人家跟她說，不是星期日，她不必去，她說是爲那些不進堂的人望彌撒。她總也不忘爲罪人祈禱、做犧牲。當然，能領聖體中的小耶穌，也給她莫大的快樂與幸福。

　　兄妹二人都盼主愛主心切！「信、望、愛」是他們的生命！爲此，不計任何克苦犧牲！他們所有的思、言、行爲都出於愛：愛天主、愛聖母、愛世人，尤其那些可憐的罪人們。

　　方濟各生活的指南針，是安慰救主；雅新達的思慮是救人靈魂，倆人都爲此想盡各種方法，用盡所有的時間和氣力。

　　方濟各原來就怕人訪問，更因爲他沒有親自聽到，比另

兩見證更難答覆。有一天，竟被兩位貴婦找到，問個不停：

「你將來要做個木匠？」

「不，夫人們。」

「要去當兵？」

「噢！不。」

「我知道了，你要當神父。」

「不。」

「什麼？做彌撒、聽告解、在堂裡祈禱，不就是了嗎？」

「不，夫人啊！我不想做神父。」

「那麼，你究竟要做什麼？」

「我什麼也不願意當。」

「你什麼也不願意當。」

「不。我願意死，去升天堂。」

他沒有別的奢望，只想去救主那裡，好安慰祂。既然快要升天了，地上還有什麼牽掛？想救主，跟祂談心，默思祂的苦難和愛情……。噢！沒人教他，他竟學會了默想，並且可沈思很久。他這天份，從來沒有顯示在人前，連小妹也沒有告訴。

有一天下午，兩女孩好不容易才找到他，見他在牆後面伏在地上一動也不動。她們把他從神靈超拔中叫醒，問他說：「你不來跟我們一同祈禱？」

「我寧可獨自祈禱、思想，安慰憂傷旳救主。」

「方濟各，你更喜歡什麼：安慰救主？或者歸化罪人，使他們的靈魂不下地獄？」這是個很艱深的神學問題，也虧得我們的小神學家路濟亞能問出來。

方濟各毫不猶疑的答說：「我更喜歡安慰救主！妳不記得，上個月，聖母說不要再得罪救主了，因為祂已經被得罪得太多了，她多麼悲慟？我願意先安慰救主，以後才歸化罪人，讓他們不再得罪祂。」

「另一天，她們好久沒見到他，雅新達以為哥哥走失了，各處大聲叫方濟各，總沒個回音。找來找去，終於在一堆亂石背後，發現他又伏在地上，再叫也不答應。她們用力推搖，他也沒動靜。好不容易才叫起他來，他不知道自己在哪裡。他說，他念完天使所教的經後，就一直俯伏在地繼續思想。

「你沒聽見雅新達大聲叫你？」

「沒有，我什麼也沒聽見。」

他的祈禱已不只是口禱，而已成了善功。他不能拒絕任何人的請求，跟聖母學會了有求必應。

每一天，他們不知念了幾百遍的短誦：「我的耶穌！我愛祢！一切都為愛祢！」「聖母無玷聖心！做我的庇護！」

尤其為小雅新達，愛德最好的表現，是救人靈。為此，她總嫌犧牲不夠多，祈禱不夠長。她沒說過為什麼，

然而深切的智慧，已經使她跟大聖蒙福一樣確認：「使一個罪人回頭……，有多大的價值……，價值無限，大過創造天地的宏偉工程[136]。」

她不但自己愛耶穌，還期望眾人都愛祂：「我愛耶穌和聖母愛得那麼熱切，我一直給他們說：我愛他們……。這使我非常快樂！我這樣說的時候，覺得心裡點上了愛火，這火卻不傷人……。我真希望能在一切人心裡燃起我心中的愛火！」

路濟亞拿給她一張耶穌聖心像，問她願意要嗎？她接過去看了看，認為它完全不像救主但還是接受了，藏在身邊，夜裡把它放在枕頭下面，不時拿出來親了又親，很快就把它親碎了。她還想要張聖母聖心像，可惜找不到。

一個星期天，彌撒以後，莫依達村的朋友們請三位見證到家中去玩。父母們同意了，孩子們也樂得逃避一下家中訪客的騷擾，午飯後，雅新達真的倦極了，想睡一會兒。主人 Josẽ Alves 叫人把她帶到一間房裡，她很快就睡著了。

客人越來越多，都想見見小證人們，跟他們相處。獨缺小寶寶，怎麼辦，有人輕手輕腳的走去，打開房門，要看她醒了沒有。只見她睡得還很甜，唇上掛著天使般的微笑，雙手捧著，手指向天。房間裡很快就擠滿了人，都想

---

136. 請參閱拙譯聖蒙福著的「真誠孝愛聖母」第二版第137頁（第172節）。

多看一會兒，不願出去讓別人進來看。

　　主婦跟家人都說：「她應該是位小天使！」她們恭恭敬敬地跪在她床前，直到四點半才叫醒她，要她跟他們一同去 Cova da Iria 念玫瑰經，以後送他們回家。

　　天使快要升天了，只還有最後一程：苦路。

六、苦路

聖母曾許下，要快來接二小見證升天。一方面要他們準備：多祈禱、多立善功，另方面也爲在他們的克苦犧牲中，給他們些喜樂和安慰。他們也眞的樂得喊：「我們不久就要升天堂了！噢！天堂！天堂！」

在他們眞的走上苦路以前，聖母曾來看顧過她的小寶寶們。據本堂神父訊問的記錄，雅新達說，在10月13日顯現後，一年內聖母曾三次來家裡看她。

她來，不僅是爲加強他們的信心和勇毅，以面對即將來臨的苦患，也願問問雅新達，她是否還願多救罪人，多爲他們吃苦犧牲，而寧可晚些去天堂享永福。好可怕的選擇！小女孩選了多吃苦，多救罪人！這在他們「短的使命」中眞是個好長的苦路[137]。

1918年10月中，「西班牙烈性感冒」瀰漫西歐，使上千萬因戰爭而饑荒殘弱的婦孺青年病死。法蒂瑪鄉村雖不曾受到世界大戰太多的禍害，這次感冒卻沒能躲過。馬爾道全家病倒，只剩父親還能打裡打外，既須在家服事九口病人，還得照常在外工作。路濟亞是她家中唯一還能走動

---

[137] 1956年匈亞利教友集資，把小見證們最常走的一段路（從家裡去瓦林鳥），眞的修成了苦路：有十四處，中間夾著聖母8月19日顯現紀念亭，爲紀念共產集團出兵鎮壓自由運動和被害的戰士，終點是聖斯達望小堂，以紀念其國王。

的人，她不僅要伺候父母兄姊，還每天跑去看小表弟和表妹；且不能忘記去上學路過聖堂時進去拜聖體。

爲病人，爲侍候他們的人，都夠苦了吧？何況，每次回家，都要報告，鄰家的某人去世了；聖堂的喪鐘每天哀鳴，這爲臥床不起的病人，也更加驚恐。

方濟各病得最重，感冒很快變成支氣管炎，每天發高燒，蝕盡了他的氣力，影響了他的內臟，使他手腳都不能動。雅新達感染肺炎和肋膜炎，醫藥無效，化膿流水，疼不堪言。

馬爾道舅回憶著說：「我太太也病倒了。我一人照顧全家九口人，還得在外工作……。所幸，天主大能的手在幫助我。我一直不須向人求乞，我們總是有夠用的錢。」

小見證們臥床不起，知道這病只能到天上才能痊癒；聖母又來告訴他們，不久就要接方濟各升天，雅新達還須晚一會才跟她去。路濟亞來看他們，小表妹快樂地喊：「聖母來過了！她說很快就要接方濟各。她問我是否願意救更多罪人，我答說願意。她要我去兩家醫院，不爲治病，爲能多多受苦，爲愛天主，爲使罪人悔改得救，也爲補償冒犯聖母無玷聖心的罪過。她並且說：妳不能去，只有母親送我去。以後，我獨自一人留在那裡！」

從此時起，他們兄妹二人更加倍期望熱愛天鄉，平安快樂地等死。死，爲他們來說是天堂、耶穌、聖母和永福。

他們的母親回憶說：「小男孩不難伺候，從來不會抱

怨。我們不拘給他什麼藥，他都吃下去，再苦也無所謂。我一直不知道他喜歡什麼，不喜歡什麼。給他一杯奶，他喝下去；給他一只雞蛋，他吃下去；喝苦藥也不苦臉皺眉。可憐的孩子！他這麼好，我們真希望他能快好起來！」

聖誕節前幾天，方濟各漸漸退燒，也恢復了些氣力，他試著起來走動。父親說：「我們有了希望，他自己卻一直說：聖母就要來接他了。我記得有一天，他自己走出去，拿了一小籃橄欖，坐下開始剝核，我說：『方濟各呀！真喜歡看你工作！你覺得好些了嗎？』他什麼也沒說，只是若有所思；他好像已知道，不拘如何設法治療，他都快要死了。」

母親說：「他知道！」

他又能行走了！總是慢慢地拖著沈重的腳步走去窪地，跪在小樹根前面，想他極美的聖母，念更多更多的玫瑰經。回家時碰到父親，父親對他說：「沒關係啦！方濟各，你會好起來，長成個壯漢！看著吧！」小男孩立即回說：「不會，聖母就要來了。」

方濟各的代母甚至許給他快要病癒了，因為她去向聖母許願：把與方濟各等重的小麥分給窮人。他卻說：「不必費心了！聖母不會給妳這個恩寵。」

不幾天以後，方濟各病情惡化，再倒下去[138]。他知道：再也不會起來了。

---

138. 馮西加等作者寫他在12月末開始害病，事實上不是開始，是犯病。

父親又苦又累，不斷地說：「承行天主聖意！」

路濟亞每天抽空來跟二小摯友相聚談心，把她的時間平均分配在兩個病房裡。小雅新達卻說：「妳去看看方濟各吧！我願意多做犧牲，獨自受苦。」

表姐每天的第一個問題，總是：「雅新達，妳今天做過很多犧牲嗎？」

「我做了很多。母親出去，我一直願意起床去看方濟各，卻沒有去[139]……。我眞愛救主和聖母，我也總說不倦我愛祂們，我多麼願意再去小山上，在洞裡念玫瑰經！可是我不能去了。妳去 Cova da Iria 的時候，爲我祈禱！我知道我再也去不成了！」

「方濟各！你很痛苦吧！」

「是的，我很痛。一切爲了愛救主和聖母！我還願意再多受些苦，可惜我不能了。」他欠起身，瞧瞧房門關好沒有，從枕頭下面摸出那段粗麻繩，交給表姐說：「妳替我收存著，我怕母親看到它。如果我再好起來，我願意把它要回來。」——已經兩年多了，還沒人發現它！

幾天以後，雅新達也把她的那一段麻繩偷偷地給了路濟亞，託她代爲收存，繩上滿是血跡！

多麼珍貴的聖髑！可惜兩年多以後，在路濟亞聽主教

---

139. 父母都不在的時候，小妹妹有時禁不住：她爬出被窩，溜到方濟各房裡，坐在床邊，談個不休，終於被人捉到，不准再犯。——不去看小哥哥，眞是好大的犧牲！

命令離家隱名埋姓前夕，三條麻繩同時給她燒掉了。

另一次，方濟各告訴表姐：「我受苦是爲安慰救主。再過不久，我就要跟祂在一起了。」

「你去的時候，別忘了求聖母，也早些接我去那裡！」

「我不能求這個！妳知道得很清楚，她還不要妳升天。」

一個下午，放學以後，路濟亞帶了幾個女同學來看病人。她們走了以後，方濟各鄭重地告誡路濟亞：「不要跟她們同來同往！因爲妳可能跟她們學犯罪！」

「我們同校讀書啊！」

「離開學校，先到隱藏著的耶穌腳前跪禱一會，才獨自回家。」

另一次，他也像大人一樣囑咐表姐：「路濟亞，妳看，我就要升天了。雅新達要念很多經，爲罪人，爲聖父教宗，也爲妳。妳要留在這裡，因爲聖母要妳留下。凡是聖母要的，妳都要去做！」

> 雅新達好像只管歸化罪人，救人免下地獄。方濟各只希望能安慰上主和聖母，因爲方濟各覺得祂們太憂傷。

路濟亞追憶著說。

雅新達又好些了，可以起床，有一天跟表姐一同去看方濟各。他輕聲說：「今天少講話，我頭疼死了！」

「不要忘記，把疼痛獻給天主，爲救罪人。」

「是的。然而，安慰救主和聖母卻更重要，以後才爲歸化罪人，爲聖父教宗。」

他不能再口誦整串玫瑰經，非常難過，母親告訴他，可以在心裡念。她把手撫在孩子額上說：「聖母聽見了，也同樣滿意。」

他滿意地微笑。

春天到了，萬象更新，大地復甦，方濟各的小性命卻即將結束。他向表姐說：「妳看清了，我覺得情形很不好。只還有很短的時間，我就要升天了。」

「那時候要注意，不可忘記在那裡爲罪人祈禱，爲聖父教宗，爲我，也爲雅新達。」

「好的，我要爲此祈禱。可是，妳最好求雅新達如此做。我怕我會忘記。等我見到救主的時候，我只想安慰祂。」

　　1919年4月2日清晨，方濟各姐姐德肋撒跑來叫我：「快來！方濟各情況很壞，他有話給妳說。」

路濟亞回憶錄上如此說：

　　我趕快穿衣，跑去看他。他求母親和姊姊哥哥們都離開房間，因爲他要告訴我的，是個秘密。他們出去以後，他向我說：「我要告解了，好能領聖體，以後去死。我要妳給我說，妳見我犯過什麼罪嗎？也要妳如此去問問雅新達。」

「你有幾次沒聽母親的命令，她要你在家，你卻來找我，或者藏起來了。」

「真的，我只犯了這些罪，現在妳去問雅新達，她是不是還記得另一個罪。」

雅新達想了一會兒，回答說：「給他說，在聖母顯現以前，他為買小笛子偷過父親兩文錢；阿圭斯特的孩子們跟莫依達的孩子們打石頭戰時，他扔過幾個石子。」

我把他妹妹的話傳給他後，他說：「這些我已經告過了，我要再告一次。或許正為了這些罪，救主才如此憂傷。即便我不死去，我也不願再犯任何罪了。現在，我真心痛悔：噢！我的耶穌！寬恕我們的罪過！救我們出離地獄永火，領一切靈魂進入天堂，特別是那些最需祢憐憫的！唉！妳也為我求救主寬恕我的罪過！」

「我要為此念經，放心吧！如果救主還沒寬恕你，聖母不會在前幾天給雅新達說，她就要來，把你帶到天堂去。現在我去望彌撒，在堂裡，於隱藏著的耶穌面前，我要為你求祂。」

「好的。」

我從堂裡回來，雅新達已經起床，坐在方濟各床上。他馬上問我：「妳有沒有求過隱藏著的耶穌，請本堂神父來給我送聖體？」

「求過了。」

「在天上，我將為妳祈禱。」

「你真的要？幾天以前你還告訴我，不為我祈禱。」

「那是說不求祂早些把妳接去天堂，如果妳真願意，我也為此祈求。聖母願意怎樣做，就怎樣做。」

「我願意你為此祈求她。」

「那麼，好了。妳可以放心，我要為此祈禱。」

我離開他們倆個，回家料理日常工作和學校課業。

我晚上回來的時候，他喜得滿面春光。他辦過了告解，本堂神父許下次日給他送聖體。

這裡，暫時打斷路濟亞簡短的回憶，先看方濟各如何「初領聖體」。

鄰居和外方人來看望病人，他們都說，方濟各的房間有些特別，進到裡面覺得心裡很舒服；甚至還有人說跟進聖堂似的。

它不是聖堂，耶穌和聖母卻就要來了。

為了領聖體，方濟各特別求母親，半夜以後不給他任何吃的喝的，他願意跟健康人一樣守空心齋。

4月3日清晨，方濟各所愛的救主明燈照亮大地草木，也從他床頭的窗子裡射進一道金光。他很安靜地躺著，等神父來。他聽到街上有鈴聲，睜開雙眼，知道神父送聖體來了[140]。他試著要坐起來，身體太弱，又躺了回去。代母告訴他：儘管躺著領聖體，好耶穌不會見怪。奧林匹亞早已在床頭櫃上鋪了最好的紗布，又點了兩隻聖蠟。大家都圍著病床跪下，為病人祈禱。

神父由兩位穿白衣的小輔祭陪著進來，洒聖水降福了房間和其中所有的家人，舉起聖體來，面向小病人，念了

---

140. 公教村裡，神父送聖體時，不僅本人穿白衣領帶，還有小輔祭開道：一個打燈，一個搖鈴，請路人停下致敬。

三遍:「主,我當不起祢到我心裡來……」,把隱藏著的小耶穌給方濟各領到心裡。原來他一滴水都難下嚥,聖體卻領得非常如意。他閉上眼睛,心裡只有好耶穌,跟祂密談。他多年來日夜所期盼的,終於到他心裡來了!

好久以後,他睜開眼睛說:「媽!明天神父再給我送聖體嗎?」

這是他初領聖體,也是他最後一次領聖體。明天他就要跟耶穌和瑪利亞在一齊了。

他轉向一旁的小妹妹,跟她說:「今天我比妳幸福,因爲我有隱藏著的耶穌在我心裡。我要升天了,在那裡,我要多多祈求救主和聖母,也把妳們快接到那裡去。」

然後向表姐說:「我不能念經了,妳們爲我念吧!我要很想念妳。我將求聖母快把妳接去。」

「你會想我?不,不可能吧?你跟耶穌和聖母在一齊,還會想念我?」

「對了,妳說得有理,我可能忘記妳。」

再讓路濟亞繼續回憶吧。

> 夜深了,我應當向方濟各告別:「方濟各,再見了!如果你今天夜裡升天,在那裡不要忘了我!聽清楚了嗎?」
> 「放心吧!我不會忘記妳!」
> 他抓住我的右手,用力地握著,好一會;眼裡充滿淚水,一直望著我,說不出話來。

「你還要別的嗎？」我臉上也流滿了眼淚，問這糊塗問題。

他聲音低微地只說了個不字。

「那麼，再見了！天堂上再見！」

此情此景，實在太殘忍了！姑母要我馬上回家，快離開那個房間。

天堂來近了。次日方濟各在天上母后的懷抱裡，飛到那裡去了。

路濟亞為方濟各寫的回憶錄，用三首詩結束。[141]

路濟亞離去後，方濟各奄奄一息，非常口渴。母親給他一匙清水，他也嚥不下去。問他覺得怎麼樣，他為避免人們太過憂心，說是很好，沒什麼疼痛。他只能向小妹妹哭訴，卻不讓別人有這種機會。雅新達只能說：「替我問候吾主和聖母！告訴祂們：祂們願意我受多少苦，我就受多少，為救更多罪人，也為賠補聖母無玷聖心所受的污辱。」人們把她趕回她的房間，連說再見的時間也沒有了。忍吧！

母親眼見小兒子慢慢的死去，雖然一直念著「爾旨承行」，心中仍悲慟至極。黑暗籠罩了大地和村莊。方濟各突然抬起頭來，喊著說：「媽！妳看，多麼美的光！在門口！」過了一會兒，他說：「它去了。我看不見它了！」

---

141. 路濟亞自己作過好多詩詞，來歌頌聖母和表弟表妹；並且背誦許多歌曲，村魯不敢譯成中文。

一線曙光？在暗夜？——聖母又來過了，因他的母親在，沒有顯現。

天放亮了。家人和代母都圍攏著病床，給方濟各送終。他用盡最後的氣力，求他們給予臨行的祝福，爲他代禱，也求他們寬恕一切的過錯。

晚上十點前後，他突然容光煥發，雙唇露出小天使般的微笑，沒有掙扎，很安詳的輕輕吐出最後一口氣。

他完成了「短的使命」，滿全了聖母給他定的升天的條件，被聖母接去天堂受賞。1919 年 4 月 4 日，他還沒到十一歲。

次日，送殯的行列由十字開導，後面跟著一隊披著綠色外套的男教友，神父走在棺木前面，四個男孩穿著白衣抬小棺材，喪家和其親屬朋友跟在後面，哭泣不已。小雅新達因病在身，不准外出，獨自在家哭得特別悲哀；小哥哥和密友走了！

新近埋的死人太多，方濟各也被埋進一個公墓，沒能獨佔一塊墓地[142]。路濟亞在上面豎了個木十字架，每天跑去跪在前面祈禱，跟表弟兼摯友密談。

如果我們可以這樣說：方濟各只是個二等見證。他小哥哥若望說得好：

---

142. 後來遷葬時很費周折：要開幾個棺認屍。

莫依達村中 Josē Alves 家住宅
1917 年底雅新達在此午睡時，被人們看做小天使。
1918 年夏，為避訪客，小見證們曾多次在大樹下過夜。

我國第一位樞機田耕莘樞機主教於 1963 年 4 月 21 日
在顯現小堂舉祭以後，攝於方濟各逝世的房間中。

「路濟亞看見過，也聽過，也說過話；

　雅新達看見過，也聽過，沒說過話；

　方濟各看見過，沒聽過，沒說過話；

　我沒看見過，沒聽過，沒說過話。」

兩個女見證都可直升天堂，方濟各要升天，可有一個條件：他須念很多玫瑰經。

聖母的抉擇，她分施恩惠……真不可理喻[143]。她給人的使命，也不相同。

方濟各在短短的兩年中，完成了他的使命，滿全了上天的要求，（或許他的使命比較容易完成，向他的要求也比較少一些），最先被聖母接去天堂受賞！真的！上主說過：

「我的思念不是你們的思念，你們的行徑也不是我的行徑：上主的斷語就如天離地有多高，我的行徑離你們的行徑，我的思念離你們的思念也有多高。」（依五十五 8-9）

他的小妹妹，既然肯答應聖母還要多救罪人，就得繼續她的苦路，並且越來越苦！不能給小哥哥送殯，才只是淺嘗苦爵。

越來越孤單，病越來越重，要獨自去住醫院，孤苦地死去……！她小小的身靈可有得受！

---

143. 「真誠孝愛聖母」，第二版第14頁，聖蒙福說：「她隨意給誰、給多少，如何分施和何時分發，全聽她的。天上的恩寵要到達人心，非經過聖童貞之手不可。因為天主聖意，要我們經由瑪利亞接獲一切。」

哥哥的死，眞使她心碎！少了他，怎麼單獨的活下去？原來是形影不離，一心一德的啊！割別啊！割別！

此後，常能看到她在床上沈思，很久也不聲不響。問她在想什麼，她總是低聲地說：「想方濟各！我眞想見見他！」

她不能把心事都告訴已太憂心的母親，向路濟亞，她卻肯吐露一切：「我眞想念方濟各！我多麼想見他！我也想要來的戰爭，想這麼多人要死，這麼多人要下地獄；很多城市要燒成廢墟，很多神父要被殺害……。可是妳不必怕！」

「我要在天上多爲妳祈禱，爲聖父教宗，也爲一切神父們及爲葡萄牙，好讓戰爭不到這裡來。」

她不但爲他們祈禱，也爲他們吃苦。她的感冒日益加重，變成肺炎和化膿性肋膜炎，疼痛難當；卻還會安慰母親：「媽呀！不必憂傷！我就要升天了。在那裡，我要多多爲妳祈禱。別哭了，我很好。」

勇敢的小戰士盡量忘卻自身的病痛，來安慰家人；獻上這些犧牲，爲救罪人靈魂。她會向表姐說：「我們應當做很多很多犧牲，多爲罪人祈禱，好使所有的人，都不必去下火獄。那裡已有太多的人被火燒著。」她絕不錯過任何犧牲的機會，還自己去找更大更多的克苦。

母親把她搬到方濟各的房間裡，那裡光線比較充足，空氣流通也好；她也可以更清楚的看人，聽人說話。讓她躺在那裡，或許可以減輕她對哥哥的思念。然而眞可使她快樂一時的，只是路濟亞每天的慰問。星期日或瞻禮上，

她會帶一把花來，一枝枝的擺在桌上：這枝是從Cova da Iria
採來的，這一枝從泥窩，另一枝從戛擺叟……，是些紫蘿
蘭、野玫瑰、芍藥、雛菊……，都是雅新達以前愛採的。

表姐有時候也報告些外面的消息：熱心教友要開始建
小聖堂，大家議論紛紛，莫衷一是。都想發令，都不願意
服從命令；也沒有神父出面領導，小堂蓋好了，也沒有神
父去祝聖……144。

雅新達聽了，沈思一會兒歎口氣說：「我再也見不到
Cova da Iria和戛擺叟了！」

「妳還能見到。雅新達！勇敢些！」

「不會了。聖母告訴我，母親要把我送進醫院，好一個
陰暗的大廈！我不會好起來。她說：我要去兩家醫院，不
為治病，只為多受苦，為愛天主，為救罪人，也為補償聖
母無玷聖心所受的污辱……。如果妳能陪我去就好了！最
難過的是沒有妳，讓我獨自去！在那暗無天日的地方獨自
受罪！」

1919年7月1日，父親把雅新達送進歐萊姆的聖奧斯
定醫院，家庭醫生說，必須去醫院開刀治療。小病人明明

---

144. 宗主教明令：本堂神父不得公開參與或討論法蒂瑪事件，費萊拉神父開始時
曾說過可能是魔鬼作祟，經過一再的訊問後，私下認為小見證們所說屬實，
竟敢在方濟各死亡紀錄上寫：「小見證方濟各病逝於4月4日晚上十二點
鐘……他在死以前，清醒著熱心地領過聖事，確切的明證，他在Cova da Iria
和Cabeço見過聖母……，署名：本堂神父費萊拉，1919年4月18日。

知道，天下的所有醫生也治不好她，然而爲服從聖母，她願去那裡多受些苦。她想盡力勇敢地接受這磨難，然而要到灰暗的醫院裡去，獨自一人在陌生人面前受罪，不見父母兄姊，沒有路濟亞……，這犧牲可真夠大！

出乎意料，醫院是白色的，建築格式也悅目；雅新達的病室也夠明亮……這不會是聖母所說的陰暗醫院；也不是母親送進來的。且看下一個吧。

醫生在她胸部開了個刀口放膿，每天要清洗、換藥布包紮，苦不堪言。她卻不怨不尤，忍痛耐苦。如此日復一日，病情不但不見好轉，反而每況愈下。父親又須每天支付一千二百雷士（約合當時的一元四角美金！）。

母親去看過她，發現她精神高爽。貪吃的護士偷了別人送她的甜點，她也只說沒關係。有關係的是，她求母親下次把路濟亞帶來。

路濟亞記述：

　　雅新達母親去探病時，問她要什麼。她說要見我。雖然犧牲又大又多，姑母真的帶我去醫院。雅新達一看到我，很高興地把我抱緊，求母親把我留在那裡，她自己去買東西。我邊問她受很多苦嗎？

　　「是的，我受很多苦！可是我把一切都爲罪人獻上，也爲給聖母無玷聖心做補辱。」以後她很高興地談救主和聖母。

　　「我很喜歡受罪，爲愛祂們，爲讓祂們歡喜，祂們很喜愛爲罪人受苦的人。」

　　看望病人的時間很快過去，姑母回來接我。我問

表妹還要什麼，她求母親再來時，帶我再來一次。如此，我又見到她很高興地由於對好天主和聖母無玷聖心的誠愛，為罪人和聖父教宗受苦[145]。——這是她的理念，她一直談這些。」

醫生見雅新達的病在夏天也沒起色，遂讓她出院回家，不再診治。父親的錢也在這兩個月內花光了，遂於8月31日接雅新達回家。小女孩只剩了皮包骨頭……，還是讓路濟亞為我們記述吧：

> 她的胸部有個好大的刀傷，開口流膿，每天要重新包紮。她都忍著，不露出任何不悅的面容。最使她難過的，仍是訪客不斷的訊問。現在她沒處可逃了，沒有躲藏的可能性了。她把這些犧牲也為罪人獻上。
>
> 「如果真的還能去夏擺叟，到我們的山洞裡去念玫瑰經，藏在那裡多好！可惜，現在我不能去了！妳去Cova da Iria的時候，為我祈禱！我一定不能再到那裡去了！」

否爾彌高蒙席來看她，見到那悲慘的景像，記述著說：

「雅新達像個骨架，手臂細得嚇人。她在地方醫院受盡無用的診治，出院後，體溫一直太高。她看起來沒點生氣，除支氣管炎和化膿性肋膜炎以外，又加了肺結核症。這一切都使她一天比一天弱。只有在一個好療養院精心治療，還能救她，她的父母不能擔負這種治療的經費。無玷

---

145. 大多數作家還說：路濟亞只去過一次醫院看病人。

聖母曾在露德山洞許給鄉村女孩伯爾納德幸福，不在現世，而在來世。聖母也同樣許給了法蒂瑪的小女牧童——她託付秘密的小雅新達？」

小英雄竭盡所能，做克苦犧牲，甚至做到不可能，還不肯止休。

有一天，她向表姐哭訴：「沒人的時候，我從床上下來念天使所教的經文。現在我的頭碰不到地面了，我會倒下去。我只能跪著念！」

路濟亞聽在心裡，以爲應當向總鐸請示。總鐸要她轉告雅新達：只可臥床祈禱，不得再起身跪在地上。雅新達還有疑問：「如此，救主可中意嗎？」

「是的，祂會滿意。救主願意我們照神父說的去做。」

「那就好了，我不再起來念經了。」

也不知她哪裡來的氣力：不能下床跪地祈禱了，卻還想走去望彌撒領聖體：要天天去，像路濟亞一樣。路濟亞跟她說：「不要去了。妳吃不消，況且今天又不是星期日。」

「沒關係啦。我要爲那些不望彌撒的罪人們去。妳看，路濟亞，妳知道啊，救主如此悲傷，聖母告訴我們：祂不應再受冒犯了，祂已被冒犯得太多。可是誰也不理會，他們還一直犯同樣的罪。」

幾天以後，雅新達眞的吃不消了。冬天的寒風很強，不准她再出門。在家祈禱做克苦吧。

「雅新達！妳又做了別的犧牲嗎？」表姐細聲問她。

「是的。昨夜我很口渴，卻故意沒喝任何東西。我覺得很疼，卻沒翻轉身體，把它當作犧牲獻上；故此整夜沒能睡。妳呢，路濟亞，妳今天做了些什麼犧牲？」

她的答覆只是給密友聽的。

另一天，路濟亞見姑母給雅新達拿來一杯羊奶，笑著給她說：「雅新達：把它喝下去。這為妳好。」

「媽！我不要它！」說著把杯子推到一邊。母親不拘怎麼勸說，小女兒就是不聽。

「我真不知道，怎樣能叫她吃點或喝點什麼東西！」說罷，母親垂頭喪氣地走出去。

路濟亞看不過去，表示反感：「妳怎麼可以如此不聽母親的話？妳不願向救主獻個犧牲？」

雅新達聽了，難過地大流眼淚，連忙叫母親回來，求她原諒，並且許下：「媽！妳願意給我什麼吃，我願意吃下去。」母親把奶杯拿回來，雅新達把它喝下去，不露一點反胃的表示。母親把空杯拿走。等路濟亞給小表妹擦眼淚時，她輕聲說：「如果妳知道，喝羊奶為我是多麼困難……！」

從那天起，雖然她還一直覺得喝羊奶、肉湯，或吃什麼，一天比一天更困難，她卻從來沒有畏縮過，總會努力嚥下母親所給的一切。

有一次，母親拿來兩樣東西：一杯羊奶和一串葡萄。葡萄真的誘人，雅新達卻選了羊奶，讓母親把葡萄拿回去。

　　路濟亞幾乎每天早上去望彌撒領聖體，回家時，總先到雅新達那裡停一會兒。雅新達輕聲問她領過聖體沒有，她說領過，小表妹就求她靠近一點，因為她心裡有隱藏著的小耶穌，並且自動地說：「我不知道是怎麼回事：我覺得救主在我內，也明白祂說的，雖然我看不到也聽不到祂。我很愛跟祂在一起。」

　　路濟亞遂即從她經本裡取出一張像，上面印著個聖爵和祭餅。雅新達接過去親了又親，感慨著說：

　　「這是隱藏著的耶穌！我多麼愛祂呀！如果我還能到堂裡去領受祂……！妳能在天堂領聖體嗎？如果能夠，我要每天去領。如果天使當時能到醫院裡去給我送聖體，我應當多麼快活啊！……」

　　本堂神父還保持著「聰明的距離」，否爾彌高蒙席卻冒著被開除教籍的危險，來看兩位女見證[146]。雖然他暫時還幫不了忙，他的來臨已經是一種鼓舞。他回去後，要另想辦法。

　　有一天，奧林匹亞悶極了，要路濟亞問問小雅新達在想什麼。她雙手摀著臉，躺在床上，好久也不動。母親問她時，她只微笑，不肯答覆。路濟亞問她，她答說：

　　「我想救主和聖母，想……（她們的秘密）。我愛想祂們。」

---

146. 戰爭已結束，里斯本和聖座恢復了邦交，教宗本篤第十五世將葡國英雄兼聖衣會士Nuno列入真福品……葡政府仍繼續跟教會為難……宗主教有鑑於此，為討好政客，威嚇公開支持法蒂瑪的神父們：可能被開除教籍。

　　當然，這答覆不能讓母親滿意，她歎氣著說：「這小女孩的生活真是個謎。」

　　路濟亞的母親也有同感：「真的，光她們在一齊的時候，她們躲在一個角落裡，竊竊私語，你怎麼也聽不懂。如果有人來了，她們低頭不語。我真不明暸這機密。」

　　12月底，聖母第三次來家裡看小雅新達。她很高興地報告給表姐：「昨天夜裡，聖母來看我。她說我要去里斯本，進另一個醫院。我再也見不到妳，也見不到父母。我要受很多苦，獨自死去。然而，我不用怕，她要到那裡去接我升天。」她突然意會了其中的內含，大哭起來，把表姐抱得緊緊地說：「我再也見不到妳了！妳聽著，多為我念經！因為我要獨自死去！」

　　獨自死去，這思想使她十分悲哀。在去醫院以前的幾個星期裡，幾乎每次看到路濟亞時，都要抱住她哭喊：

　　「我再也見不到妳了！也見不到父母、姐姐、哥哥；再也見不到他們在一起了！以後獨自死去！」

　　「不要想它！」表姐如此說。

　　「讓我想它吧！因為我越想，越難過。我願意多受些苦，為愛救主，也為了罪人。痛苦為我不算什麼事了。聖母要從那裡接我去天堂。」

　　有時見她拿個苦像，親了又親，給救主說：

　　「噢！我的好耶穌，我真愛祢，為了愛祢，也願意多多受苦！」她會更多次地說：

「噢！耶穌啊！現在祢可以歸化很多罪人了，這個犧牲很大！」

路濟亞給她一張痛苦聖母像，她熱情的親了幾次，悽慘地說：「可愛的母親啊！我眞須要獨自去死嗎？」路濟亞打斷她的話：「妳爲什麼爲獨自去死憂愁？聖母不是要來接妳嗎？」

「眞的，我不在乎。我不知道爲什麼，有時候會忘記她要來接我。」

「把心放開一點，雅新達！妳只需等一會兒，就可升天堂了。我呢？……」路濟亞想到不久就要失掉密友……。

「可憐的，別哭，路濟亞！在天上，我將爲妳多多祈禱。妳要留在這裡，因爲聖母要妳留下。」

「妳要在天上做什麼？」

「我要多多地愛耶穌，愛聖母無玷聖心；多爲妳祈禱，也爲罪人，爲聖父教宗，爲我父母、兄姊，爲一切人，尤其爲那些求過我代禱的。」她看到母親臉上顯出悲哀的神色。

「媽呀！妳不用愁，我要升天，要在那裡爲妳祈禱！」

「妳還需要什麼？」

「謝謝！我什麼也不需要。路濟亞！我不願意讓妳告訴別人我在受苦，也不要告訴母親；因爲我不願意讓她難過。」

要去遙遠的里斯本住大醫院？誰也不拿它當眞事看，鄉下人根本就很少進醫院，並且雅新達前幾個月剛去住

過，也把家裡的積蓄都花光了；里斯本又那麼遠，妄想去那裡治病……。只有兩位小見證信以為真，為此悲痛。

否爾彌高蒙席又來了。這次，他帶來一位貴婦和一位紳士，蒙席跟他們講過小雅新達的情況，引起了他們的注意和興趣。眼膜炎專家李思保醫師和其夫人專程由里斯本來看她[147]。經過簡短的檢查，醫生斷言，如果不把病人送進一個好醫院，她不久就要病死。憑著他在葡京的關係，找個醫院應當不太困難。他和幾位朋友（阿爾瓦牙宰男爵也在內），要負擔全部經費。

馬爾道夫婦不贊同這提議，一來因為上次住院治療，把病情搞得更糟；二來因為他們相信聖母說的：不久就要來接她……。讓醫師本人敘述吧：

> 1920年1月中，我們停在桑塔萊姆，去拜訪否爾彌高神父，有關在法蒂瑪發生的事跡，他比任何人都清楚，能給我們想知道的資料。我們跟他去 Cova da Iria 念完玫瑰經，去法蒂瑪看雅新達。她蒼白瘦弱，行動非常困難。她家人不太為她的情況而慌亂，反而能鎮靜地接受聖母就要來接她升天的預許。我責斥他們不竭盡所能來幫助她。他們說是一切徒然，聖母願意把她接去；她已住過歐萊姆的醫院，沒有什麼可做了。我跟他們說：「聖母的意願固然超越人力；然而為弄清楚聖母是不是真的要接她，他們應當用盡所有

147. Dr. Enrico Lisboa 雅新達在里斯本一個月，都由他出面照料。

的方法來救她。」我的話使他們心亂，他們遂向神父
討主意，神父以為我說得有理，如此，雅新達……。

天主上智的安排，使聖母大能的預許，即將實現！

如此決定了，里斯本那邊準備好以後，奧林匹亞要把
女兒送去住院治療。動身以前，雅新達求母親，不拘如何
也要讓她去一次 Cova da Iria，母親和一位鄰居把她扶上一
匹小驢，經過泥窩時，雅新達要下來採野花，帶去窪地。
在小聖堂裡，她把花獻給聖母，跪在小樹根前面，做她最
後的祈禱，母親把她扶起來，她環顧四周的天空和荒野，
指著幾棵樹說：「媽媽，聖母走的時候，經過這些樹上
面。她進天堂進得這麼快，我怕天堂門會擠住她的腳。」

此外，她還有她的遺囑，要說給表姐聽：

> 我就要去天堂了。妳應當告訴人們，天主願在世
> 間訂定聖母無玷聖心敬禮。妳應當這樣說的時候，不
> 可迴避！告訴每個人：天主要藉著無玷聖心給我們分
> 施恩寵；人們要恩寵時，應當去求她；耶穌聖心願意
> 聖母無玷聖心在祂一旁，同受敬禮。人們要求和平，
> 須向無玷聖心去求，因為天主把和平交到她的手裡
> 了。我真願意，把在我心裡的、對耶穌聖心和聖母無
> 玷聖心的愛火，點燃在每個人的心中 [148]……！

---

148. 好個大人腔調！大人話，以後還有得聽。小女孩在聖母的學校裡，受她的培
育和滋養，很快成熟：在聖德和智慧中，在她最後的幾個星期，她還多次說
大人話，教誨眾生。

　　次日，應向表姐告別，這真是她們最最苦的十字架！一心一德的兩個密友，被利刃活活地割開！雅新達緊緊地抱住路濟亞，哭著說：

> 「我們再也見不到面了！多多為我祈禱！我要升天了。在那裡我要多為妳念經。不要告訴任何人那些秘密，即便有人要殺你……，多愛救主和聖母無玷聖心，為罪人多做犧牲！」
>
> 「雅新達！再見！」
>
> 「路濟亞！再見！」

　　奧林匹亞和她大兒子安多尼陪雅新達去趕火車，母親說：「一路上四、五個鐘頭，雅新達幾乎一直站在窗口，向外看。在桑塔萊姆，有一位婦人上車，給她一些糖果，雅新達卻一點也吃不下。

　　在里斯本，我們不認識任何人。故此，公爵和我丈夫約好，要幾位貴婦去接我們。我們手臂上綁個白手帕，好讓她們認出來。我們下了火車，安多尼識字，出車站去看什麼，脫出了我的視線。我大聲喊安多尼！安多尼！……。

　　過了一會兒，他跟三位貴婦出現了。她們帶我們出了車站，到幾家去，可是沒有人收容我們。我們已走得倦極了，剛好有一位好婦人[149]，開門請我們進去，給我們最好的歡迎。我跟雅新達在那裡住了一個星期，才回到法蒂瑪。」

---

149. 這位「好婦人」，是位好修女，姓 Godinho，那時候因受教難影響不准穿會衣。以後還要多次提到她。（246頁孤兒院）

原來有好幾家爭著要招待小見證的。然而，當他們看到三個又髒又累可憐的鄉下人，又看見那小女孩病得這麼可怕，都一家接一家的給他們吃閉門羹。富家人也勢利眼？冥冥中，天主給聖母的小寶寶選了一個最好的去處，讓她在上加爾瓦略山以前略事喘息，過她一生中最幸福的兩個星期 150 。

她們母女在車站等安多尼的時候，有一位姓 Castro 的太太來看雅新達。她也是李思保醫生的病人，她相信法蒂瑪的顯現，也很器重小雅新達，馬上求小見證爲她求聖母。雅新達沒有回答，只痛苦地看她，使她灰心地走開了。她給小女孩留下一張五十元葡幣，雅新達立即把它交給院長修女。高狄鳥院長也不願要它：

「把它給妳母親！」

「不！這錢是爲妳的，我要給妳增加好多麻煩。」

後來高狄鳥院長問她，爲什麼在 Castro 太太求她代禱的時候沒有回答，她說：「我爲她念過經了，只是沒說出來；因爲我當時疼得很厲害，我怕忘了念經。」

原來她住的是高狄鳥修女辦的孤兒院，裡面經常有二十五、六個孤兒，由她一人像慈母一般來照料。大家都叫她代母。最妙的是，雅新達小房間隔壁就是聖堂，她可以從玻璃窗裡看到祭台和隱藏著小耶穌的聖體龕！並且每天

---

150. 1920 年 1 月 21 日進住，同年 2 月 2 日遷出，去醫院。

有位老神父來做彌撒。……真是大出所望！不勝驚喜！

　　院長修女知道她是誰，給她選了這個房間。能跟她的好耶穌住在同一個房頂下面，並且祂就在隔壁，又有玻璃窗相通，這真使她高興。她從來沒夢想過會有這種福氣，簡直是預先淺嘗天堂的福樂！

　　進堂要母親抱下去（母親回家以後由「代母」幫忙），每天望彌撒領聖體。只要院長許可，她把每天所有的時間，都用在這顯靈聖母堂裡。不許跪，就坐在一把小椅子上，眼睛一直望著聖體龕，跟她隱藏著的耶穌密談、默想。早晚有人不太恭敬或甚至在堂裡閒談，她就向高狄鳥代母抱怨，說是聖母不喜歡見人如此在聖體前失禮。從此，他們把這孤兒院叫做法蒂瑪聖母之家。

　　母親回家前一天，雅新達說要去辦告解。她們很早去曉星街聖堂，出堂時，女兒快活地向母親說：「多好的一位神父！他問我各種事體！」母親很想知道好神父問過她什麼，然而礙於告解秘密，沒開口問小女兒。

　　為讓病人能多見點陽光，多吸收新鮮空氣，「代母」讓她坐在開著的窗口，面對曉星花園。她想荒野中的家鄉時，還可看看紅花綠葉，聽聽鳥鳴。想路濟亞，卻沒有辦法減輕她的思念。

　　代母說：「我很快就發覺：一個小天使到我們家裡來了。雖然我一直想見見在法蒂瑪得聖母特惠的孩子們，卻沒料到能有幸收容其中一個，在我們簷下！……雅新達對其他兒童都很和善友好，特別喜愛一個小女孩（跟她年齡

相同），常給她講道。我很喜歡聽她們談話，在半開的門外面，也眞聽過好多次：『妳不可撒謊！不得怠惰或不聽命！忍受一切，爲愛救主，—— 如果妳願意升天堂！……』她說得很有權威似的，不像個小孩。」

「她住在我們家的時候，應當不僅一次被聖母訪問過。我記得有一次她對我說：『代母，請妳走開一點，我在等待聖母！』她臉上露出光彩和喜樂。」

「好像，並不是每次都是聖母本人顯現，有時只是個光球，像人們在法蒂瑪看到的一樣。因爲我們事後聽她說：『這次不像在法蒂瑪那樣，可是我知道是她。』」

聖母每次顯現後，小病人都顯得更聰明。她的言談，遠遠超過她的年齡、教育和閱歷。代母很喜歡跟她談話，做了不少的筆錄。問她誰教她這麼多，她說：

「聖母教過我。好多是我自己想出來的；我很喜歡想。」

> 聖母說，世上有許多戰爭和糾紛；戰爭只是對世界罪惡的懲罰。聖母不能再制止她心愛的聖子要罰世界的手了。必須悔改做補贖！如果人們改善自己，聖母還要來救助世界；如果他們不改善自己，降罰就要來了。

院長修女把小雅新達私下說的話，寫下來很多：

> 爲了在葡國所犯的罪行，耶穌非常氣憤。一個浩大的社會變亂就要發生，危害我們的鄉土。共產主義和無政府主義即將掀起內戰，接著來的是搶劫、屠

殺、縱火及各種毀滅。首都里斯本將形同地獄。等被冒犯的上主正義施行這種懲罰時，每一個能跑的人，都該逃離這個都市。現在已有了這大災難的預兆，它的實際慘況，將被一點一點的逐步揭露，不能不慎重！

「聖母啊！我多麼同情她！替她難過！」她如此結束。

聖母真的向這小女孩啟示過將來的諸多災禍，要世界改過遷善，來避免救主懲罰的聖手。雅新達又向代母說：

> 如果人們改善他們的生活，救主要寬恕他們；如果他們不改善，就要受罰……。天主要從西班牙開始，給世界空前的懲罰！

她把1940年代要發生的大災大難都預先說出來；想到這些災禍，又知道是人們自作自受，用仇恨和不紀律招來橫禍，不禁悲從心起，比她的病痛更使她難忍。她又俯在代母身上，抽噎著說：「為了聖母，我多麼悲傷！多麼悲傷！」

母親還在孤兒院的時候，院長修女問她，願不願意讓Florinda和Teresa兩小姊妹入會作修女，母親反說：「天主可憐我吧！」她痛失幼子方濟各，現在就要失掉最愛的小女兒，還要她加捨兩個幼女？

雅新達沒聽到她們談話，卻知道母親沒贊同院長的提議。等院長到房間裡來看她的時候，她自動說：「聖母很願意我的兩個小姐姐去當修女；母親不願意。故此，聖母

要快來接她們去天堂。[151]」

代母說：「在我死以前，我還有一件事情要做，要去拜訪法蒂瑪的 Cova da Iria！」這爲她看似不可能的，路太遠了，她哪裡有時間和經費。

「好代母啊！妳不必愁，妳要去的，在我死了以後[152]。」

> 可愛的代母！多爲罪人祈禱！多爲神父們祈禱！多爲會士們祈禱！神父們應當只忙著管教會的事務。神父們應當貞潔，浪貞潔！神父們和會士們不聽長上的命令、不服從教宗，特別冒犯救主。
>
> 代母啊！也爲那些執政的人祈禱！可憐那些難爲吾主教會的人們！如果政府讓教會自主，給信仰自由，天主就要降福它。

有一次，代母開門來看雅新達，腳踏了聖母顯現的地方；她連忙說：「代母，走開！聖母在那裡站過[153]！」

小見證不僅關心教會和國家的情勢，對私人和團體，她也有話可說：

> 代母啊！不要在奢華中行走！躲避財富！對神貧和靜默要浪友愛，甚至於對壞人也要表現愛德。別說

---

151. Florinda 於 1920 年 5 月 7 日，Teresa 於 1921 年 7 月 3 日去世升天。

152. 院長修女須陪小見證的棺木北上，喪禮後去法蒂瑪。

153. 爲避免朝聖客踏上那塊聖地，在那裡放了一把小見證坐過的小椅子，上面一大盆花，作者大不敬，等狄總主教離開後，在椅邊上坐了一會兒，又是神父不聽命，好在聖母沒當面罰我。

他人的壞話；躲避說壞話的人，要很容忍，忍耐把我們送進天堂。克苦和犧牲很使吾主歡心。

「告解是個憐憫的聖事。故此，必須懷著信心與快樂去告解，沒有告解，人就沒有得救。」

「天主聖母要更多貞潔靈魂，祂們以貞潔聖願跟她聯繫。我真希望進修會，可是我更願意進天堂。做修女的，都應當身心十分純潔。」

「妳知道純潔是什麼嗎？」

「我知道，我知道！身體的純潔是保持貞操，心靈的純潔是不犯罪：不看不應看的，不偷盜，不撒謊，不拘代價多麼大，總是說實話……。」

「向聖母許願而不去實踐的人，永不會在他們事業上滿足。」

「醫生們沒有治病的光明，因為他們不愛天主。」

「人們喪失靈魂，是因為他們不去想救主的苦難，不悔改做補贖。」

「把最多人打下地獄的，是肉情的罪惡。世界上的罪惡既大且多！」

即將流行的時裝會得罪救主！聖教會沒有時裝，救主常是一樣 154。侍奉天主的人，不可隨便穿時裝！」

「許多婚姻不是從天主來的，救主不喜愛它們。」

有一位神父，道理講得非常動聽，人也都說他好，堪作

雅新達在里斯本的兩位大恩人

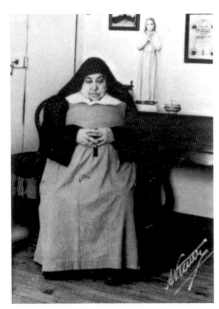

高狄鳥修女收容雅新達在孤兒院　　　李思保醫生設法使雅新達去葡京住院
給她一生中最幸福的兩個星期　　　　阻止其屍體被葬在公墓，料理喪事
以後還每天跑去醫院看望

模範。雅新達卻不贊同，很清楚地跟代母說：「現在妳還想不到，這位神父要變得很壞。」她說得對，不久以後，這位不幸福的人，脫棄了神職，去度一個可恥的生活。

去醫院開刀以前，她央人代筆寫一封信給路濟亞，告訴她，聖母來啓示了雅新達死的日期和時辰。

2月2日，她應當去醫院了。離別高狄鳥代母，已經很使她心痛；離別隔壁隱藏著的耶穌，簡直使她心碎！代母還能來醫院看她。她住到醫院以後，每天能領到心裡的好耶穌，誰會給她送來？在醫院裡有苦痛時，她去哪裡找安慰和助力？

李思保醫師既然好心要她去斯德法尼醫院住院治療，高狄鳥院長只好陪她去，把她安排在兒童病室第十八號床位。那裡，她只是許多病人中的一個，醫生和護士對她都特別好。對修女卻有責言：她怎麼可以在孤兒院收容一個肺結核病人，不怕傳染給別的孩子們？……他們說得固然有理，然而，肯出於愛德收容流浪中的小病人的，只有她一個。別人先搶著要照管雅新達，等她來了，卻都不肯給她開門。── 當天是聖母獻堂瞻禮，院長修女的主保瞻禮。

---

154. 路濟亞修女在她2000年的大作中，也講到時裝，並且說得非常妙：衣服和勞苦、病、死，同樣是罪罰。原祖犯罪吃知善惡的果子後，知道了羞恥，用樹葉遮羞。天主給他們做衣服穿上，才把他們逐出樂園。從那時起，我們罪人都得穿衣蔽體，為保護自身，也為不誘惑他人。穿著不莊重的人，不但要為自己負責，也須為被他誘惑的人負罪債。

醫院眞是陰暗，座落在星明大道旁。病人雖多，卻都不相識，使遠來的鄉下小病女覺得非常寂寞。常見的護士和婦女訪客中，有些穿得袒胸露背，衣不及膝，雅新達看了，只有嘆氣：「這是爲了什麼呀？如果她們知道什麼是永遠……！」

當然也有好人來探病。高狄鳥修女和 Castro 婦人等每天都來看望，給她帶來一時的輕快。也只有向她們才可以吐露一點心聲。

聖母不捨棄她的小寶寶，竟使馬爾道先生在百忙中，能來遙遠的葡京看小女兒。雖只是短短幾個鐘頭，給病女的安慰和喜樂卻無法形容！她原來以爲再也見不到父母家人的呀。

這可苦了她父親。他眼見小女兒獨自一人，無親無故，自己又須趕回家去照料別的病人，分身乏術，只有心碎！

「承行主旨！」「聖母要照顧她！」

小女兒也一直說：「我們必須受苦，才能升天！」爲她，受苦還是歸化許多罪人的媒介。

醫生們會診，說是必須動手術。小病人卻警告他們：手術無用，他們白費心機，因爲聖母就快要來接她。他們只重學術和醫科，不顧什麼聖母，決定 2 月 10 日給她開刀。事後，開刀的醫生才知道雅新達是法蒂瑪的小見證，後來在教會法庭上，盛讚她的忍耐和英勇犧牲。

2 月 10 日，她進入手術室，身體實在太虛弱了，

他們只敢給她局部麻醉，使她一直清醒，在一夥生人
面前給她脫衣服時，她哭得很慟。醫生為澈底清除她
化膿的部份，從她左胸割去兩條肋骨，小雅新達看到
和覺得到一切，疼得一直輕聲叫著：「唉！我的天
主！我的耶穌！我的聖母啊！聖母！」卻不曾報怨或
扭動身體，致使周圍的人都驚歎小病人的忍耐和勇
毅，事後，給她動手術的醫生說：「這種疼痛大人也
吃不消，更不必說是小姑娘了。」

　　他們說手術完全成功，卻留下一個像拳頭那樣大
小的空洞，新鮮的傷口，疼痛異常！她還能一直說：
「耶穌啊！一切都為愛祢，為使罪人悔改，為補償聖
母無玷聖心所受的污辱，也為聖父教宗。現在祢可以
使許多罪人回頭改過了，因為這犧牲真大！」

　　一位醫工[155]把她從手術室推回兒童病房，安放在六十
號病床上。他宣稱：「小雅新達跟別的病人不同……非常
安靜，讓人看著，真像個天生的清白無罪！」

　　七、八十個小病人中，男的女的都有，只有兩位護
士照料。她們都還特別記得小雅新達。其中一個叫雷奧
諾爾[156]說：她曾見過在雅新達病床周圍有一團火光，正像
人們在 Cova da Iria 見過的一樣。

　　另一位護士叫奧羅拉[157]，雅新達很喜歡她，給她指過

155. Manuel Fernandes 是醫院雇工。

156. Leonor da Assunçao 護士。

157. Aurora da Costa Comes，雅新達叫她小奧羅拉，以示親密，小真福病逝的那
　　一夜，只她一人值班。

歐萊姆的聖奧斯定醫院

（雅新達 1919 年 7 月 8 日住院治療，帶傷回家）

里斯本的斯德望尼醫院

（雅新達於 1920 年 2 月 2 日入院，2 月 10 日動手術，2 月 20 日病逝於此）

聖母顯現時站在哪裡。

「代母」又來看她的時候，要坐到床邊。她馬上說：

代母！讓開一點！聖母在那裡站過！她來告訴我，很快就要來接我，她除去了我所有的疼痛。

她自己不苦了，卻仍不能忘懷將來的戰亂、饑荒、社會混亂和教難，要人為此祈禱做犧牲。

兩位年輕的醫生特別友愛。其中一位求她升天以後為他代禱。雅新達答應了，卻接著說：「不久，你也要升天。」

另一位醫生請她為他和女兒念經，她說：「你們也要不久就跟我來。女兒先來。」事後都如此應驗。

李思保醫師記述：

事實上，自從聖母在病室顯現，她的疼痛完全消失。她又能遊玩散心，喜歡看各種聖像。其中有Sameiro 聖母像，據她說是特別像顯現的聖母，她把它送給我當紀念。人們多次說，雅新達要見我，可惜我的職務繁重，而且她顯得好多了，使我的探望來得太遲了！

2月20號晚上，六點前後，雅新達說她覺得很不好，要領聖事。本堂神父來 [158]，晚上八點前後聽了她的告解。據說雅新達堅持要領臨終聖體，神父不以

---

158. P. Pereira dos Reis，李思保醫師的老朋友，他誤了送臨終聖體，過意不去，第二天，醫師強他把棺木停放在他更衣所裡，開著棺任人瞻仰。

爲是，看她還變好，許下次日清早來送聖體。雅新達
再次求他馬上送聖體，因爲她就要死了。結果，她在
那一夜安然去世，沒領到聖體。」

時在 1920 年 2 月 20 日二十二時三十分。

奧羅拉原來一直坐在床邊，守著她。偏在二十二點二
十幾分時有人把她叫開，三十分回來時，病人剛去世了。

聖母悄悄地來，抱走了她獨自死亡的小寶寶。小寶寶
還不到十歲。

七、哀榮

奧羅拉依照雅新達的囑咐，給她穿上初領聖體的白衣服，繫上藍色絲帶[159]，—— 她要聖母的白藍兩色。

按照當時的法令，屍身應在一天內埋葬。

李思保醫生預料，終有一日，教會將正式認可法蒂瑪顯現。他不願小見證的屍體跟別人一齊埋進公墓，遂去找天神堂的本堂神父，要他答應讓棺木停在一間更衣所裡，等待出殯。

小見證逝世的消息，很快就傳遍了里斯本。人們捐出足夠的金錢，只等 2 月 22 日星期日出殯。

另一位侯爵夫人給她加了一件藍披風，白藍的顏色更顯示聖母的特愛。

本堂神父絕沒料到會有多少法蒂瑪信友來瞻仰「小聖女」的遺容。他很耐心、很客氣地接待了第一批訪客，後來訪客一直增加，還把念珠聖物等放在小見證身上（拿回去當聖髑），把她當作聖人似的敬禮，他說不可以如此做，人們不理他，繼續敬禮他們的「小聖女」。神父遂把他們都趕出去，把棺木移到另一個房間，上了鎖，把鑰匙交給殯儀館主人阿爾默達先生[160]，以為可以省心了。

---

159. Rio Maior 侯爵夫人供應的衣衫。

160. Antonio Almeida, Escola Politecnica 大街上殯儀館主人。

　　神父原來的聲名很好，和氣又愛助人，眾人不明白他
會如此不客氣，表示反感。他知道教會還不准公開談論法
蒂瑪，又怕宗主教看不過去，會處罰他。此外，還有衛生
當局提出抗議……只好託殯儀館去處理一切。

　　他們把棺木搬到聖體兄弟會所屬的房間以後，來瞻仰
的人們仍絡繹不絕。阿爾默達先生讓他們一組組的進出，
避免擁擠。李思保醫生記述著說：

> 　　2月23日，他（阿爾默達）整天陪在那裡……。
> 人們很恭敬很熱誠地走近，親吻小屍體的面部和手
> 背，使他印象深刻，終身不忘，他還記得她的面頰活
> 生生的，顯出粉紅色，身上發出很好聞的馨香。

阿爾默達也寫過：

> 　　我好像還能看到雅新達。她像個天使，躺在棺材
> 裡，好似還活著。她的雙唇和面頰都粉紅，非常美
> 麗。我見過大大小小的屍體很多，卻從來沒見過像她
> 一樣的。她的身體散發出的氣味，不能再美，連最大
> 的懷疑者也不能懷疑，因為它不能用自然的方法來解
> 釋。人們能記起來死屍的惡臭，它常使人走避。這小
> 女孩已經死了三天半，身體仍香得像一束鮮花
> *161*……。

---

161. 她母女二人上火車時，父親已囑咐她們求乘客原諒小女的氣味。

這期間，歐萊姆的男爵阿爾瓦亞宰出面請求，要把她葬在自家的墓地裡，在里斯本出殯的計劃遂即被打消。──再讓李思保醫生來記述吧：

> 終於，在2月24日十一點鐘，把屍身裝在一個鋁棺裡，封了起來。在場的人們中間，有阿爾默達，政府官員和幾位貴婦。其中有一位叫 Maria Pena（最近去世的），她在各種證人面前聲明：在封棺時，屍身散發出一股鮮花的芬芳。和她所患化膿性病症以及開著棺沒有下葬的長時間對比起來，這香味真值得令人注意！

> 這天下午，天氣陰雨，出殯的隊伍步行著，有很多人參加，最後，總算把鋁棺落在歐萊姆阿爾瓦亞宰男爵的墓地裡。

蓋棺論定，難道她不是個活聖女（能顯靈蹟、能分身）、活先知？

聖母選的兩位小兄妹，聖母抱過去。願聖母無玷聖心受讚頌！受愛慕和顯揚！

八、榮顯

很多信友把小見證們當聖人敬，教會當局呢？再讓李思保醫師給我們記述吧：

我記得，那天（2月14日），聖味增爵善會召開常年大會，我是主講人。我請與會諸君原諒我遲到，因為時局要我去做件善舉：料理法蒂瑪一個小見證的喪事。這話惹起聽眾竊笑。其中有葡京最重要的公教團體代表和名人，樞機宗主教也在內，他跟別人一同笑我。後來，他一直景仰法蒂瑪，說他最大的願望，是在死以前能去 Cova da Iria 做一台彌撒 [162]。

記下這些出奇的事蹟，實在有趣。這可讓人看出葡國大部分神職界和一些平信徒不肯相信法蒂瑪顯現的事蹟。也有少數相信的，其中有否爾彌高博士，他本人去看過兩次顯現，也用口述和書寫為此作證。還有老『聖克路斯神父』在我初次去法蒂瑪以後，又多次在那裡遇到他。他是我所聽到的第一位在里斯本一間聖堂裡勸人向法蒂瑪玫瑰聖母祈禱的神父。當時，一般的神職都不敢公開談論，更不敢露出一絲絲對法蒂瑪啟示的信念。

經過這些年以後，我心裡還感到安慰，因為我曾設法讓病重垂危的雅新達，能得到里斯本醫院最好的醫生和護士的照料。城裡盛傳的中傷性謠言，說公教

---

[162]. Antonio Mendes Belo 樞機宗主教，當時 Leiria 教區雖已成立，法蒂瑪仍屬里斯本宗主教管，因為新主教還沒上任。

會早把兩位較小的見證弄死，免得他們跟路濟亞所說的有所抵觸。這種荒謬，可以很確切地推翻了。

聖母多次預言要快來接他兄妹二人升天。聖母忠實至極，把他們及早接去天堂。—— 直升天堂的不是聖人？

阿爾瓦亞宰家，能有這種幸運，非常感激否爾彌高蒙席的介紹。肺結核症已經害死了四兄弟，現在卻沒有傳染給別人。家裡原來瀕臨破產，現在卻保住了大部分家業。男爵都歸功於「小護守天使」的庇護。其他恩寵，還多不勝數。

兩位小見證的離去，最使路濟亞傷心。她回憶說：

> 只剩我下一個人，讓我多麼難過！在這麼短的時期內，好天主先把我可愛的父親接去天鄉，繼後方濟各和雅新達。在現世的我再也見不到他們了！
>
> 只要我得空，就退到夏擺叟去，關在山洞裡，獨自在天主前哭訴，傾流眼淚。下山坡的時候，一切都使我懷念最親愛的同伴們。我們多少次坐過的石塊；我不再摘探的野花，因為沒人可送了；瓦林鳥—我們一同嘗過樂園幸福的聖地……。我不信以為眞，精神恍惚地跑到姑母家去，走進雅新達的房間，開始叫她。
>
> 她小姐姐德肋撒看到我，抱住我說：雅新達不在了。
>
> 人們把她的屍身運到歐萊姆。有一天，姑母帶我去那裡看她愛女的遺體，希望我能稍分心神。然而好久好久，我的憂傷好似一天比一天更深。只要墳地開門，我就去坐在方濟各或我父親的墳上，一坐就是好幾個鐘頭。

來墳上瞻仰和祈禱的，不僅路濟亞一人。朝聖客在平日已經不斷，每月13日，大隊湧來。二小見證的房間、墳墓、遊樂場地，也都跟聖母顯現地一同成了聖地，朝聖客絡繹不絕。尤其馬爾道舅真來不及應付，特別是回答他們的問題，和重述愛子和小女的一切。

1921年6月16日凌晨兩點，路濟亞離家隱退。她的家人輕鬆了些，馬爾道家的「朝聖客」卻越來越多。雅新達的聲名外揚，惹人注意。法蒂瑪聖母敬禮的迅速發展，也助長了二位小見證的聲譽。

來討紀念品和「聖髑」的人最難滿足。他們幾乎見到什麼，就從兩小見證房間裡拿去，害得奧林匹亞只好把原有的、方濟各和雅新達用過的東西都收藏起來，換上新的——一看就讓人知道是沒用過的棉被和床單桌布……。牆上的苦像和聖像也都得好好的看著，才能保持住。園子裡的花木，也被殃及。當然最使全家煩惱的是再也不得安寧，尤其在路濟亞遵主教命令隱退到西班牙去以後。

早在1918年，教廷已重新建立雷利亞教區，委席爾瓦[163]爲首任主教。他於1920年5月15日受祝聖，8月5日正式上任。從此，葡國中部脫離里斯本總主教區。

任期中最重要的事務，當然是法蒂瑪事件。首先，他認爲應當讓路濟亞離開家鄉，隱名埋姓，到遠處去找個公學，

---

163. D. Josẽ Alves Correia da Silva（1872～1957），1920～1957爲雷利亞主教。使法蒂瑪迅速發展成一流朝聖地。

住校受教。一來，要尚存的中心人物路濟亞離開顯現地後，細察事跡的發展或衰退；二來，也爲省卻那可憐女孩每天所受的不必要的訊問和折磨。因爲一直有人認爲所謂朝聖客中，有許多是慕名而來，特別是爲看路濟亞的。

1921 年 6 月 13 日，雷利亞一位夫人接路濟亞去主教府，路濟亞認識主教秘書，曾向他辦過兩次告解；故此，在等主教的時間，還可很輕鬆地交談。又聽說主教洞察人心，能知隱密，更放心期待主教大人的光臨。當秘書請陪來的夫人去城中料理其他事務，可讓路濟亞獨自跟主教會談時，小女孩眞是樂透了；主教既然已知道一切，當不會提太多的問題。主教眞的和藹可親，不好奇地多問些不重要的，只顧小羊的心靈。他如此立即贏得了路濟亞的信賴，以後可以隨時要她寫回憶錄。

當前的問題是：路濟亞是否願意離開法蒂瑪，去遠處做個不知名的女學生。她說主教的命令正合她的心意；她母親也立即同意。於是決定讓她在 1921 年 6 月 16 日凌晨離家，經雷利亞去波爾多城的一座公學[164]。

在她離家前，路濟亞還能看到窪地小聖堂中顯靈聖母像，站在原來顯現時小冬青樹所在安置的像座上。下次再見到它時，是二十五年以後了。

1922 年 5 月 3 日，主教出一牧函，簡錄如下：

---

164. Colegio de Vilar 在波爾多城附近。

雷利亞教區首任主教席爾瓦　　費萊拉總鐸（1853-1924）
　　法蒂瑪的功臣　　　　　　曾就近指導三小牧童
面前放著的是路濟亞的秘密信封

在雷利亞教區內一切有關宗教事務，吾人由於牧職在身，均不得漠視。

實際上每天，尤其每月 13 日，有許多人去法蒂瑪。社會各階層的人們，因聖母轉求所得的恩惠，去該處感謝玫瑰經聖母。

如眾所周知，1917 年，千千萬萬各種各色的民眾，目睹三位無知的兒童所預告的一連串異象。孩子們說，聖母曾向他們顯現，並曾做過多種要求。從那時起，到此地朝聖的信眾，一直不斷。

這三位自稱顯現的見證兒童中，兩位已在吾人被委為教區主教前去世。吾人曾多次訊問尚存的一位。

她的故事和答覆一直簡明忠誠，吾人在其中尋不到任何有違信仰或倫理的因素。故此可問：莫非現在才十四歲孩子的影響力，可做為如此眾多人繼續來聚會的理由？莫非只靠她的聲望就能吸引這麼多人？……這幾乎不可能；因為她只是受過最低等教育，又沒受過什麼訓練的。

此外，這孩童已離開她的出生地，不曾於此再出現。人們卻愈來愈多。

或有人可用環境的優美和當地的詩情畫意來解釋？適得其反；它既偏僻又荒蕪，無樹無水，遠離鐵路，沒什麼美景可言。

或者，人們是為了小聖堂而來？信友自建的小堂如此窄小，裡面不可能舉行聖祭。本年 2 月，竟有些無賴乘夜將它炸毀，縱火燒光 [165]。 —— 願聖母寬恕他們！

吾人曾諫阻重建小堂，不僅為避免它再被破壞，也為靜觀如此多的人來此的動機。

現在，人數不但沒減，反而加多。

教會當局，遲遲未做決策，神職人員不曾參與外面的表現。只在最近，吾人才准許私人彌撒，和朝聖客特別多的時候講道 [166]。

政府機關曾用盡一切方法 —— 包括各種教難、監禁和恐嚇—來阻止當地宗教活動，結果一切徒然。沒有人能說是教會當局鼓勵人相信顯現。事實上正好相反。

好主教遂即成立一個審委會，來研究這事件，並成立教區法庭來審理。委員中有否爾彌高博士和桑道斯男爵。

同年 10 月 13 日，第一份「法蒂瑪之聲」問世。

1923 年 5 月大朝聖前三天，桑塔萊姆省府應桑道斯縣長請求，禁止一切朝聖活動；並派軍隊進佔重要路口，禁止通行。最後，竟有不少軍人加入朝聖者行伍。

朝聖者面臨最大的難題，不是路途的遙遠（他們路過的地方，總有人家收容和給飲食），也不在乎窪地裡露宿；而是飲水實在太缺；尤其在重感冒流行的季節。然而正為了病患，來朝聖的人才更多。

---

165. 小堂於 1922 年 3 月 5 日夜（不是主教寫的 2 月）被人炸毀。聖母像於前晚被「小堂瑪利亞」抱回家去供奉。一星期後，本堂補辱遊行，有一萬多人參加。繼後，有全國性補辱遊行，參加人數超過六萬。小堂於12月中開始修補，加一塊堂頂擋風雨。

166. 1921年6月13日大朝聖中，初次給病人降福。路濟亞去謁見主教，回程中，和返鄉的朝聖客迎面而行。

　　1927年7月26日，主教於清早開始，在距Cova da Iria
十二公里的Fetal建立苦路第一處，大雨中數千人陪走苦
路，直到下午四點彌撒在顯現地結束。主教明察飲水的重
要，委戛肋拉先生掘一個水井。桑道斯副主教要他在最四
處試試，還沒掘半天，就到了岩石層。把它炸開後，泉水
大量湧出，掘井的工程不能持續，只造成了一個露天的水
坑。朝聖客不顧它混有泥土，儘情飲用，還裝回去給親友
喝167，說是法蒂瑪靈水。

　　1928年5月13日，玫瑰經聖母大殿奠基。主教沒有
任何基金，全憑信眾隨時捐獻，繼續建造。

　　1929年Salazar率領政府要員訪問法蒂瑪，把葡國再奉
獻給它的母后。

　　同年12月6日，教宗庇護十一世親自祝聖羅馬葡國公
學的法蒂瑪聖母態像，分送法蒂瑪聖母聖像給學生們。
Braga的宗主教見教宗如此做，遂即組織了一個大朝聖團，
第一次在Cova da Iria舉行主教大禮彌撒。

　　1930年10月1日，主教出牧函，盛讚天主上智的安
排，公佈八年來審理委員會研究的結果：

> 　　有鑑於已發表的和為了簡短而略掉的一切，吾人
> 謙恭地祈求聖神，並置身於至聖童貞蔭庇之下，在聆
> 聽教區參議員意見之後，鄭重宣佈：

---

167. 後來擴建蓄水池，在上面設置耶穌聖心態像的基座，再後，因為廣場中心太
低，填高五公尺，基座被埋沒，只剩接水的龍頭和花卉。

（一）本教區法蒂瑪堂區小牧童們於 1917 年 5 月 13 至
　　　10 月 13 在 Cova da Iria 所見的，堪當相信。
（二）正式准許法蒂瑪聖母敬禮。

信友們還需要什麼？朝聖客不僅由葡國各處大量湧來，
世界上每個角落，都不斷有人來朝拜法蒂瑪聖母。他們找不
到活的見證，就越發恭敬聖母接去的兩位小見證。1920 年
代，已有雅新達小傳出版。人們對她知道得不多，小傳一直
是「小」傳。她謙卑沈靜的小哥哥方濟各，又落後一步。

雅新達在里斯本曾經預言：「我要回法蒂瑪，可是要
在死後。」1935 年主教在法蒂瑪墳地靠近入口處，修建了
一座新的墳墓，要把方濟各和雅新達兄妹二人葬在一處。9
月 12 日，在費舍爾神父[168]主持下，開棺驗雅新達的屍身，
發現她完好如初，一點也沒朽壞，主教事後曾把幾張照片
寄給路濟亞，她視為珍寶，千謝主教。路濟亞說：

> 我很希望，上主為光榮聖母，能讓她（雅新達）
> 獲到聖德的光環。她只有年齡上是個小孩，卻已知道
> 如何表示她對天主和聖母的誠愛；藉著犧牲，……我
> 很景仰她的聖德。

9 月 12 日下午三點半，一輛汽車把用絲綢裝飾過的屍
體運到朝聖地悔罪小堂裡，Evora 的總主教，在許多正避靜

---

168. P. Ludwig Fischer（1890 ～ 1957）德籍的法蒂瑪宗徒，1920 年於 Bamberg 大
　　學執教，1929 年初次去法蒂瑪，除創辦「法蒂瑪訊息」雜誌外，著有四本有
　　關書籍。

的神父陪同下，在屍前行祭。

　　爲雅新達開棺驗屍時，她父親也在場，卻不必他認屍，小見證屍身完好，誰都會認出她來。

　　爲方濟各，卻不這麼簡單了，一來是因爲他沒有單獨的墓地，二來是因爲在路濟亞離去後，她在墳上插的木十字架也不見了。馬爾道先生憑他的記憶，指定要人挖掘的地方，先出土的是一具三兩個月嬰兒的小棺。

　　他仍堅持著說地方正確，要人再掘下去。第二和第三人的骨骸都不是方濟各的。有人已經要放棄了，馬爾道舅仍要他們在同樣的地方再挖下去，才認出已朽的棺木，骨架手中顯然有他給愛子的念珠，骨質珠子還保存得頗好。在場的三位醫師也同聲佐認，那是一個十至十三歲男童的骨骸，——如果雅新達當時也如此葬在里斯本大公墓裡……！

　　細心的把它們揀拾起來，裝入新棺，將他和其未朽的小妹妹合葬在新的墳墓裡。墓碑上，主教只請人簡短地刻上四行大字：

AQUI REPOUSAM OS RESTOS MORTAIS	在這裡安息著遺體
DE	的
FRANCISCO E JACINTA	方濟各和雅新達
A QUEM NOSSA SENHORA APARECEU	聖母曾顯現給他們

　　朝聖客能夠同時敬拜他們的「小聖人」們了！以前想找到雅新達是多麼困難啊！方濟各雖埋在近處，以前也沒

有著落。他們新的墳墓上，經常有人放些鮮花。

　　主教看到路濟亞謝函中最後幾句話，更不願漠視信眾對兩位小見證的敬重，遂命她將有關雅新達的一切，都憑記憶寫出來。路濟亞樂意從命，於兩星期內，完成她第一部大作；第一個回憶錄 —— 雅新達小傳；一氣呵成！

　　她用很知恩的幾句話當作序言：

> 好天主的恩寵，使我成為她最親密的知心夥伴。……因為我很景仰她的聖德，故能一直保持對她的喜愛和敬重。

　　戛拉姆巴[169]博士在1938年5月出版的雅新達傳記中，初次引用這個回憶錄。以後的作家都離不了它。

　　方濟各謙讓，有關他的回憶錄晚來幾年。 1941年10月7日主教偕戛拉姆巴參議去看路濟亞。她交上第三個回憶錄[170]，卻聽到倆人要她寫第四個（最長的），特別著重方濟各的生平。路濟亞竟能在11月5日交出寫滿的第一個練習簿，先寫方濟各小傳。路濟亞最先聲明：

> 「我和方濟各的友誼，是基於我們的親屬關係，和上天賜與我們的恩寵。對他的懷念真不可形容，猶如一根憂傷的刺，扎在心裡，多年使它傷痛。」路濟

---

169. Canon Josẽ Galamba de Oliveira 著有 Jacinta 、 Fatima â prova 等書。

170. 在第三個回憶錄中，路濟亞揭露兩個秘密：見地獄，聖母無玷聖心敬禮及奉獻俄國與聖母無玷聖心。

亞如此結束她的方濟各傳，並以自作的三段七言詩，
做爲她向表弟的祈禱。

　　無獨有偶，教宗庇護第十二世，於1917年5月13日中
午在羅馬被祝聖爲主教，正是聖母初次在法蒂瑪顯現的時
刻，因此法蒂瑪於1942年能過雙重的銀慶。

　　2月11日，葡國主教們共同出一牧函，感謝法蒂瑪聖
母在過去二十五年內所賜的極大恩寵：「如果有人在二十
五年前閉了眼睛，現在睜開，當不會再認出葡國來。」爲
此，除了私人的悔過遷善以外，公共活動應包括：5月3日
至11日在一切聖堂內聽講要理；5月10日（星期日）舉行
謝恩彌撒，明供聖體；主教座堂則舉行主教大禮彌撒；5月
12日夜晚，在Cova da Iria舉辦燭光遊行，全國各堂區也要
設法爲不去法蒂瑪的教友同時舉辦燭火遊行。5月13日，
樞機宗主教，偕同葡國所有主教和一千多位神父在法蒂瑪
聖地舉行大禮彌撒，再把葡國奉獻與聖母無玷聖心。同時
女公青和葡國婦女許願：要給聖母態像作一頂珍貴的王
冠，以答謝她保持葡國沒有捲入第二次世界大戰的漩渦。
並且許下：婦女避用不端莊的時裝，父親禁止兒女們看不
道德的電影和戲劇。

　　同年10月31日，全國舉行雙重銀慶年結束典禮，大禮
彌撒將完畢時，各聖堂擴音機裡，發出教宗庇護十二世的聲
音，他用葡語直接向聖瑪利亞之邦廣播，大家流著喜悅的眼
淚，靜聽聖父約半小時的演說，聽他引用小見證們的口語，
承認法蒂瑪聖母的訊息：

忠信的葡國，在黑暗、混亂和風險之後，賴聖母助佑，能再拾回遠征和傳教國榮譽。願一切在此使命中做過天主上智工具的人，都受禮遇[171]⋯⋯特別用每天的玫瑰經和犧牲為罪人求得恩寵生活及永救⋯。戰爭是上天對罪污世界的懲罰⋯⋯，應求和平之后，因為只有她可幫助我們，她已指出得救的途逕：祈禱和犧牲⋯⋯。

以後，教宗把整個教會和全人類奉獻給聖母無玷聖心，中間特別提到俄國：

那裡的人們特別敬妳愛妳，沒有一家沒有聖母版畫，今天或許藏了起來，等待好日子來臨。賜他們和平！領他們重返基督羊棧！⋯⋯從今天起，整個教會和全人類，都已獻給妳的無玷聖心！⋯⋯

「Roma Locuta！」羅馬公開談論和承認了法蒂瑪！並已開始遵從聖母的要求[172]，敬聖母無玷聖心，向它奉獻俄國。

1951年4月30日，玫瑰經聖母大殿還沒有落成祝聖，主教即下令把二位小見證遺骸遷葬於大堂內近口處。雅新達的屍身有顯著的變化，不復新鮮柔軟；方濟各的骨骸也重新收進了一口棺木。雅新達葬在聖殿左邊，墓旁為路濟亞留了一塊空地。方濟各在右邊，墓碑上都很簡單地刻著：

---

171. 當然，首推三位小見證：他們真是天主稱心應手的工具。
172. 路濟亞事後說：條件還不夠，教宗須聯合所有的主教，提名將俄國奉獻。

AQUI REPOUSAM OS RESTOS MORTAIS
DE JACINTA[173] MARTO
A QUEM NOSSA SENHORA APARECEU
1 DE MAIO DE 1951

聖母的小寶寶們，安息在玫瑰經聖母大殿中了！
優先！

雅新達所預見的聖父教宗庇護十二世，於1950年10月30和31日，11月1日和8日，四次公開「在一個聖堂（伯多祿大殿）中，聖母無玷聖心前祈禱，那麼多人跟他一同祈禱[174]」，準備隆重宣佈「聖母榮召升天」為教會信條。他的特使 Tedeschini 樞機，在1951年10月13日的聖年閉幕典禮中於法蒂瑪宣佈，教宗曾在那四天的公眾祈禱後，於梵蒂岡花園散步研讀公文時，目睹像法蒂瑪一樣的太陽奇蹟；並且說法蒂瑪已搬到梵蒂岡去了。

兩位小見證的遺體遷進大殿後，教區應列品申請人的請求，特開教區法庭，搜集一切證件和聽取所有證人的口供，非常認真地工作二十六年，終能將全部檔案送呈羅馬冊封聖人部，以待審理。

教宗保祿六世，親自當做一位「謙卑忠信的朝聖客[175]」，於1967年5月13日蒞臨法蒂瑪，請路濟亞修女在他身旁，隆重的慶祝聖母初次顯現五十周年；在約莫一百

---

173. 方濟各的墓碑，除名字以外，與小妹的完全相同。（日期是1952年3月13）
174. 請參閱本書第101頁。
175. 教宗如此自稱。

萬信眾面前，宣稱他來的目的一是敬禮天主聖母，二是向她呼求教會與世界和平。同時，教宗也重新把世界奉獻給聖母無玷聖心，像他的前任做過的一樣。

　　教宗在法蒂瑪雖只停留少少幾個小時，卻給人留下極深刻的印象。他是第一位來法蒂瑪朝聖的教宗，是第一位在二位小見證墓上祈禱的教宗。他真給法蒂瑪鍍了金。為此，在聖地入口附近，用石彫彫了乙座巨大的教宗跪禱像，以作為紀念。

　　1981年5月13日中午[176]，教宗若望保祿二世於伯多祿廣場遇刺。他自己說，覺得有一隻手引導子彈，救他一命。遂於次年5月13日親赴法蒂瑪朝聖，感謝聖母。同時也把人類各個民族，奉獻與聖母無玷聖心。

　　1984年3月24日，教宗若望保祿二世，把法蒂瑪聖母靈像請到羅馬，在伯多祿廣場上，聯同普世所有主教，再把全世界奉獻給聖母無玷聖心，滿全了聖母的要求。

　　至此，法蒂瑪聖母敬禮的發展，已到成熟階段，應結更豐富的果實了。東歐共產集團解體，各自獨立民主；蘇聯也成了歷史名詞，大多數邦國脫離聯邦……。這一切都很平和地發展，沒放一槍一炮。聖母無玷聖心終將凱旋！

　　列品案也進行得還算順利，沒有奇蹟，卻無法繼續進行，列品申請人辦公室每天接到各地來的謝恩函件，每年總有一千多封。其中大多數是謝聖母恩佑；謝兩位小見證

---

176. 又是5月13日中午！事出偶然？

轉禱的信中，有些報告說是奇蹟，然而須要先仔細審查，搜集證件，才能送呈羅馬冊封聖人聖部。

聖部經教宗催促，徹底研讀雷利亞法蒂瑪教區[177]送呈的文件，幾經磋商和討論，於 1989 年 5 月 13 日發出兩項法令。先由教區主教在72周年大禮彌撒開始，當著主祭[178]、陪祭主教、神父及與祭信友面前，首先發表教廷已認可二位小見證德行超凡，並已授與「可敬者」尊名。

茲簡譯有關法令：

冊封聖人部法令：

有關雷利亞法蒂瑪教區女郎雅新達馬爾道（1910～1920）列品

疑問：她有沒有超凡的神學德性：信望愛三德，愛主愛人；及四樞德智、義、勇、節，和其他德行。

「你們若不變成如同小孩一樣，你們決不能進天國。」（瑪十八3）

耶穌用這句話，抬高了兒童們在天國所扮演的主動角色……。事實上，孩童和嬰兒旣已分沾基督的司祭、先知和君王任務，也蒙召在教會生活及工作中主動參與，並按照各自的能力，得能為主耶穌作證[179]。

這個基於聖洗聖事的使命，曾浪卓越地由雅新達馬爾道女郎發展完成。她無條件地回應天主聖寵，迅速地到達追隨基督的完滿地步，自願以其短短的一生

---

177. 雷利亞教區易名爲雷利亞法蒂瑪教區。

178. 波士頓樞機主教 D. Bernard Francis Law 主祭。

179. 梵二，II 12。

來光榮上主，跟天主聖寵合作，以虔誠的祈禱和不斷的犧牲拯救人靈。

天主的忠婢，是瑪奴厄爾伯多祿馬爾道和其夫人奧林匹亞耶穌桑道斯的女兒，排行第七，在阿主斯特出生（葡國法蒂瑪堂區），時在 1910 年 3 月 11 日；同月 25 日重生於聖洗聖水中，父母務農，勤儉耐勞，是熱心教友。父母給小女孩健全的倫理與宗教教育……小女孩在自己家中，也跟其他孩童在舅母瑪利亞羅撒桑道斯家聽講要理……。

極幼就表現出熱愛祈禱，有個活信德，會聰明地選擇影伴，非常聽命。她生性活潑好玩，特別愛跳舞……。好強好勝……。以後，卻澈底改善，變成謙遜、自制、犧牲與慷慨的模範。

才剛剛能做點事，為家人幫忙，就特別要陪比她大不了多少的方濟各哥哥趕羊去牧場，跟表姐路濟亞耶穌桑道斯會合。三個小親屬和密友就如此終日相處，把放羊的苦差事，變做樂趣；還有餘暇來遊玩和祈禱，欣賞大自然的美麗。

1916年發生的事件，突然改變了他們的生活。他們說：曾三次見過天使。祂要他們多祈禱和吃苦，來賠補罪惡，使罪人悔改。從那時起，小雅新達盡力設法在一切機會上，把天使的要求付諸實踐。

1917 年 5 月 13 日至 10 月 13 日，她跟方濟各和路濟亞多次在Cova da Iria有幸看到童貞聖母，聖母要他們祈禱和犧牲，以補償冒犯上主和聖母無玷聖心的罪惡，使罪人歸正。她為了這恩寵既快活又感謝，遂即用盡所有的能力來滿全聖母的要求。同時，她隨從聖寵的功行，脫離現世的事物，只爭取天上的珍寶，情願犧牲自己的性命，為能決定性地進入樂園。她常沈

浸在默觀天主和跟祂密談中；尋求靜默和孤獨，黑夜起來祈禱，自由聲明她愛救主……。她特別喜愛靜觀耶穌苦像，多聽救主苦難時，會淚流滿面……。切愛聖體聖事，常去本堂拜聖體，一連數小時躲在無人處，免得被人打擾。她渴望能領基督聖體，卻不得容許，只好神領。當然，她對聖母懷著一顆細膩、赤誠和孝愛的心……為光榮她，多次念玫瑰經和短誦。

她雖然年幼，卻已明瞭她是教會的肢體……，極其熱誠地為聖父教宗祈禱做犧牲；也為使罪人悔改。

還在聖母顯現期間，她已會把自己與救主苦難合一，事實上，她確實受過不少苦；懷疑的和不信的人們竟說她撒謊騙人……，甚至坐幾天監；她卻無怨無尤的忍受一切，樂意在自己身上，為基督的身體（教會），補充基督的苦難所欠缺的（哥一24）。一切恐嚇政府當局的一切陰謀和審問……，她都以可驚的堅強和忍耐反抗，把一切都當犧牲奉獻。每天須應付那麼多好奇和善心的訪客，也是一大犧牲。── 所有的犧牲，她都盡量保密，不使外露。

她自己創導過許多克苦犧牲，好似永不會遏止她做犧牲的渴望：克制她的意願和性情……，捨棄自己的食物分給窮人；特別在炎夏不喝水；用粗麻繩束腰……，搜盡一切可能的情況來做補贖和犧牲。她自己明言，這一切都為愛好耶穌，為賠補冒犯聖母無玷聖心的罪過，也為使罪人回頭。

1918 年 10 月她開始害病，重而長的病苦中，她對受苦的饑渴，尤其顯著……。支氣管炎日益惡化，手術的創傷……。她自知不久人世，遂加倍做犧牲和補贖，為多救些罪人。最使她痛苦的，是應當離家獨自去住醫院，須獨自去死，沒親友送終。她於是說：

「噢！耶穌啊！現在祢可以歸化很多罪人了，這個犧牲很大！」

體力一直減退，靈魂卻因她長期慷慨、樂意和完善的修行聖德，日益美麗⋯⋯。甚至在極困難的環境中，她也保持著超凡的神學德性，以及智德、義德、勇毅、節德、謙遜、純樸、端莊⋯⋯。正合乎上智所謂：他在短期內成為完人，與圓滿高壽無異。（智四13）

1920年2月20日，她求領臨終聖事，卻只能辦告解；確實知道死期已近，切願領臨終聖體。神父雖聽到天主忠婢堅持請求，仍推諉到次日。雅新達一本慣例，也把它當犧牲為罪人獻上，當晚，遠離家人和親友，在里斯本一座醫院裡獨自嚥氣。終於，她到達了希冀的目的地：永福。

把她看作聖女的人們，立即自動地開始敬禮她。她的屍體，原先葬在歐萊姆，以後遷到法蒂瑪墓地，最後搬進在聖母顯現地建造的聖殿內。1946年，有鑑於她聖德的聲譽和因她轉禱所享的奇事，開始初步進行她和哥哥方濟各的列品程序。雷利亞主教區法庭從1952到1979正式審理一切有關證人和證物，也特別在考因布拉開庭訊問已成為聖衣會修女的路濟亞，聽取她的證言。

1988年12月16日，在列品調查員安多尼派提蒙席 [180] 主持下，召開神學家參議特會，一致贊同提議進行列品。1989年4月18日，本聖部樞機和主教們召開常務會議，由樞機主教Edouard Gagnon提出列品案，大家一致公認：小女雅新達曾實踐超凡的神學德

---

180. Mons, Antonio Petti。

性、四樞德和其他德行。

　　我將這一切事實報告聖父教宗若望保祿二世，由下面簽名的部長樞機面謁遞呈。聖父欣聞冊封聖人部的希冀，下令合格地編寫有關天主忠婢超凡聖德的法令。

　　寫完法令，當天重開會議，到場者：部長樞機、列品調查員、我（秘書主教）和經常出席人員。聖父鄭重宣佈：

　　已證明：天主忠婢雅新達馬爾道曾以超凡的等級，活出神學德性信望愛 —— 愛主愛人 —— 三德，以及四樞德智、義、節、勇，和其他德行。
　　聖父命我們公佈這法令，也把它列入聖人列品檔案。
　　羅馬，1989 年 5 月 13 日
　　部長：Angelus Card. FELICI
　　秘書：Traianus Crison　　簽署

　　方濟各的聖德法令，還沒載到我有的任何一本書上。幸好康道爾神父有一切重要文件的多種譯文。今簡譯如下：

　　冊封聖人部法令。
　　有關雷利亞法蒂瑪教區男孩天主忠僕方濟各馬爾道（1908-1919）列品。
　　疑問：他有沒有超凡的神學德性：信望愛三德，愛主愛人；及四樞德智、義、勇、節，和其他德行。
　　「你們讓小孩子們到我跟前來，不要阻止他們！因為天主的國正屬於這樣的人。」（路十八 16）
　　對上主師傅的愛和祂的偏愛、回應最好的兒童中，我們認為可特別提出天主忠僕方濟各馬爾道來。他曾使獲得的恩寵結豐富的果實，在少少幾年內，達

到跟隨基督的完滿境界。他雖年幼，卻給我們留下了承行主旨的光輝見證，鍾愛瑪利亞無玷聖心、一心要安慰被人得罪的救主、為教會急難和罪人悔改而祈禱犧牲的榜樣。

　　天主的忠僕於 1908 年 6 月 11 日生於葡國法蒂瑪堂區的阿主斯特。父名瑪奴厄爾伯多祿馬爾道，母名奧林匹亞耶穌桑道斯……。同月 20 日因聖洗聖事，他成為新約選民中的一員。

　　他生性服從忍讓，從父母受到健全的教育。在家已學會認識和愛慕天主，會祈禱、進堂參與本堂禮儀、幫助窮困的人，對人誠實、公道、服從和勤勞。經常去跟本堂神父和舅母瑪利亞羅撒桑道斯學習要理。能跟人和平相處，不拘對大人或小孩都能忍讓擔待。對大自然的美麗非常敏感……，又愛山野的僻靜，愛欣賞日出日落的美景……把太陽叫作救主的明燈，企望星辰的出現，把它們叫作天使的蠟燭；很天真地說：等他升天以後，要親自給聖母的燈添油 [181]。

　　他未能受學校教育……，卻很會認識天主，也知道一同擴展天國於人心的方法。

　　才六歲時，剛剛會做點家計，就接過看羊的差事：每天把羊趕去牧場。通常在清早出發，拿一袋食糧和小笛子，傍晚回家。小妹雅新達經常陪他去和表姐路濟亞耶穌桑道斯會合……。孩子們說，曾在1916年三次見天使顯現。這種意外的事跡，為天主忠僕開始一個極其強烈、有決定性又包羅生命中一切的超性經歷。他立即變得更熱心更沈默，時常誦念天使所教

---

181. 月亮被他們叫作聖母的燈，月亮不亮時，是缺了油。

的經文，為救那些不信、不欽崇、不望和不愛的人們，樂意做犧牲。在這些顯現以後，他好似得了隱修的聖召。他躲在石塊或樹木後面獨自祈禱、默想，如此專誠，叫他，他也聽不見。同時，他覺得強烈和持續的願望：要領聖體，直到臨死的時候，人們才滿全他這心願。

天主的恩寵還不止於此，反而來得更大。 1917年5月13到10月13日，他跟雅新達和路濟亞，在叫作Cova da Iria的地方，有幸目睹聖母。從此，他為愛天主和愛人靈的烈火所催，還願祈禱犧牲，來滿全聖母的要求。上天對他的惠顧既然非常豐富，他回應天主恩寵所用的慷慨、熱誠和堅持也非常明顯。他不僅銜有傳播祈禱和犧牲的使命，自身也用盡孩童的一切能力來完成它；寧可少用言語，多用行動……。

他常說：「天主多麼美呀！天主多麼美！然而也很憂苦，被罪惡害得很苦」。他保持這種信念一直到死。在顯現時期中，他安詳堅強地忍受一切不信、侮辱、迫害、甚至還有幾天的監禁。地方政府用盡各種方法要他們吐露聖母告知的秘密，他自己不但敬重地堅決抗拒，還為小妹及表姐充勇。在以死威嚇前，他答說：「如果他們殺我們，沒關係啊，我們直升天堂。」……。他一直簡樸、謙遜、忍耐、願為人代禱。克制自身的慾望和性情，不顧疲勞；捨棄自己的食糧，把它送給窮人；特別在炎夏，好多天不喝水；四旬期跟大人一同守大齋；腰裡束條粗麻繩；不再遊玩，用大半的時間來做祈禱。他不放過任何與救主一同受苦的機會，如此和祂一同救人靈魂，促使世界和平、教會擴展傳揚。

他為完成使命所用的另一武器，就是祈禱。在顯

現以前，他已祈禱；以後，被一個更活潑、更成熟的信心所促使，覺得他的聖召和使命，就是按照聖母的意願，熱誠恆心祈禱。他尋求靜默和孤單，為能獨自默觀天主和祂密談……。他特別愛敬禮聖體聖事，常用很長的時間在堂裡朝拜聖體，陪伴「隱藏著的耶穌」。為滿全聖母的要求，他每天念十五端或更多玫瑰經，還另加念其他經文和短誦……。他祈禱，是為安慰天主，為恭敬天主聖母，為救助煉獄靈魂，為支持負有重任的聖父教宗，為世界的急難，為聖教會，也為靈魂的得救……。

他一心只想中悅天主……，避免各種罪過，從七歲起，常虔誠地領和好聖事。經聖母教導以後，他在聖德的道路上不停地前進，很快就達到基督完善的高超和恆久的地步。事實上，他信德活潑，愛德溫柔豐富，望德歡騰。他又實行智、義、勇、節諸德，在困難的環境中也能忍耐……。他不懸念世物，連自身的健康和性命也不關顧。一天天地只渴望進入天鄉。

實際上，他不須等多久。他的身體原來很強壯，也很健康，卻在 1918 年 10 月被所謂的西班牙病擊敗，害了嚴重肺炎，時好時壞，病卻從不離身；於1919 年 3 月病情加重。他忍著病苦和疼痛，以做犧牲，心內還快樂。路濟亞問他很痛苦嗎，他答說：「夠受的！然而沒關係啦！我為安慰我們的上主受苦，不久後，就要升天了。」雖然害重病，他仍多念玫瑰經，也請求別人跟他一同念。4 月 2 日領和好聖事，次日終於領了基督聖體，當作臨終聖事。他向圍在床邊的親人許下：在天上多為他們祈禱。平靜地進入他渴望的永生。那天是 1919 年 4 月 4 日。先被埋在法蒂瑪本堂墓地，1952 年，他的遺骸遷葬到正在聖母

顯現地建造中的大殿內。

　　他在生前已享有的聖德聲譽，在他死後更見鞏固與發揚。許多求天主忠僕代禱的信友聲明：他們已得到俯允……。故此，於1946年，開始為列品做初步調查；雷利亞主教區法庭於1952年開庭審判有關證人和證物；1979年結束，在考因布拉也開庭訊問、搜集路濟亞的證言。

　　寫完「德行論點」，遂於1988年12月16日召開神學家參議特會，由列品調查員安多尼派提蒙席主持，大家一致肯定。1989年4月18日，本聖部樞機和主教們召開常務會議，由最可敬的Edouard Gagnon提出列品案，公認：小男方濟各馬爾道曾實踐超凡的神學德性、四樞德和其他德行。

　　我將這一切報告給聖父教宗……。聖父……下令……編寫法令。

寫完法令，當天重開會議……。聖父鄭重宣佈：

　　天主的忠僕方濟各馬爾道曾以超凡的等級，活出神學德性……，四樞德和其他德行。

　　聖父命我們公佈這法令…。

　　羅馬，1989年5月13日

　　部長：Angelus Card, FELICI

　　秘書：Traianus Crison　　簽署[182]。

---

182. 作者不憚其煩，將此二法令節譯，一是因為別處不易看到，二來因為它們是聖部官方文件，又是兩位小見證傳記的縮寫。

　　忠僕進了一步，成為可敬的，加上一個聖跡，就可列
入真福品。列品申請人和主教區法庭終於找到一個誰都能
相信的奇蹟似痊癒，備案送呈羅馬冊封聖人部。聖部的反
應如何？讓冊封聖人部自己去講吧 [183] 。

　　　　冊封聖人部
　　　　雷利亞法蒂瑪教區的可敬天主忠僕列真福品和聖
　　品案
　　　　男童方濟各馬爾道（1908-1919）和
　　　　女孩雅新達馬爾道（1910-1920）
　　　　奇蹟法令。
　　　　可敬的天主忠僕……，在真正信教的家庭裡，已
　　學會認識和讚揚天主和聖母。
　　　　1917 年……，和表姐路濟亞桑道斯，有幸在
　　Cova da Iria多次目睹天主聖母。從那時起，天主的忠
　　僕們只願承行天主聖意，以祈禱和犧牲來救人靈，促
　　進世界和平，他們在短期內，達成基督完善……。
　　　　他們的列品案，始於1952年。1989年5月13日，
　　教宗若望保祿二世，宣佈他們二人已實踐神學德
　　性……，四樞德……和其他德行。
　　　　為使他們列真福品，申請人向冊封聖人部呈交一椿
　　推定的奇蹟治療，歸諉於他們的轉禱；請聖部審查。
　　　　事關 Maria Emilia Santos，葡萄牙人。1946 年，
　　她十六歲時，開始患關節炎，行走困難。兩年後，雙
　　腿疼痛加劇，不復能行動。疑為中樞神經結核性發
　　炎，動脊椎骨手術，結果無效；她因劇痛仍不能行

---

183. 節譯時，略去更多已知的部分。

走。在考因布拉大學醫院動第二次手術後，病情更見惡化，竟至四肢完全癱瘓。她躺在一張硬板床上，只有頭部和雙手還能稍微動作。1978年因發高燒，住進雷利亞醫院，留院六年，連個正確的診斷也沒得到。有鑑於醫藥和科學的無能，已經二十二年臥床不起的病人，全心依恃天主的忠僕雅新達和方濟各馬爾道的轉求，切祈主佑。1987年3月25日 [184]，出乎意料之外，病人忽然覺得腳部溫暖，能夠自己坐起來——她已很久很久沒能如此做過。1989年2月20日，能夠起床，自己走幾步也不覺得疼痛；以後就行動自如。

對此推定的奇蹟治療，雷利亞主教府於1997年正式開始教區審查，它的合法性已被本聖部1997年11月21日的法令承認。醫生參議會在1999年2月28日的會議中，一致認為這痊癒是迅速的、完整的、持久的，是用科學方法不能解釋的。同年5月7日召開神學家參議特會；繼之於6月22日召開本部樞機和主教常會，由安德肋瑪利亞德斯苦樞機提案。兩個會議中……，討論的是同一個問題：那是不是天主的奇蹟。答案是肯定的。

終於，下面簽署的部長樞機將這一切事實詳盡的報告給聖父教宗若望保祿二世。聖父接受冊封聖人部的投票結果，明令本部將此奇蹟法令公佈於世。

部長當天又召集所有的……會員，聖父當面向他們宣佈，事關天主顯的奇蹟，是由於天主的忠僕們……的轉求，霍然的、完全的、持久的痊癒。病人名Maria Emilia Santos，害的病可能是橫走神經癱瘓，重病二十二年，不治而癒。

---

184. 3月25日是聖母領報瞻禮！

　　聖父也命我們公佈這法令，並將它列入聖人列品
檔案。

　　羅馬，主曆 1999 年 6 月 28 日

　　= Josē Saraiva Martins 部長

　　= Edoardo Nowak 秘書

　　現在真的一切具備，只欠東風。

　　2000 年 1 月初，東風把好消息由梵蒂岡吹到西歐邊
緣。教宗若望保祿二世將於 2000 千禧年 5 月 13 日，法蒂瑪
聖母初次顯現 73 周年慶辰，在法蒂瑪為法蒂瑪二位小見證
舉行列真福品典禮。

　　他第一次來法蒂瑪朝聖謝恩，是在 1982 年 5 月 13 日。
九年以後的 5 月 13 日，他在伯多祿廣場遇刺的十周年，教
宗第二次來謝法蒂瑪聖母，將那顆由他胸部落到吉普車裡
的子彈獻給聖地[185]。再過九年，他又來了，仍是在 5 月 13
日。教宗對法蒂瑪聖母的敬愛，不言而喻！老人家本可以
在羅馬給他們列品的。有哪位教宗曾於二十年內三次去國
外同一個地方朝聖的？只有這位向聖母全燔奉獻的 TOTUS
TUUS（全屬於妳）教宗！

　　聖父的孩子們不願給他掃興：2000 年 5 月 13 日陪祭的
有七位樞機，幾十位主教，和一千二百多位神父，與祭的
教友一百多萬，── 雖有前一天的強風大雨。哪一位聖人
列品，曾有過像兩小牧童列真福品一般的隆重？法蒂瑪
啊！法蒂瑪！

---

185. 1989 年 4 月 26 日，銀匠把那顆子彈鑲在聖母王冠中間圓球下面。

筆者有幸參與盛典，持照與教宗共祭……，每次去聖母朝聖地，愚村魯都得到特別禮遇。多謝聖母！

5月12日上午公拜苦路[186]，準備心靈，卻遇傾盆大雨，把路中間磨光的大理石膝行道洗得異常滑潤；在一旁走瓦林鳥和戛擺叟的上坡路時，雨水流過腳面，進到鞋裡。好不容易走到最後一站——聖斯德望小堂，管堂人已下班回家。我們自己料理一切，彌撒中間管堂人回來輔祭，下山時，雨過天晴。

回聖衣會辦的旅館時，沿路有許多貨車銷售新厚紙箱和蠟燭。紙箱折疊起來，可隨身攜帶；撐開來，是個長方的坐位；平鋪在地上，就可隨處露宿，也有這種「聰明人」，乘機做好生意。不消說，蠟燭是為當晚燭火遊行時用的。

燭光遊行！數十萬支點燃的蠟燭，透過各種顏色的紙罩搖晃在微風中，形成一片彩色的光海，忽明忽暗；上面漂浮著動聽的歌聲和經聲，響徹晴空……。有誰聽過一百萬人由心底喊出的悠揚聖歌迴響在一個天然大圓劇場裡？伴奏的不僅是大殿門前的琴聲，還有燭光旋律性的波動！一百萬信眾的喉舌重覆著歌頌：Ave, ave, ave Maria！每人唱十三次，一百萬人唱一千三百萬次，聖母聽了，能不無動於衷嗎？

守夜跪聖體的人少了一些；夜裡實在太涼，我穿神父的黑長衫，還需加上大衣；遠路來的朝聖客不僅倦極了，

---

186. 參閱本書 221 頁註 137。

昨天還淋過雨，理應休息。

5月13日，非常晴朗，藍天上偶或飄過一朵白雲。在列品典禮前一個半小時，我動身去聖地更衣所。大道上雖已擠滿車輛和行人，還能勉強通過。聖地裡卻擁塞得水洩不通。我高舉共祭的執照，搖來搖去，想引起一位警員的注意，果真有一位年輕的女警衝過來，拉住我的衣袖在前面開路，直送我到更衣所門口。── 多謝聖母和她的兩個小寶寶助佑。他們的聖髑盒[187]，被我緊握在另一隻手裡。我不離他們，他們也不離棄我！

教宗蒞臨時，鐘聲齊鳴；百萬人奮力鼓掌，同聲高呼爸爸萬歲！爸爸萬歲！老人家笑逐顏開，不停地揮手降福。他也不會每天受百萬信友熱誠地歡迎接待，況且又是葡國人。還有比小雅新達更愛他的人嗎？他來也是爲以愛還愛。

教宗先進顯現小聖堂，在聖母態像前俯首默禱。然後起來，走到態像前，把他當選第一位波蘭籍教宗時，華沙的閔則斯克樞機送他的戒指獻給聖母，以後，在群眾的歡呼中走上大殿前的祭台間，先接見路濟亞老修女，才更衣開始彌撒聖祭。

觀禮的貴賓中有葡國總統和政府官員，軍事代表和外交國，各騎士會和二位小牧童的近親，路濟亞老修女[188]和奇蹟受惠人 Maria Emilia Santos。

---

187. 請參閱本書第7頁註8。
188. 當時她已九十三歲，卻還健壯，神志清醒，能夠寫作。

雷利亞法蒂瑪教區主教 D. Serafim de Sousa Ferreira e Silva，偕同正副列品申請人走到教宗座前，求他把天主的忠僕們方濟各和雅新達馬爾道列入眞福品：

「聖父！我以雷利亞法蒂瑪教區主教的身分，謙恭地求您：把可敬的天主忠僕們方濟各和雅新達馬爾道列入眞福的行列。」

然後，他幾乎全用列品法令中的言詞，簡述二位小忠僕的生平和神修，故意提出雅新達特別喜愛聖父教宗。

大家起立，恭聆教宗的宣佈：

> 我們按照 Serafim 兄弟 —— 雷利亞法蒂瑪教區主教 —— 和其他許多主教兄弟們以及衆信友所表示的意願，今天齊聚一堂，聽過冊封聖人部的判定以後，以吾人的宗座權力，容許從今天起，可敬的天主忠僕們方濟各和雅新達馬爾道，可被稱作眞福；並可按照教會法典規定，在固定地區，每年2月20日過他們的瞻禮。因父及子及聖神之名。

大衆答以阿們！阿們！阿們！一聲高過一聲，直上青天。

同時，大殿正面聖母無玷聖心像兩旁的教宗和葡國國旗，一同降下，露出原先被它們遮著的二位小眞福的大照片[189]。鐘聲、琴聲齊鳴，一百萬人熱烈鼓掌，歷久不衰。

教區主教答謝教宗說：

---

189. 聖母無玷聖心像高 4.7 公尺。二位小眞福照像應有 7 公尺高。高大！

　　聖父！我由衷感謝您！把可敬的天主忠僕們方濟各和雅新達馬爾道宣佈為真福！

　說罷，遂即與列品正副申請人趨前向教宗請安，行擁抱親吻禮。

　教宗開始講道：

　　「父啊！天地的主宰！我稱謝祢，因為祢將這些事瞞住了智慧和明達的人，而啓示給小孩子。」（瑪十一 25）

　　親愛的兄弟姊妹！耶穌用這些話稱謝天父的旨意，並即表示贊同：「是的，父啊！祢原來喜歡這樣。」（瑪十一 26）祢喜歡給小孩子們開啓天國（智慧）。

　　按照上天的旨意，在此地小孩子面前，出現了一位「身穿太陽的」貴婦。她跟他們交談不僅用口語，也用媽媽的心聲，要他們將自身為贖罪獻作犧牲……。他們見她手中射出一道强光，穿透他們的心靈，使他們沈浸在天主内，看清自己……。

　　最使真福方濟各驚奇，也給他印象最深的是那洞穿他們三個心靈的無限光輝。可是只跟他一人，天主顯示出如此悲傷……。一天夜裡，父親聽他抽噎，問他哭什麼，他說：「我在想耶穌。罪惡使祂如此憂苦！」他唯一的願望－按孩子們的想法和說法－是要安慰耶穌，使祂快樂。

　　他的生活，應已說是澈底的改變；一個不是普通孩童能有的改變。他專務神修生活，經常熱切祈禱，達到與救主神秘結合的程度。正是這一點，促使他心靈日漸潔化，捨棄他以前所喜愛的一切兒童玩意。

　　方濟各忍受可怕的病痛，無怨無尤，安然病逝。

他爲安慰耶穌，不計任何代價，帶著微笑死去……。

「隨後，天上又出現了另一個異兆：一條火紅的天龍。」（默十二3）我們在彌撒第一個讀經中剛聽過的這些話，讓我們想到善惡的大衝突，看著人類將天主置之度外，尋不到幸福，反而自取毀滅！

二十世紀裡有多少，多大的犧牲啊！想想兩次可怕的世界大戰，地球上各處的一切戰亂，集中營和毀滅爐，古拉格和清除異族，一切教難和迫害，恐怖份子、毒品、暗殺、墮胎和破壞家庭！

法蒂瑪的訊息要我們悔改，呼求人類免受紅龍的戲弄。「牠的尾巴將天上的星辰勾下了三分之一，投在地上。」（默十二4）人的終向是天堂－他眞正的家；天父以慈愛的心懷等待所有的人。

天主不願任何人喪失。兩千年前打發祂的聖子降來世間，「爲尋找及拯救迷失了的人。」（路十九10）……至聖童貞，由於慈母般的憂心，降臨這法蒂瑪，要人不再得罪上主，我們的天主！祂已被得罪得太多！……爲此，她要求小牧童們：「祈禱！多祈禱！爲罪人做犧牲！這麼多人下地獄，只因爲沒人爲他們祈禱和做犧牲。」

小雅新達看到也分擔了聖母的這種疾苦，英勇地把自己爲罪人獻做犧牲。有一天……她因病臥床不起，聖母來家看她……，問她還願意歸化更多罪人嗎？她答說：是的。等方濟各即將永訣時，她說：「替我多多問候救主和聖母！給祂們說：不拘來多少痛苦，我都願爲歸化罪人而忍受。」雅新達在7月顯現時看到地獄，受到極凶的打擊，使她把一切犧牲和補贖都看做小事：只要能救罪人。雅新達很可以跟聖保祿宗徒一起高呼：「如今我在爲你們受苦，反覺高

興，因為這樣我可在我的肉身上，為基督的身體—教會，補充基督的苦難所欠缺的。」（哥一14）……今天，在法蒂瑪，我願再次讚揚上主對我的愛顧，祂在1981年5月13日的打擊中救我一命。我也特別表示對真福雅新達的感戴：她預見聖父教宗受很多苦，特為此做犧牲和祈禱。

「父啊！我稱謝祢，因為祢將這些事啟示給小孩子。」耶穌的稱謝，使今天兩位小牧童方濟各和雅新達的列真福品典禮更形隆重。教會願用此禮儀，將這兩個火炬安放在燈檯上，照亮黑暗中動亂不安的人類……。願方濟各和雅新達是個友善的亮光，普照葡萄牙全國，也特別光照這可愛雷利亞法蒂瑪教區！

我感謝 Serafèm 兄弟——這座特別富麗的聖堂的主教……也很高興問候葡國全體主教和各宗教團體，我衷心愛他們，也奉勸他們追隨他們的聖人芳表。向在場的樞機和主教們，我也敬致兄弟的問候，特別向說葡文國家中教區和堂區的牧者：願童貞聖母使他們與英格蘭系民族修好！……。

我特別向總理和政府要員致候，……對一切有助於我這次朝聖的人們，我很感激。我熱誠擁抱和特別降福法蒂瑪本堂和市鎮，他們欣見其子女今天登上祭台的光榮。

我最後的話是給小孩子們的：可愛的男孩和女孩！我看到你們中有很多穿戴得像方濟各和雅新達一樣。這很適合你們！壞的是，今晚或明天，你們就脫掉這些衣服……，再也沒有小牧童們了！你們不以為他們不應當失蹤？聖母需要你們全體來安慰耶穌……，需要你們為罪人祈禱和犧牲！

請求你們的父母和師長，把你們送進「聖母的學

校」，好能學會像小牧童們一樣，去做聖母要求的一切。我擔保：「誰能置身於聖母權下，只依靠她，在短期內所做的進步，遠超過自持自特的人多年的進展。」[190]小牧童們是如此迅速成聖的……。雅新達在里斯本曾說：「那一切都是聖母教的。」放心地讓聖母教導你們吧！她是個那麼好的教師！雅新達和方濟各都在短期內達到完德的境地。

「父啊！我稱謝祢，因為祢把這些事瞞住了智慧和明達的人，而啟示給小孩子。」（瑪十一 25）

父啊！我稱謝祢，為一切孩童，起自童貞瑪利亞 ── 祢謙下的婢女，直到小牧童方濟各和雅新達。

願他們生活的芳表永久活在人間，照亮他們的前途！

在祭台間由教宗手裡領聖體的，不僅有路濟亞，還有 Maria Emilia Santos。她的痊癒好似只為促成列真福品典禮[191]。

彌撒結束前，教廷國務卿 Sodano 樞機以葡語向眾宣佈：

在他決意要主持這盛會時，聖父教宗囑我向你們宣佈：他來法蒂瑪的用意，是為二位小牧童列真福品。他也願將此行再作為謝恩的表示：感謝聖母在他任內多年的庇護。其中的一個助佑，顯然與所謂「法蒂瑪第三秘密」有關。

---

190. 已引用過：拙譯聖宗福著「真誠敬愛聖母」第 155 節。

191. 她的痊癒是持久性的，沒再犯病；卻於列品典禮後，很快就發覺害了白血病，於當年 11 月病逝。

秘密的文句，只可看作像聖經裡先知預言，不像電影一樣，對未來要發生的加以細微的描述……；它們只有象徵的意義。

法蒂瑪的預視，首先意味無神系統對抗教會及信友，描繪二十世紀的教宗們領導著走漫長的苦路。

按照小牧童們的解釋 —— 路濟亞修女在最近也同樣解釋，為眾信友祈禱的「穿白衣服的主教」，就是教宗。

他很困苦地在致命者屍體中間走過，奔向十字架時，自己也被槍彈擊中，倒地要死似的。

在1981年5月13日遇刺以後，聖父很清楚地說：有一隻母親的手引導子彈的路線，讓垂危的教宗留在死亡的門檻前面。當時的雷利亞法蒂瑪教區主教路經羅馬時，教宗決意要把那顆子彈交給他，保存在法蒂瑪聖所裡。主教卻提議，把它鑲在聖母像的王冠裡[192]……。

教宗頒賜宗座祝福，結束空前的列真福品大典。

他還能在九年後再去法蒂瑪，給二位小真福列聖品？—— 或者更早一些？一切都為光榮天主和聖母！

「天主不但召叫了祂所預揀的人，而且也使祂所召叫的人成義，並使成義的人，分享祂的光榮。」（羅八30）

---

192. 第三秘密的原文，於2000年6月26日，由梵蒂岡官方連同Razinger樞機的說明公諸與世。

九十四歲的路濟亞修女
（作者攝於 2001 年 6 月 14 日）

列品申請人：康道爾神父
（作者攝於 2001 年 6 月 14 日）

九、後語

看到這裡，讀者一定覺察：這書不是一氣呵成的。

八十歲的老村魯，幾經小鬼折磨，眼力不濟，體力不足，手勁也不夠；每天勉強寫幾個字。如此勞苦經年累月，盡了心，費了力，才能完成這本傳記……。只因為他們兄妹二人是我特愛的小哥哥和小姐姐；他們只比我大十多歲。

書、畫、照像、錄影帶……等，都是我自己去買的；自己研讀思考，自己起草謄清，自己……，要謝謝自己？

不！先謝全能天主的支持，和聖母大能的助佑！沒有祂們，我這老朽真是一無所能；或竟已被小鬼害死！

再謝我忠實的管家：她長期的忍耐，給了我寫作的機會。我一直深居簡出，甚至很少下樓跟她談話或一同看電視，她卻不怨不尤，只擔心我的健康和視力。

狄總主教能耐心等待，還慰勉有加，更肯為此書作序和准印付梓，能不言謝？

還應多謝主教公署秘書項台英女士在公務繁忙之際為此書的諸多付出。

一方面，可以說我寫得太長、太拉雜；另一方面，還有很多可補充的餘地。最最費力耗時的註腳，或可拋磚引玉？讀者諸君中，如果有人願意修改或加添，或者要為兒童將書縮短，逕可與當事人會商，愚村魯已無能為力；讀

者也不知他的姓名和地址。

至今所做的，只為光榮天主，敬愛聖母和她的兩個小寶寶。將來，雖不敢奢望能在餘生參加他們列聖品大典，卻仍日夜帶著他們的聖髑，祈望在那小樹上顯現的法蒂瑪聖母，早日讓整個教會尊他們為聖人。

路濟亞修女的呼聲縈繞在耳邊，二位小牧童列真福品大典的盛況仍在目前，要叫他們小聖哥哥、小聖姐姐的切望瀰滿心田……。聖母媽媽趕快再派個Maria Emilia Sanfos來，讓小真福的代禱顯個靈跡，讓他們早列聖品！

願天主永受光榮！

願聖母無玷聖心永受敬愛！

願二小精修真福早列聖品！

待示村魯於 2003 年主顯節脫稿

P.S. 真願意給讀者留個地址。

求恩、謝恩、或報告靈蹟的函件，請用英文、德文、西班牙文、意文或葡文書寫，逕寄：

Rev. P. Luis Kondor SVD
Apartardo 6
Rua de S. Pedro, 9
2496 FATIMA
Portugal
Tel. 249 532214

十、附錄

附錄一：奇蹟

聖母的大能，顯這樣一個自然而且反自然的空前大「太陽奇蹟」，來確證她三位小牧童所見所言為真，也為強調她法蒂瑪訊息的重要性和普遍性。她由慈母的心懷降來塵世，要改善、要拯救的不僅是法蒂瑪和小葡萄牙，而是整個世界。她特別提出向各國傳播無神謬論的共產主義，及其禍首俄國，要求教宗偕同所有主教將俄國奉獻給她的無玷聖心。這些話竟說在當年的共黨10月革命以前，絕不會是三個無知的鄉下孩子憑空捏造的。

聖母也指定為此應用的武器：祈禱和犧牲，尤其每天念玫瑰經。

太陽奇蹟不是聖母所顯的第一個奇蹟，也不是最後的一個。在幾次顯現中，她曾答應，在一年內要治好某些病人，每次都加個條件：悔過自新 —— 意外的悔改也是奇蹟，雖非自然界的奇蹟。

它們雖然沒有被教會正式認為聖跡，在人眼中卻都是奇蹟，是人力和自然做不到的。

作者曾在209頁註130中許下「寫幾個別的奇蹟」。

早在1917年，已有許多病人央求小見證們代向聖母陳情，求她治癒，這一切都在私下進行，沒有記錄，待朝聖

地開始給病人行祝福禮後，附設醫院才正式登記收容重病人，不得登記和收容的和不克來朝聖的，當然更多；因爲病床數目有限，大殿中保留給病人的地面也不能再加大。

1926年登記的病人已有965位，兩年後，增至1639位！

有醫院記錄的非自然痊癒已經不少。「法蒂瑪之聲」在起初的二十七年中，登載過八百多件不治而癒的奇事。

1. 爲母后鳴禮炮

早在 1919 年 10 月 13 日大朝聖後，一般朝聖客多已散去，找僻靜的地方休息用餐。新建的小聖堂周圍還只剩六七百人念玫瑰經。突然轟隆一聲巨響劃破寧靜，眾人大驚失色，疑爲無信者在炸聖地。接著又是二十聲響炮，否爾彌高蒙席適逢其會，拿出鉛筆和記事簿前去探問肇事人的姓名和地址，卻聽對方直截了當地說：「我沒有放煙火的許可。如果您要拘捕我，請便。我如此做，是來還願的。」

還願？他在波爾多城附近有一個煙火場，生意不錯。6月中，他感染腸胃病，病情日益加重，群醫束手無策，不給任何痊癒的希望。他最後的希望是好聖母，向她許願：如蒙治癒，將攜全家老少赴法蒂瑪朝聖，向母后鳴禮炮二十一響。他眞不忍拋下無靠的孤兒寡女。

許願後，病況立即好轉，不久即完全康復。遂即於10月13日全家一同到聖母顯現地謝恩祈禱。禮炮是特別爲此製造的：既大又響。── 好一個特殊的敬禮方式！

2. 眞是奇蹟

　　Cecilia A. G. Prester[193] 二十二歲患肺結核和腹膜炎，腹部又積水，重病三年，醫生們和家人已經絕望，備好了棺木，勸她領臨終聖事。她照做了，卻不拘如何，一定要人把她送去法蒂瑪朝聖，主治醫生說：「我當醫生絕對反抗這種旅行，當個公教徒，我不能禁止她信賴聖母；然而仍不建議她去。」

　　病人主意不變，遂於1923年7月13日被人極其細心地送到 Cova da Iria，爲她、爲陪伴她的人們眞是個好長的苦路；他們都擔心她會隨時病逝。在朝聖地醫院裡，她並不覺得好一些，反而在聖體降福時再次發作。

　　數小時後，登上歸程，中途略作停留。病人突然覺得饑餓難忍，要東西吃。他們剩餘的食品，都被她拿來吃個不停。人們怕她一次吃得太多，要她停止。她突然說起話來，不停地講；又說又笑，還會唱歌……哪還是病人！

　　回到家裡，她本人跑去葯房還賬，店主一見，大聲喊道：「眞是奇蹟！」因爲他相信她已經死了。

　　「你還相信奇蹟？」

　　「既然我親眼見到眞的奇蹟，怎麼能不相信？」

---

193. 個案中只用一兩次的人名地名，恕不翻譯。

3. 醫生痊癒

Acacio de Silva Ribeiro 醫師曾很詳盡地，在《法蒂瑪之聲》登載過：他因嚴重車禍受創獲救，以及康復的歷程。今簡譯如下：

「我絕對堅信，我獲救免於一死，全出於至聖童貞法蒂瑪聖母的干預。我遭遇極重的車禍，斷了腿，摔碎了鎖骨，手臂又骨折，還有多處破裂；其中一個，因為地處特別重要又失血太多，尤其危險……。

時值 1926 年 3 月 9 日晚上六點半，在大街上，Canas de Senhorim 火車站附近，我騎摩托車，以很高的速度奔駛回家。要躲閃一輛汽車時，忽聽一聲巨響，覺得我被拋到空中。

車禍的原因是輪胎脫離、內胎爆炸。只靠奇蹟，我才可以保全性命……。情勢非常可怕……，因為傷勢太重，失血太多，我是醫生，知道還能活幾分鐘。

我想到太太和孩子們，只離我三、四百公尺，在家等我。遂呼求法蒂瑪玫瑰經之后，等待死亡。口裡說著：『這是天主聖意。』

驚懼中又過了幾分鐘，發現我還沒失掉知覺，遂興起希望，願意繼續生存，得見可愛的親人。我向法蒂瑪聖母許願，向她懇求救助。

巧的是車禍後幾分鐘，有人已通知了我太太，她在跑

來搶救以前，先在街頭跪地、舉手向天、仰望法蒂瑪聖母，求她恩賜還能見我活著，她也許了個願。

我估計傷勢：右腿兩處骨折……折斷的脛骨尖端洞穿肌肉、皮膚、褲腿和騎車保護裝，露在外面。失血太多，只這一項，即應致我於死命。右手腫脹，稍微一動即疼痛難當，肩膀和手臂也痛得不堪忍受。這一切都暗示多處骨折。右腿大量出血，我以爲已經沒救了。

幾位婦女，哭喊著向我走近來。我求她們要照我的話去做一切。她們中有一位提著一桶水，我用左手洗了右眼，因爲我覺得該處仍在流血，卻發現右眼沒有受傷。我的頭頂上約有八公分的皮破裂口，露出了頭骨。爲止血，我讓她們用塊手帕臨時包紮。求她們撕塊襯裙把斷腿給綁起來止血，同時我用手按緊大腿上的動脈。

終於，我太太也來了。同來的還有幾位親朋，我被運回家去，疼痛難當。兩位同事：Aurelius Gonçales和Justinus Lopes醫師負責爲我診治。車禍已過了一個多小時，才開始清洗消毒傷處，再臨時包紮。

我求太太叫本堂神父來，聽我告解，並在午夜後給我送聖體。我還清楚地記得告解中第一句話：『我不知道是否還能活半小時……。』

早上七時許，我被人用擔架抬上火車，送到考因布拉大學醫院，Bissaia Barreto醫師給我照過X光，並把我包紮妥，已經是下午一點鐘了。」

脛骨的折斷處，有一處沾上了路邊的泥土，還被臨時急救用的髒襯裙裏著，另外從頭皮傷裡取出了一些沙石。」

雖然有血中毒的危險，卻出乎意外地不像慣常反而像較輕的病例一樣；我沒發炎，體溫也沒升高。這很使我和同事驚異。

應當知道發炎的後果，無疑是燒灼和截斷大腿；尤其因爲在斷腿處已有大塊淤血……。

從科學立場公正認眞地來問：病情怎麼會如此進行，只能說是不可明瞭，也不可解釋。至少是個異常的、破例的病例。總觀這一切天定的巧合際遇，我不能不說是個奇蹟。我找不到其他任何言詞，能更正確地表示我在這些際遇以後的觀感和我要向大眾宣告的。

除了上述的理由，還有一個更大、更使人確信的理由，這個還不便公佈，因爲它太深窺我的私人生活……。

我當時已向Bissaia醫師聲明，即便必須截斷條腿，如能保住性命，已算很幸運了。現在我卻完全康復，不瘸不拐沒有任何殘廢，可以重拾正常生活，教養兒女！

願天主使我永銘於心，不忘這大奇蹟！

我忘了提到一個境遇，我住院時，從一位友好的同事手裡，曾接過一瓶法蒂瑪聖水。我喝過它，也用它溼過繃帶。

里斯本　1927 年 9 月 13 日
Acacio da Silva Ribeiro.」

這篇自白在《法蒂瑪之聲》發表後，竟促成下面的奇蹟。

4. 閃電似的痊癒

里斯本居民 Joaquim Duarte de Oliveira 臥床不起，已經八年，只想期求死亡來解脫他無望的病苦。

國內國外的名醫，他都請教過了，他所害的惡性腫瘤和其他病症卻每況愈下，竟至損及他的精神能力。他非常憂鬱，不願見人。醫生已不再診治。他自己承認信心已經冷卻，宗教活動已無蹤影。他神志卻還清醒，還能振作起來，在信仰中尋求慰藉。

守候在床邊的，只剩下他熱心的太太。她的活信德使她能作出英勇的犧牲。她把自己關在病房裡，當做那可憐的人的「母親、護士和護守天使」，日夜不離。

1927 年 10 月 13 日的前幾天，熱心的太太再次向她的法蒂瑪聖母切求，並且許願，在病人不知不覺中，她給了他幾滴法蒂瑪聖水，把一本《法蒂瑪之聲》放在病人床上，裡面正好有 Acacio Ribeiro 醫生痊癒的自述。病人多年來拒讀任何書刊，現在卻突然非常好奇，開始讀起來，並且覺得自己的信德又活了過來。他還不太清楚自己的作為，卻於 10 月 12 日求聖母把他治好，像她治好那位醫生一樣。

這一次，我和太太的請求立即獲得應允，遂即發生了閃電似的痊癒。同時，他覺得自己的肉體、倫常、精神和心靈都改變了。以後的數日內，他重拾正常的生活，獻身於他八年來荒廢的業務。

　　一個月以後，他和全家人去法蒂瑪謝恩朝聖，將他所受的恩寵，發表在《法蒂瑪之聲》上。

　　當時，Acacio Ribeiro已遷到Lourenço Marques居住，他讀了這篇報導，深受感動，遂致書給 J. D. de Oliveira 先生，開始了一連串奇蹟受惠人們中間的宗教性通信。從他第一封信裡，謹摘譯如下：

　　「讀您報導的奇蹟痊癒，不禁淚下……。您所提到的醫生，就是我……讀我的自述，竟能讓您的信德甦醒，使您投奔那無所不能的……，眞使我高興！那正合乎我當初決意將我的病例公諸於世的願望。所有不幸的人們都應知道：他們在聖母前可求得助佑……我當醫生，不知道已向多少病人談過聖母，我還要一再地談她，爲鼓舞他們，爲堅強他們的信心，爲給我自己表示，並非完全不堪與此奇蹟。」

　　另一位病癒的回信說：「病中讀到您的報導，助我重獲心靈的理智和信德之光，促成那奇蹟，使我得到聖母的恩佑……。像您說的一樣，現在該我們來證實堪受此奇惠：公開承認我們的信仰，也努力使他人的信仰復甦！爲回饋上主的善良，我們做的永遠不夠。」（1928 年 3 月 11 日）

5. 她已經死了

　　Emilia Martins Baptista，四十二歲，已經住院六年，臥床不起，也不能動。病情一直惡化，腸胃不能接受任何食品，連一點牛奶也不能容納。滿懷信賴，說要去法蒂瑪

朝聖。可是她非常窮困，出不起路費。

幾位善士爲她湊集了旅程的費用，1928年10月12日，把她從床上抬進車裡，一位服侍生和兩位護士伴她上路。

到波爾多城時，她的病況壞到極點，遂停車讓她領臨終聖事。她很虔誠地領了聖事，堅持著要人「爲了天主的愛」不要把她運回去。

路上，她還須多次這樣請求，因爲痼疾多次發作，讓人擔心她會死於中途。到恩寵聖地以後，人們把她用擔架送進醫院。她的病又嚴重地發作多次。一位醫生匆促地爲她檢查一下，說她已經死了。照護她的服務小姐 Fr. Fitilpalda 卻說：「醫生！請原諒，她還活著，早晚還能覺得她微弱的脈搏。」

給她打了幾個救生針，也不見效，沒有任何反應。聖體降福的時刻已到。她剛領了降福，就好似從沈睡中醒來，睜大眼睛，漸漸活起來，重獲全部知覺。她突然感到不可形容的健全，喊著說：「我好了！」她高舉雙手說：「讚美和稱頌法蒂瑪聖母！」她馬上起來，服務小姐怕引起群眾大騷動，把她按住，直到遊行結束，才領她去診所。

次年2月，Matos Graça醫生聲明她已痊癒，能自由行動，沒有困難。能夠吃喝，沒有胃痛，也沒有其他任何病象。這一切都是突然發生的，在醫學方面，無從解釋。

6. 形同自殺

　　波爾多城居民Emilia de Jesus Marquez de Lousada，三十二歲，從十五歲就害病。六個月來，臥床不起，也不能動。她的醫生J. H. Mendes de Cavalho用盡醫學中所有的方法給她治療，終歸無效。病情一天比一天壞。她恆常疼痛，沒有食慾，只能在醫生的扶持下，才偶或進一點點飲食。她看起來，更像死人，不像活人。

　　在這種情況中，她聽說有位同鄉在法蒂瑪得到痊癒，也立即決意要去。醫生明言禁止，以爲那簡直形同自殺。

　　雖則如此，她仍於1929年5月11日動身去恩寵聖地。人們可以想像，她的旅程眞如致命，在法蒂瑪兩夜不能安眠，只覺疼痛難當，好似不終止的生死決鬥。照護她的服務小姐說她好像已經死了。

　　中午，正當聖母靈像被抬進天幕去的時候，垂死的病人突然感到什麼「不可形容的」，人也不會解釋的：疼痛終止了，她覺得有一股新生流進癱瘓的左半身，她確實知道自己已能行走。

　　遊行結束後，他自己起來，步行到診所。

　　醫生們會同她的主治醫生Mendes de Cavalho討論她的病例時，進來兩位婦人，正是上面所謂的受惠同鄉，近數月來得蒙最大奇蹟惠顧的Marg. Ma. Taixeria Lopes和Mados Santos Nunes三位婦人擁抱祝賀，喜極而泣，在場的人都大受感動。

差不多兩年以後，於1931年3月25日，主治醫生答覆Brotēria雜誌社長Joaquim da Silva Tavares教授的詢問說：「我很樂意告知尊駕，Emilia de Jesus Marquez 1929年5月13日在法蒂瑪獲得的痊癒，確實完好持續。」

現在該說她那兩位奇蹟治癒的同鄉了。

7. 治好五百膿瘡和一個胃瘤

Margerita Maria Taixeria Lopes出身Lousada顯貴之家，十多年來，害的怪病中，生了五百多個膿瘡，醫生說她好像從頭到腳，都用凹凸不平的軟木樹皮包著。不久又發現有個胃瘤，連波爾多城最好的醫生也束手無策。1928年10月13日，她到法蒂瑪。就在領聖體降福的時候，她病癒了。11月20日，Mendes de Cavalho醫生宣佈：他昔日的病人，已沒有任何舊病的痕跡。

8. 腦瘤和眩暈症得到痊癒

上述的第三位婦人Ma. José dos Sontos Nunes，二十八歲，1914年5月，顯示肺結核初期病象。不拘如何治療，病情一直加重。1925年，又加患腸炎。1929年1月，更出現腦部有病的跡象。著名的專科醫生Egas Moniz告知家人，病況非常嚴重，他已無能為力。他清楚地向一位友好說是腦瘤；數日內，可憐的病人就要慘死。只有奇蹟才可救她。

果真在兩天後，在一個星期一上午，出現兩次危急狀

況，使她全身劇痛抽搐。第二次病發，持續四個小時，主
治醫生已灰心的向家人說：「如果這種狀態持續下去，為
了憐惜親愛的病人，應自動祈求上主，儘早以死亡給她解
脫。」

他們反而投靠法蒂瑪聖母，用靈水溼透毛巾，蓋在病
人頭上。她立即回復知覺，病況兩天沒有改變。星期四，
她許願：如果聖母賜她痊癒，她要去法蒂瑪謝恩朝聖。

事後她如此自述：「在晚上七點左右，我感到有生以
來最堅強的信心。我叫一直守護著我的姐姐，求她為光榮
法蒂瑪聖母，跟我一同念玫瑰經。在開始念以前，我喝了
一口靈水。我眞不能形容我當時的感受…我大喊一
聲……。向圍繞著我病床的親人微笑著說：『別哭了！聖
母俯允了我。我不覺得有任何疼痛，我痊癒了！剛才我叫
出來的，是快樂的呼聲。』」

她馬上跪起來，衷心感謝聖母。

9. 慈母心 —— 既盲又啞的嬰兒。

至聖童貞是最好的母親。沒有一顆心，能像她那樣明
瞭，為孩子的生死而顫抖的慈母心的憂傷。故此，她多次
俯允灰心喪志的母親們的祈求。

1928 年 10 月 13 日，在 Cova da Iria 的靈泉前，站著一
位窮苦的婦人，抱著一個又瞎又啞的女嬰。突然，孩子叫
了一聲媽媽，把掛在母親頸上的法蒂瑪聖母聖牌抓到手
裡，仔細的觀賞……有生以來第一次！

母親喜不自勝，不停地親吻她的愛女，把剛受到如此恩寵的她，緊緊地貼近心胸。在靈泉周圍的朝聖客也都異常激動，都想看看、摸摸這幸運的女孩，直到有一壯漢把她高舉起來，讓人們看；如此也免了孩子被擠死的危險。

10. 死而復生？

小男孩 Gumerzindo H. da Silva 才一歲半，就在 1928 年 3 月患上腸膜炎和支氣管炎。不論醫生如何盡心診治，病況一直惡化。兩星期後，於 3 月 27 日又患嚴重的肺炎，使醫生放棄了所有的希望。雖說如此，醫生仍終日守護在床邊，竭其所能，要從死亡手中，奪回它的戰利品。等到晚上七點以前，醫生才向孩子們的父母聲明已經盡了人力，於事無補，然後寂然離去。

事實上，孩子已經垂死，身體已冷。晚七點時，附近的聖堂響起三鐘經的沈悶鐘聲，絕望的母親以為是喪鐘，跪倒地上喊著說：「好聖母啊！憐憫我！把孩子還給我吧！」

顯然是上天的回應。就在這時候，她想起來，代母曾在一兩個小時前，給孩子送來法蒂瑪聖水；在大家的騷動中，把它忘記了。她顫抖著手，取過小瓶子來，用手指沾了一點水，擦在嬰兒已冷的雙唇上。說也奇怪，孩子睜開了眼。母親遂以熱切的信心，溼潤嬰兒的前額和面部。她感覺到生命的溫暖漸漸在她手下回復。幾分鐘後，垂死的孩子贏回了氣力，開始說話。……好似沒有發生過什麼。孩子的父母把醫生召回來後，他極其驚喜地喊著說：「在

這孩子身上起了多妙的變化啊！」

第二天，醫生又來了，終能斷定肺炎已經完全消失；醫生卻不會解釋這種「復生」。

下面加寫兩個心靈轉變的奇蹟：心靈重於肉體！

11. 壞車夫

1929 年 5 月，Cascasis 一位婦人計劃去法蒂瑪朝聖，租了一輛汽車，載她到那裡去。她派去藥房的家僕在昏暗中回來，擔憂地說：「夫人啊！明天不要去法蒂瑪！」

「爲什麼？」

「因爲您僱的車夫是個下流人。」

他當即敘述，在藥房裡曾遇到那車夫，滿城的人都認識他。他在藥房裡當眾大聲自誇，明天他要把一雙專務祈禱的婦女送去法蒂瑪。她們顯然還不認識他，否則，一定不會僱用他。到法蒂瑪以前，她們應認清他是誰。

「夫人啊！看在天主面上，更好不坐他的車去。他是個壞透的人！」

「如果他壞，更應跟他一同去。我什麼也不怕，我們去法蒂瑪敬禮聖母；她要保佑我們脫出一切危險，或許也憐憫這個人靈。」

「夫人啊！您作主吧！我仍以爲更好退出協定，另找一位車夫。」

　　婦人仍堅持她的決心。卻不願爲同行的女友們負責，遂知會她們當前的危險。她們認爲她的決定正確，也不比她更少依賴聖母的庇護。

　　她們上路了。行車的途中，車夫的態度沒什麼可指責的，只有幾個諷刺性的短評，卻也無傷大雅。

　　「這個法蒂瑪好遠啊……。那裡在今天過大瞻禮？……去朝聖很有趣吧？」

　　「先生，您錯了，去法蒂瑪不是爲追求興趣，而是爲祈禱，爲做補贖，爲領聖事，爲感謝聖母所賜的恩惠。」

　　來到法蒂瑪。無盡頭的汽車長龍，人只能跟在後面緩緩前進；這已給諷刺的人很深的印象。還有那人群……！

　　「噢！這麼多人！……他們來做什麼？」在聖地大門口停車時，他問了一聲。

　　「他們來向至聖童貞祈禱還願。您儘管跟我們來。我們先去顯現小聖堂。」

　　「我眞願意跟妳們一同去，可是這汽車呢？」

　　「我有辦法。」那婦人說罷，向附近站著的幾個人求情，讓他們給看管汽車，如此，車夫也跟她們去了。

　　帽子戴在頭上，操著無所謂的神情，眼裡卻觀察著一切。還沒走近小聖堂，他已注視到聖母靈像，曲膝下跪，眼淚直流。

　　「您有什麼事？有病嗎？」

「噢！多美妙啊！……我一直很壞！」他抽噎著說。

「這不算什麼。您還要見識燭光遊行和徹夜公拜聖體；和首要的明天的彌撒，這麼多人來領聖體。眞的，您也該領聖體了。」

「是的，我要照做。」

「那麼，今天應去告解。」

「當然了。可是我已經好多年沒有告解了。我又一直很壞。」

「沒關係啦。遲做總比不做好。爲聖母來說，什麼時候都可以。我們現在去找一位聽告解的神父。」

「您的心眞好。我去看一下汽車，就立刻回來。」

熱心的婦人們以爲那只是個遁辭。車夫卻於五分鐘內走回來了。

「我準備好了。」

他辦了告解。回來時滿面春風。第二天，領了聖體，參加了全國大朝聖的一切盛典，容貌完全變了。

回家以後，他知道朋友們都聚在葯房裡，等他開「專務祈禱的婦女們」玩笑。車夫卻向他們聲明：他來是爲收回前天的惡言穢語。沒有人能形容在法蒂瑪發生的一切，簡直算是奇蹟。他們都該到法蒂瑪去，另做新人，像他一樣，立志開始一個新生活。

法蒂瑪眞的時常有他的消息：他度著基督徒生活，星

期日總不耽誤彌撒，並勤領聖體……。

12. 共產黨員變心、變色

某君是個工人，生性不壞，幼時還受過基督教育，後來卻完全屈服在工作同志們的影響之下。他不再想盡教友責任，看到家人堅持盡職，就發怒。若有一件聖物到他手裡，他一定把它撕碎，總也不進聖堂，反而常去酒店，把整個星期掙的錢，在一個晚上全拋出去。

這不能沒有後果：家境日益窮困，這為他妻子還嫌不夠；丈夫工作後餓著回來，或從酒店喝醉了回家，她都須受他虐待。

隔壁住著一家可尊重的鄰居，跟她保持著友好關係。這家的一個女兒患了重病，醫生不再給她診治。在困苦中，他們投奔法蒂瑪聖母，獲得意外的痊癒。那工人在街上遇到她，不勝驚奇，喊著說：「您還活著？」

「您要把我送到另一世界？」

「人家告訴我，醫生已經放棄治療，您只有幾個小時可活。」

「對呀！我當時情況真是很不好，醫生們不能的，聖母做到了。後天，我要去法蒂瑪，感謝至聖童貞。」

「當然，您有要去的理由。人們說：這個法蒂瑪是個……神職界的無謂空談。不！總還有點什麼。」

少女看到她個人的病例給那個人的影響，就趁機試探

著說：

「您願意爲我做件好事嗎？」

「當然，因爲是您要我做的。」

「您好好地考慮一下，免得將來後悔！」

「我已經許下了，不會失信。」

「那麼，您應當跟我一同去法蒂瑪。」

「這眞有一點……，您要求我做點別的事吧！」

「先生，不可以。您已經許給我了，許下的就得做到。」

「好了，我既已許下，就要跟您一同去。」

他回到家裡，向太太報告了剛才發生的一切：

「妳知道嗎？後天我們去法蒂瑪。」

「別胡說。不能拿這些事開玩笑。」

「我不開玩笑。我今天許諾了鄰家小姐。現在沒有別的可說，準備上路吧！」

他們去了法蒂瑪，在恩寵聖地裡，他看到非常多的人，都跟他在共黨遊行時所見的完全不同。他見到熱切的敬禮，成千上萬人的祈禱和唱經，守夜祈禱時的沈靜……，這一切都給他很深的印象。

「眞的，這裡有點什麼。」他又重說一遍。

第二天，他的驚異更增長了。當他聽到二十多萬人熱

切地向聖母靈像歡呼時，他深受感動。他掏出手絹來要跟別人一同向天上母后揮動，卻還有點怕人笑他。他在暗中擦了含淚的眼睛。

「N先生，現在您怎麼認為這一切……？」

「真的，是有點什麼……。」

他沒去告解。我也不知道他念過經沒有。可是在回家的路上，他一再回想沈思。往後的數日內，他仍在沈思，沒有像從前一樣板著臉向太太胡鬧。

下一個星期六，他沒再習慣性地走去酒店，反而去主教座堂，要找一位神父。

「神父！我要跟您談一談。」

神父端詳了一會，向他說：「跟我到更衣所裡去，那裡談話比較方便。」

事後他向人述說：「他中我的意，他馬上明瞭我。」

他真心痛悔，辦了告解。事後他非常愉快，心上的一塊大石頭拿掉了！

半個鐘頭以後，他回到家裡，詳述他的經歷，要家人公念玫瑰經，明天跟他一起去領聖體。全家的驚喜真是沒法形容，大家都全心感謝聖母。

下一個月，他們都跟F君前去法蒂瑪，再謝聖母。把他們的幸運，講給一切要聽的人。現在，家中充斥著喜樂和幸福。每晚和星期日，父親的時間，全用來跟孩子們同

樂。在他們家的小圈圈裡，比在昔日的同志們中間，幸福萬倍。

「危險的是，共黨份子一定要設法再網羅他。」人們如此警告那兩位婦女。

「噢！我們不離棄他，我們二人中，經常有一個人會在下工時去接他回家。我們時常防範著，使他不再跟壞人來往。」

真的，F君有理，不管人怎麼說，「是有點什麼！」

紅圍巾不見了。星期日進堂時，換了條黑領帶。

13. 葡萄牙巨變 —— 法蒂瑪聖母顯現後最大的奇蹟

在本書第一章「歷史背景」裡，我們已多多少少看到可憐的小葡萄牙陷入深淵，不可自拔。在它歷史上最黑暗的時代，共產黨和自由馬松黨乘隙而入，要把聖瑪利亞之邦，變作唯物和唯理的無神「樂園」。

共產黨看中了歐洲極西的葡國，擬於此建立基地，將歐洲極東和極西中間的國家，一個接一個地顛覆征服；也願在大西洋岸弄個溫水港，窺視和陰謀彼岸。他們很順利地得到局部成功，竟能在兩大公教國 —— 法國和意大利 —— 獲得三分之一選票。如果他們在這兩國，各有一個像樣的領袖，很可以奪權執政了。而東歐各國都是它的附庸衛星國。

自由馬松黨用盡各種陰險的方法，願與共黨一同消滅天主教，說它是葡國一切災難的禍首。

　　兩黨都以為這弱小沈淪的葡國可垂手而得，狂言豪語，要在兩代的時期內，將公教完全消滅；二十五年以後沒有一個人要做神父。他們忽視了大能的貞女，連魔鬼也最怕的「小婦人」。她從窮鄉僻野裡，召選三個無知的小牧童，來完成她救國濟世的盛功偉業。她的無玷聖心終將凱旋！

　　索忍尼辛[194]，1975年在華盛頓聯合工會演講，印成單行本數百萬冊分發。大紅字標題是：「你們如果繼續睡下去，就沒救了！」

　　演講中有這樣幾句：「在羅馬、法蒂瑪和莫斯科三地的明爭暗鬥中，葡萄牙扮演著非常重要的角色⋯蘇聯如不插手於外國政治，天下太平。它偏要到處製造紛亂，顛覆政府。它最先注意到的，是歐洲最西部的葡萄牙。一旦最東和最西能在無神的共產主義中結合，中間的歐洲各國可一個接一個地輕易被薰染和征服⋯⋯更何況葡萄牙比其他國家更信公教、更守舊⋯⋯」

　　蘇聯進駐一個國家後，即不肯退出。第一個例外是第一次世界大戰後的小葡萄牙，共黨掀起一次又一次的革命，都被它母后的手平息，逼得共黨轉去伊伯利半島的另一個國家 —— 西班牙 —— 去試試它的運氣。西班牙所謂的長期內戰實在是東、西的國際性戰爭，介入的國家不比世界大戰中的少。

---

194. Alexander Solzhenitsyn，「古拉格群島」作者。

　　第二個例外，是二次世界大戰後被蘇俄佔領的奧地利，它沒有一兵一卒，只靠百萬信徒每晚的玫瑰經，嚇退了大強國的雄師。惡勢力最怕的是玫瑰經聖母，戰勝惡魔的武器正是每天的玫瑰經。

　　聖母在法蒂瑪顯現，每次都叫人念玫瑰經；最後一次要說出她是誰來：玫瑰經聖母！

　　葡萄牙教友最先聽信玫瑰經聖母，竟能在短期內驅除黑暗，重見光明。

　　聖母顯現後二十五年，法蒂瑪隆重地過銀慶。這在本書274頁已約略提到過。那時天主教非但不曾式微，反而非常興盛；不是如反教者所預告的：沒有一個人要做神父，反而聖召多不勝數；除了留在本堂區照料教友的，專程來法蒂瑪的神父，就有一千多位！主教團儘可放心大膽的說：「如果有人在二十五年前閉了眼睛，現在睜開，當不會再認出葡國來！」

　　它不只在物質方面欣欣向榮，精神和宗教方面顯然又回復為「聖瑪利亞邦土。」

　　為準備這雙重銀慶，葡國女公青特將法蒂瑪聖母靈像請去里斯本，主持她們的大會。

　　4月7日，聖母像被安放在特備的軍車上，離開法蒂瑪，由國防部特派的衛隊沿途護送。一百九十公里的路上，排著不斷的人潮，撒滿鮮花；特別講究的，細心鋪上花氈，所經的每個市鎮都請母后駐罕，接受民眾敬禮。如

此，車隊只能牛步前進，每人都想面謁母后，向她獻禮奉香，共黨人員也多數出動，不作反示威，而是真誠地去拜謁聖母。

第二天晚上，車隊才到首都近郊。要順利進里斯本？別妄想。數十萬人企望已久，不肯放過一親母后儀容的機會。靈像所到之處，大家跪倒地上，含淚向聖母哭禱，還要不停的歡呼……此情此景，只有在法蒂瑪聖母像前才有。

終於，靈像駕臨到新建的法蒂瑪聖母大殿，駐羊四晝夜，受五十多萬聖母的子女敬拜。

公青會會場，充溢著信心和對聖母的孝愛。露天大禮彌撒中，領聖體的女公青會會員就超過一萬五千人！其他與祭領主的，不計其數。

4月12日夜晚，情景尤其動人，一位在場的外籍神父竟說：「為今夜的盛景，真應立碑，永誌不忘。」五、六十萬信眾，齊集在路邊，向靈像告別。經聲歌聲猶如海鳴，歡送──噢！惋惜不捨──的呼聲響徹雲霄。

要消滅公教的壞人和惡勢力那裡去了？才只二十五年，葡萄牙已巨變了！驟變、徹底的和持久的變善，也附合奇蹟的定義。

筆者特別為附錄一選寫了十三件奇蹟。

二小真福傳裡，故意簡略了有關路濟亞的事跡。現在覺得應給她──法蒂瑪事件的主角──補寫個傳略。

附錄二：路濟亞傳略

　　路濟亞在1907年3月22日，生於法蒂瑪堂區的小村阿主斯特，父名安多尼桑道斯，母親叫瑪利亞羅撒，他們夫婦二人生有六女一男，路濟亞是小么，很受全家老少的膩愛，她卻沒有被人寵壞。

　　父親安多尼是奧林匹亞馬爾道的長兄；母親瑪利亞羅撒原是奧林匹亞的小姑，嫁給安多尼後，卻成了她的大嫂。

　　路濟亞生性溫柔，聰明強記，誠實可靠。外表卻不如表妹雅新達。她的皮膚粗而黝黑[195]，牙齒生得不整齊，把雙唇弄得走了形……，近似有一點醜。然而她不但不惹人厭，反能吸引孩子們都找她玩，聽她講故事。她也樂得幫母親照管鄰家寄託的兒童。

　　她在家已跟母親學會了許多經文和歌曲，要理問答也能背誦；竟敢在六歲時，就跑去本堂赴考，要初領聖體。考試是通過了，聖教宗庇護第十的通令還沒有普遍執行，本堂神父說她的年紀太輕，要她久等。幸好「聖克祿斯神父」那天在法蒂瑪聽告解，見小女孩哭泣，問明原由，重考她一次，發現她比其他大她幾歲的孩子們會的還多，遂向本堂神父請求，特准路濟亞六歲初領聖體。

　　她雖是最年幼的，同領的大女孩都聽她的。小路濟亞不

---

195. 人們初次以爲路濟亞很美，是在聖母顯現的時候，事後，她的內修使她一天比一天更美。

拘是在遊戲、唱歌或跳舞的時候，總是「孩子們的頭頭」。

路濟亞很早就學會在家幫忙，減輕母親和姐姐們的負擔。她七歲時，母親以爲路濟亞應可以接管牧羊的差事；父親和姐姐們說她還太小，路濟亞滿不在乎，反倒覺得像個大人似的。何況，牧場裡不只她一個，還有別的孩子們，雖然都比她大幾歲。

她第一次趕羊出去，就受到鄰村三個女孩的歡迎。她們是 Teresa Matias 和她妹妹瑪利亞羅撒，以及 Maria Justino。三人都比路濟亞大，卻讓她帶頭唱歌跳舞，也要她教些新的歌曲。

有一天午後，她們吃完中飯念玫瑰經，其中一個看到在戛擺叟山腳，有一個奇異的白東西在堂皇地行動，引起她們注視。它慢慢地行近，停在松樹上的半空，一會兒後消逝在蒼天裡。路濟亞記得它「好像一個被太陽照得透明的雪人」。

路濟亞謹口慎言，別的女孩們卻把那天所見的講了出去。如此，母親也聽到了，遂問她曾見過什麼？她說好像是一個用被單遮蓋著的人。

這形像在 1915 年又出現過兩次，都在同一個地方。

1916 年，表弟和表妹也獲准跟她一同牧羊，從那時起，路濟亞遠離了其他牧童，只跟方濟各和雅新達同來同往。也是天遣？

1916 年春末夏初，他們三人躲在戛擺叟山洞裡避雨。

雨停了以後，他們仍留在裡面用餐、念玫瑰經。之後剛開始遊玩時，有一陣烈風吹動，從東方飄來一位雪白透明的青年，向他們說：

> 不要怕！我是和平天使。跟我一齊祈禱！

他們都伏在地面，一同念：

> 我的天主！我信、我欽崇、我望、我愛祢。我求
> 祢寬恕那些不信、不欽崇、不望、不愛祢的人們！

重念三遍後，天使離去。自此，三位小牧童恆常如此祈禱，有時直到昏倒在地上。

他們初次嘗到了超性界氣氛，神魂超拔，忘卻自身。好久才能恢復正常。這太神秘了，三人都不願向他人談起。

盛夏炎熱，他們早出早歸，人家午睡時，他們最愛躲到路濟亞家的後院深處，在井邊乘涼遊戲，天使第二次出現，要他們多多祈禱，因爲耶穌和聖母聖心的意圖是把他們的祈禱和犧牲獻給至高上主，並要他們以各種方式爲贖罪做犧牲，爲使罪人悔改，也爲促進和平。「葡國的護守天使」特別要他們接受上主即將加給的痛苦，耐心忍受。

愛玩的孩子們現在應多祈禱，多做犧牲！在他們於阿主斯特山腳念天使所教的經文時，天使第三次出現。手中拿個聖爵，上面有片大祭餅，先教他們念另一段經：

> 至聖聖三，父、子和聖神！我虔心欽崇祢！我把
> 世上一切聖體龕內的耶穌基督至尊至貴的聖體寶血、

靈魂和天主性，全獻給祢，為補償他所受的虐待、凌辱和冷落。因著祂至聖聖心和聖母無玷之心的無限功勞，求祢使可憐的罪人們悔改！

然後，天使給路濟亞送聖體，讓方濟各和雅新達飲聖血。事後還加上一句：「天主被不知恩的人虐待得很可憐！你們為他們的罪行做補贖吧！安慰你們的天主！」

為罪人做補贖的意念深入三小無辜的心靈，尤其著重這一點的是小雅新達；方濟各一直要安慰天主；路濟亞呢？她不願將心思外露。

這次同領聖體，使他們三人沈浸於天主的臨在中，覺得新穎快樂，以前天使顯現後的沈重無能的感觸一掃而空。

路濟亞的家境卻給她加大壓力。姐姐們一個個出嫁，減少了家庭收入。瑪奴爾哥哥要上戰場……一大家人，只剩下四人一同進餐，使母親哭出了「最悲的晚餐」。

接著，母親也病了，還得要一個在外掙錢的小姐姐回家照料一切……小路濟亞多次跑到井邊哭泣祈禱。當然表弟表妹也同憂共苦，更何況他們自己家裡也有憂患；哥哥中有一人上前線，並且謠傳已經陣亡。

天主開始加給祂預選的人許多痛苦了，小小心靈好好忍受吧！無憂的童年早逝，孩子們早成熟。

如此準備好了以後，聖母可以來了。六次顯現的事跡，不再重述。只寫一點其中路濟亞所受的折磨和痛苦。

聖母第一次顯現後，小雅新達未能守口如瓶，害得表

姐在家遭遇不信，在外被人嘲笑。

原來牧場上的歡笑也聽不到了。他們守嚴齋不喝水，饑腸轆轆，聽到的只是經聲和超性密談，彼此鼓勵多做犧牲，慰問痛苦。只有他們三人在一齊時，還算幸福。一回到家，路濟亞便感到孤立，被人輕視和冷待。以前，人都寵她，現在呢？譏笑、謾罵、毒打、威嚇……成了家常便飯。誰叫她「撒謊」來著？還要拉她去見本堂神父，請他審問……。這還了得！

1917年6月13日，情願捨棄了本堂主保瞻禮上的音樂舞蹈、美食和軟白麵包，帶同初領聖體的女孩十四人跑去Cova da Iria等候聖母。聖母來了，再次要她們每天念玫瑰經，並要路濟亞去上學，女孩子去上學？母親怎麼會允許？尤其又是「聖母要的」？學校呢？女子小學還無蹤影。

尤其難忍的是，聖母說就要接方濟各和雅新達去天堂，留下路濟亞一人，來教人認識、愛慕聖母，制定聖母無玷聖心的敬禮。「我必須獨個兒留在這裡？」她不禁哭喊。很明顯的答覆：聖母發出兩道光，方濟各和雅新達站在向上的光裡，路濟亞一人站在向地的那條光裡。要留多久？要獨自受多少苦？

又被母親拉去本堂，神父最後一句話震憾了小路濟亞：「可能是魔鬼的欺騙！」神父的話不會錯，她開始懷疑是不是魔鬼作祟。夜裡竟作惡夢，魔鬼要拉她下地獄，嚇得她大哭大叫，不能再睡。

不拘表弟表妹如何勸她、如何向她解說不可能是魔鬼

顯現，路濟亞的疑慮逐日增長，遂決意於 7 月 13 日不去赴會。只在當天必須出門的時候，才覺到心裡有股衝動，跑去找表弟表妹，催他們趕快去窪地。

母親們怕孩子們會遭遇不幸，帶了聖蠟去準備驅魔。

聖母再次要他們每天念玫瑰經，卻加了另外兩個意向：為求世界和平，和戰爭結束。

路濟亞想到了自己的感受，求聖母顯個奇蹟，讓人們（尤其她母親和家人）相信。聖母遂許下 10 月 13 日的大奇蹟，卻又接下去說，把你們自身為罪人獻做犧牲，同時念：

> 噢！耶穌！我這樣做，是出於對祢的愛，為使罪人悔改，並為補償相反瑪利亞聖玷聖心的罪。

不僅要做犧牲，還須把自身變作犧牲！為罪人！

為堅強他們救罪人的決心，聖母竟讓孩子們看到可怕的地獄！他們嚇得仰望聖母，向她求救，聖母要用無玷聖心敬禮救許多罪人，防止更凶惡的二次世界大戰，終止上天的懲罰……並要人將俄國奉獻給聖母無玷聖心，防止赤禍蔓延，使葡國能保住信仰。

這一次，聖母要他們保持秘密。

為防止聖母預定的 8 月 13 日顯現，壞縣長先召小見證們登庭審問，去受審的先只有路濟亞一人；路上還從驢身上摔下來三次。8 月 13 日上午，縣長竟把他們三人拐去，關在家裡；得不到秘密，把孩子們解進大牢，多方審問威

嚇，竟說要把他們下油鍋……8月15日聖母升天瞻禮，才把他們送回家。如此，他們不僅被迫爽約，也誤了大瞻禮的彌撒！何苦來？

孩子們如此忠勇，寧死也不屈服、不吐露秘密。又有這麼多人相信聖母顯現，偏偏自己的母親和姐姐們不肯隨眾，還繼續冷嘲熱諷，跟路濟亞過不去。

8月裡，聖母晚來了幾天，雖說她曾準時於13號中午來過，小見證們不在，不是她的錯。

聖母卻特別憐愛，肯破格例外地於8月19日下午在瓦林鳥向他們顯現，並且還要等小雅新達來了以後才顯現。要他們繼續每天念玫瑰經，下月13號中午再去 Cova da Iria，並許下於最後一次顯現時顯個大奇蹟……。

路濟亞受「小堂瑪利亞」之託，問聖母要他們怎樣處理信友留在顯現地的錢，聖母叫他們把錢抬到本堂去，用一半慶祝玫瑰經聖母瞻禮，剩下的為建座小聖堂用。

臨走，聖母又留下一句刻骨銘心的話：

> 祈禱吧！多祈禱！多為罪人做犧牲！很多靈魂下地獄，就因為沒人為他們犧牲自己，為他們祈禱。

這一次，他們沒有愛惜小樹，竟把聖母站腳的雙叉樹枝折了下來。雅新達拿著它跑回家去，先碰到路濟亞的母親：「舅母啊！我們又見了聖母……妳看，聖母一隻腳站在這根樹枝上，另一隻腳站在那個樹枝上。」

舅母接過樹枝，說是聞到異香。從此，她和女兒們對路濟亞的態度和善了一些；以前，路濟亞嚇得連口麵包也不敢要，因為她們會說：「要吃，到 Cova da Iria 去找！」那裡種的蔬菜水果，都給人群和牲畜糟蹋了，家庭收入再減。

見證們的親人也須一同克苦犧牲！

粗麻繩是路濟亞發現的。應用不久，已有血跡。好心的救主和聖母於心不忍，聖母在 9 月 13 日顯現時說，救主不要他們束著麻繩睡覺。

反正克苦犧牲的方式還多得很。他們對此一直保密，只在路濟亞從主教命為表妹表弟寫的小傳中，才使人略知一二。其他的，路濟亞會帶到墳墓裡去。

最難忍的，仍是人們不斷地反覆訊問。答覆善心人士還比較容易，好奇者和幾位窮究的神父，實在苦了重覆千百遍的路濟亞和其表親。事後，竟有幾位神父自承：「孩子們還沒病死，真是奇蹟！」

鄉野的寧靜哪裡去了？他們只能升天以後，才能真正地安息。

9 月 13 日，聖母又說，要繼續每天念玫瑰經，「為求戰爭結束」；10 月 13 日，救主、聖家、痛苦聖母和加爾默羅聖母都要顯現；也要有大奇蹟……。

好不容易才回到家裡，它哪裡還是家；陌生人擠得水洩不通，都要看看問問跟聖母講話的女孩，三位小見證的「發言人」。一些神父仍以為可能是魔鬼作祟，這又增長了

路濟亞母親的不安。在10月12日，她竟要帶女兒去告解，準備第二天去送死。路濟亞對聖母的信賴卻沒有動搖，她確信10月13日聖母要來，並要顯個大奇蹟。

　　果如所料，一切都照聖母預許的發生，七萬多人見了太陽奇蹟，烘乾了衣服，感謝聖母回家去爲法蒂瑪事蹟做宣傳。路濟亞保住了性命，被人高高地舉起來，卻沒有保住頭巾和頭髮。訪客鬧到晚上七點還不肯離去。否爾彌高蒙席把他們趕出去後，自己訊問起小見證們來。當然，又是路濟亞首當其衝。

　　問來問去，還是一樣。聖母說要建一座小聖堂，要人每天念玫瑰經，說她是玫瑰經聖母……。最後一句話是：

　　　人們不應該再得罪上主天主，祂已經被人得罪得
太多了！

　　聖家、痛苦之母、加爾默羅聖母，代表著歡喜、痛苦和榮福玫瑰經的十五端奧蹟；聖玫瑰經之后，如此再強調玫瑰經的重要。玫瑰經 *196*！

　　路濟亞的父母和兄姊們終於也相信了聖母顯現，然而少了窪地的出產，生活拮据；她無空地放羊，少了羊奶和

---

196. 第10頁中曾提到路濟亞修女簽名贈書，253頁註154是她在講時裝，最近康道爾神父竟寄來她晚年大作的第二版！書名《法蒂瑪訊息的呼喚》，大作是中型本，用小字密密麻麻地印了304頁，附30張罕見的照片，每頁39行，每行50多個字母，她先用11頁叫人每天念玫瑰經，後用35頁來講解玫瑰經十五端奧跡……總算起來，夠一本像樣的小冊子了。玫瑰經！

奶餅。家境更形清苦，這使他們多少有些反感。

　　母親重病，群醫束手，連病因也診不出來。路濟亞到小冬青樹下拿了一把泥土，讓姐姐用它煮茶給母親喝；同時向法蒂瑪聖母許願，如蒙她將母親治癒，當與姐姐們一連九天，由大路膝行至顯現處朝聖謝恩，養活九位貧苦兒童。母親病癒後，也陪他們走著去還願。

　　女子小學開辦以後，母親恩准路濟亞去上學，雅新達當然要跟著去，這可好了，每天來回都經過聖堂門口，可以去拜聖體，跟她們「隱藏著的小耶穌」傾談；可惜，堂裡也有人等她們，要託她們向聖母轉禱。

　　方濟各因為知道就要快升天堂，乾脆放棄了學業，幾乎每天待在家裡，安慰耶穌，從早上開學到下午放學，樂此不倦。

　　路濟亞曾記述他和妹妹轉禱的奇效，卻不肯說自己為別人求得過什麼恩寵。

　　1918年10月，西班牙重感冒入侵葡國各處，法蒂瑪沒能倖免。方濟各、雅新達病倒了，她們家中只有父親沒有被傳染到，能跑裡跑外，料理一切。路濟亞家人也都病倒，只剩她一人服侍自家和姑母家的病人；有空就跑到表弟和表妹床邊談論祈禱、克苦、犧牲。

　　他們兄妹二人臥床不起，麻繩派不上用場，遂先後交給路濟亞保管，免得被母親發現。不久後，方濟各辦過告解，第一次也是最後一次領了聖體，安逝於1919年4月4

日。病中，聖母曾三次來到他們家慰問病人。

次日，表弟被葬在法蒂瑪本堂公墓，路濟亞在他墳上插了個木質十字架，每天跑去憑弔，跟他密談。

哥哥夭折，震憾了雅新達。她也自知不久人世，就要升天，卻答應聖母，願意多受痛苦，多救罪人。她的病於是多拖了十個月，住兩次醫院，不但病情未能減輕，反而越來越重，疼痛難當。

路濟亞雖然沒有生病，但憂心如焚，日益孤苦。望彌撒、領聖體是每天最大的安慰，爲己爲人！

少了方濟各，雅新達又要去遙遠的里斯本醫院受苦，獨自去死，這眞苦了孤單的路濟亞！三人原是一心一德，形影不離的，現在……。再見！天上見！

1920年2月20日夜晚十點三十分，聖母把雅新達接去了。

連小表妹的喪禮也不能參與！她的墳墓也見不到！

看到的是方濟各和別人共佔的墓地，以及路濟亞父親的墳。他只短短地病了一天，就於1919年7月31日妥領聖事而終。

緊接著，聖母又從馬爾道家接走了兩個女孩：Florinda逝世於1920年5月7日；Teresa病逝於1921年7月3日。如此，路濟亞的姑母家連喪了四幼子女，只剩下兩位老人和四個男兒。聖母的眷顧眞不可言諭！

她許下永不離開路濟亞，並將以其無玷聖心做她的庇

護。現在，除了聖母無玷聖心，可憐的小路濟亞真無處投靠了。她留在世間，為奠定聖母無玷聖心的敬禮，她也只為此生活。然而好事多磨，旅途坎坷漫長。孤手難鳴啊！永不離開她的法蒂瑪聖母，引導她步步地前進。

家裡住不得了。好多顯貴的家庭要收養她，給她私人教育，唯她的父母不肯放棄幼女。

主教出面干涉，要她離家，隱姓埋名到波爾多去上公學，正合乎路濟亞的意願；父親已故去，沒人反對，母親遂於1921年6月16日凌晨兩點動身，親自把女兒送去公學受教。一切費用，都由主教找人代付，除了偶或由人轉交的書信外，路濟亞跟家庭斷了關係，成了世外陌生人。

她在法蒂瑪沒能好好讀書，雖很聰明強記，仍需努力用功；況且院長修女對她特別嚴格，不肯留情，她都逆來順受，甚得師長和同學愛戴。她又特別謙卑，很愛助人，不拘多麼低下的工作，她都樂意去做。

十四歲離家，二十五年以後才初次返鄉省親。

這其間，她聖召萌動，要做修女。她的初衷，原是要進赤足聖衣會，卻怕會規太嚴，身體吃不消；又願還報多年來的師生教養，遂決定入 St. Dorothea 修女會。

1925 年 10 月 24 日，路濟亞進入該會被逐出葡國後，在西班牙邊境的名城 Tuy 所建的會院，做望會者。

同年12月10日，聖母偕耶穌聖嬰在路濟亞的小房間中顯現。聖母一隻手扶著路濟亞的肩膀，另一隻手托著一顆

由荊棘圍繞著的心給她看。耶穌聖嬰指著那顆心向她說：

> 妳要哀憐妳至聖母親的心！它被荊棘滿滿地蓋住，不知恩的人們不住地把刺扎進去，沒有人做補贖，把它拔出來。

聖母接著說：

> 親愛的女兒，妳看看我這顆由荊棘圍繞著的心！不知恩的人們，一直用褻瀆和忘恩刺傷它。至少妳應當努力來安慰我，告訴人們，凡是一連五個月，在首星期六辦告解，領（補辱）聖體，念玫瑰經、默想著玫瑰經奧跡陪我一刻鐘的，在他死的時候，我要用獲救所需的一切恩寵來扶助他。

1926 年 2 月 15 日，耶穌聖嬰再顯現給路濟亞，問她有沒有開始傳佈那種聖母敬禮。她向耶穌陳述她的困難，說院長修女願意置身於這敬禮的傳播中，聽告解的神師卻還要考慮。耶穌說：

> 妳的院長固然獨自做不到，有我扶助，她可做到一切。

1926 年 10 月 2 日，路濟亞進初學院。

1927 年 12 月 17 日，路濟亞進會院小聖堂，到聖體龕前去問救主，她應如何遵從神師的命令，把她由天主所得的恩寵寫出來；因為其中有聖母給的秘密。耶穌用很清晰的聲音向她說：

　　親愛的女兒！人要妳寫的，就寫出來。聖母顯現時，告訴妳有關她無玷聖心敬禮的一切，也寫下來。其餘的秘密，還要妳緘口不言。

　　由此，她開始寫作，以後，主教神父們要她寫的回憶錄，前面引用過不少，不復贅言。

　　1928 年 10 月 3 日，「痛苦瑪利亞修女」發暫願。西班牙共黨革命時，爲了安全起見，把她送回葡國Sardão公學，仍要她做服務修女，Sardão 是波爾多附近另一所公學。

　　1934 年 10 月 3 日，路濟亞發永願，母親帶一窩蜜蜂去觀禮，母女甚歡。

　　1946 年 5 月 20 日，路濟亞終能返鄉省親，遍訪故知，舊地重遊，得見一星期前給聖母加冕時用的王冠。

　　她不忘初衷，一心想度隱修默觀的聖衣會生活，求得教宗庇護十二世特准，終於 1948 年 3 月 25 日聖母領報瞻禮日，進入考因布拉的聖衣院，更名聖母無玷聖心修女。

　　不過，她還被兩位教宗由會院裡叫出來四次。1967 年法蒂瑪聖母初次顯現五十周年，教宗保祿六世親來朝聖時，要把路濟亞修女介紹給信眾。教宗若望保祿二世，於 1982 年 5 月 13 日謝恩朝聖時，要路濟亞在他身邊。九年後，教宗爲紀念他被刺十周年，再來法蒂瑪謝恩，路濟亞不僅能見聖父，還能接受厚禮。又過九年，教宗若望保祿二世三訪法蒂瑪，舉行方濟各和雅新達列真福品典禮，他們的表姐和密友當然應邀參禮。事後，還獲教宗特准，在

法蒂瑪多留兩天，回家探望，重溫舊日各處的感受。

以後，她可以安心隱居聖衣院，等聖母來接她了。

筆者造訪時，路濟亞修女九十四歲，還滿面春光，聲音清朗，視力頗佳，剛出版一厚冊《法蒂瑪訊息的呼喚》。

她還能教我們什麼？教多久？我們不敢祝她更長壽，聖母要她留多久，就讓她健康地留多久吧！活聖女健康！

主旨承行！聖母無玷聖心受人敬愛！

1946 年 5 月 13 日 Masella 樞機代表教宗給法蒂瑪聖母像加冕

1967 年 5 月 13 日教宗保祿六世赴法蒂瑪朝聖
把路濟亞修女介紹給人

附錄三：法蒂瑪聖母敬禮簡史

準備期：天使三次顯現，三位小牧童恆常俯伏祈禱，從天使手中領聖體，開始神魂超拔，犧牲遊戲飲食……，都不爲人所知。1916年，他們開始超性生活，卻也料不到是準備聖母要來。

1917年聖母六次顯現，要人祈禱，尤其每天念玫瑰經來結束第一次世界大戰，締造和平；防止更凶惡的二次世界大戰和赤禍蔓延；爲敬禮聖母無玷聖心，向它奉獻俄國……並須爲罪人悔改，多做克苦犧牲。可惜只有小葡萄牙聽信其母后，得以復甦，並脫出二次世界大戰漩渦。其他國家理會和滿全聖母要求的人太少，捲入大戰，傷亡逾數千萬，戰爭犧牲中，大多數的人沒有準備善死，如小雅新達所預見，墜入永苦，許多城市被燬，物質損失，無可計數。

朝聖客逐日增加。1919年4月28日，教友自己興建小聖堂，不得教會當局認可。

1919年4月4日，方濟各病逝。他沒能看到小聖堂。

1920年2月20日，雅新達獨自死在里斯本。信眾立即拿她當聖女敬，能例外的逃過必須就地埋在公墓的厄運，停屍三天，發出異香，葬在離家不太遠的歐萊姆，屍身不朽。

同年5月13日，歐萊姆居民 Gilberto Fernandes dos Santos 用還願建小聖堂的錢（因爲小聖堂已在），向 Josẽ Thedim 定做法蒂瑪聖母態像。後者多次訪問路濟亞，照她的描寫，精心刻出現在尚存的靈像，偷運到法蒂瑪，於6月

在聖母顯現地初建的小聖堂

1918年8月6日開始興建，1922年3月5日夜晚被人炸燬，修復後，至今猶在，於擴建的「顯現小堂」中當「大聖體龕」。旁邊的「大冬青樹」仍然壯大。

從另一面看顯現小堂和大冬青樹

（作者攝於2001年6月14日）

13 日初次安置在小聖堂中。為了安全起見，每晚由「小堂瑪利亞」將靈像抱回自己家中，或另一可靠的家中供奉。

1921 年 10 月 13 日，聖母末次顯現四周年，特准在小聖堂舉行第一台彌撒聖祭。

1922 年 3 月 5 日夜晚，仇教者與縣政府合作，將小堂炸燬，靈像供奉「小堂瑪利亞」家裡，得以倖免於難。本堂區補辱大朝聖，有一萬多信眾參與，超過法蒂瑪堂區人數四倍。繼後的全國性補辱朝聖，有六萬多人參加。惡勢力不會戰勝大能貞女，法蒂瑪聖母就要從他們手中，奪回自己的「聖瑪利亞之邦」。

主教勸阻重建小聖堂，且待情勢進展，信眾在 1922 年底開始修復，加蓋堂頂，可多容納祈禱的信友。

同年 5 月 3 日，主教下令審理法蒂瑪事件。牧函中明認，在見證人路濟亞離鄉後，朝聖者有增無減，已准許做私人彌撒，向眾多朝聖客講道。

一個月後，於 6 月 13 日大朝聖中，初次給病人行祝福禮。從此，病人的位置日趨重要。

10 月 13 日，《法蒂瑪之聲》月刊問世。首版三千份，十五年後印行三十八萬份。以後，外加英文、西文和法文版。

1923 年 5 月大朝聖前三天，仇教的縣長要求反教的大本營省政府派兵，進駐各重要路口，阻止朝聖者通行，結果竟有不少軍人加入朝聖行列。

1924 年 10 月 13 日，朝聖地醫院奠基，病人的地位日

趨重要。主教命聖地成立男女服務團，義務服侍病患，維持朝聖秩序。該團共分四組：（一）司鐸組專務牧靈方面的工作；（二）醫生組為診療病人，記錄朝聖前後的病況；（三）聖母僕人組運送病人，維持秩序；（四）聖母婢女組做護理人員，服侍病人，幫忙醫生。

當年發行的《朝聖手冊》中，主教特別著重對病人的服務：

（一）男服務生得以擔架或車輛運送不能行走的病人；

（二）病人應先受醫生檢查。有醫生介紹信的，得優先登記；

（三）病人在醫生檢查和登記後，交由女性服務員照料；

（四）服務團男女、醫生護士和在場的童子軍，都只為敬愛聖母義務工作，不接受薪酬。

1926 年 11 月 1 日，教廷駐葡國大使 Nicoltro 主教，應邀前往雷利亞主持新主教就職典禮。禮畢，轉赴法蒂瑪朝聖，是為羅馬教廷中第一位到法蒂瑪朝聖者。

1927 年 1 月 21 日，教廷授與法蒂瑪特權，得選用特別敬禮彌撒；想必是大使做過有利的報告。

1927 年 7 月 26 日清晨，主教在距 Cova da Iria 十二公里的 Fetal 建立苦路第一處，隨走苦路的有數千人。每隔約莫一公里，揀地安裝和祝聖下一處。如此，直到下午四點，才在苦路後做完大禮彌撒，這也是主教初次正式來朝聖。

　　兩個星期後，主教委派第一任聖所所長。主教委戛肋拉先生掘一個水井，供應朝聖客飲水；竟能在乾旱缺水的窪地中心巖層下發現靈泉，蓄水池正好成爲耶穌聖心像的基座。

　　1928 年 5 月 13 日，玫瑰經聖母大殿奠基，全憑信眾隨時捐獻，繼續建造。

　　1929 年，Salazar 率同政府要員赴法蒂瑪朝聖，再把「聖瑪利亞之邦」奉獻給聖母。

　　同年 12 月 6 日，教宗庇護十一世親手祝聖 J. Thedim 手雕，最精緻的法蒂瑪聖母態像，安裝在葡國公學裡，向在場的修生贈送法蒂瑪聖母聖像。

　　1930 年 10 月 3 日，主教公佈審理會的報告，在牧函中說：Cova da Iria 聖母顯現事跡堪信，故此正式許可公開敬法蒂瑪聖母。

　　同時，教宗也給法蒂瑪朝聖者頒賜宗座大赦。

　　法蒂瑪聖母敬禮合情、合理、合法了！它的發展急轉直上！

　　1931 年 5 月 13 日，葡國主教團初次將祖國奉獻與聖母無玷聖心。

　　1935 年 9 月 12 日，雅新達未朽的遺體，遷到法蒂瑪本堂墓地，與其兄方濟各合葬在新墳裡，朝聖者可以同時恭拜他們兩位「小聖人」，放置鮮花和求恩函。

　　1937 年 5 月 13 日，教廷駐葡國大使主持第一屆全國朝

聖大典，到的朝聖客有五十多萬人。

　　1938年5月13日，主教團爲還願，舉行第二屆全國朝聖，他們多年前有鑑於共黨在本國和西班牙的威脅，求法蒂瑪聖母保佑，倖免赤禍；如蒙垂允，當領導全國朝聖。

　　1939年10月13日，里斯本宗主教帶領大朝聖，爲祖國呼求和平。

　　1942年爲法蒂瑪聖母顯現，與教宗晉牧雙重銀慶年。主教團出牧函編排慶祝節目：5月3日至11日行九日敬禮，聽要理，準備妥領聖事。5月10日謝恩彌撒，星期日明供聖體。12日晚燭光遊行。13日樞機宗主教、主教們和一千多位神父在 Cova da Iria 舉行大禮彌撒。彌撒中公青和婦女許願，給靈像獻個王冠，謝聖母保持葡國免陷二次世界大戰的深淵。

　　同年10月31日，結束雙重銀慶年的大禮彌撒將畢，忽聞教宗庇護十一世用葡語直接廣播，向和平之后一再呼求和平，勸人悔改犧牲，奉獻深藏聖母木板像的民族（俄國）與聖母無玷聖心……。

　　1951年4月30日，主教把二位小見證遺體葬在尚未完工的大殿裡，雅新達在左，旁邊留有路濟亞的墓地；方濟各在右，墓上一直撒滿鮮花。

　　1953年玫瑰經聖母大殿落成祝聖，時在10月7日。自1928年五月動工建造，耗時二十五年有餘。經費全部出自信友捐獻，建材多採自本地大理石。大殿長七十公尺半，闊三

玫瑰經聖母大殿

（作者攝於 2001 年 6 月 13 日早上）

朝聖地入口處的「高十字架」和新牆

（作者攝於 2001 年 6 月 13 日絶早）

教宗庇護十二世直接向葡國廣播

（1942年10月31日）

教宗保祿六世在靈像前跪禱

（1967年5月13日，初次顯現五十周年）

朝聖地入口處的紀念像，取這種姿態

十七公尺。鐘樓高聳入雲（六十五公尺），上面的王冠重七千噸，全部鍍金，最上面十字架徹夜通明，遠處可見。

音樂鐘群，由六十二只銅鐘組成；大鐘三千公斤。每一小時，敲奏「法蒂瑪 Ave」一次，也爲報點。

大殿正面中央的聖母聖心像，高4.7公尺，重十四噸。是一位道明會神父雕刻的。神父名叫 Thomas McGlynn。

大門頂上的石坎聖母加冕畫是梵蒂岡贈品，由教宗庇護十二當國務卿時祝聖。

大殿內共有十五座祭台，供奉玫瑰經十五端奧跡。正祭台上顯示的是最後一端：聖母榮獲天主聖三加冕。

梵二大公會議中，七十八國的五百一十位總主教和主教，上書教宗保祿六世，求他將全世界，特別是俄國，奉獻給聖母無玷聖心；主教們也於同一天做此奉獻。教宗於1964年11月21日把人類託給聖母無玷聖心，並當眾宣佈聖母爲教會之母。

兩年半以後，教宗保祿六世於1967年5月13日親臨法蒂瑪，自稱爲「一個謙卑忠信的朝聖者」，來求聖母賜世界太平，並重將世界奉獻給聖母無玷聖心。他是第一位來朝聖的教宗，又有路濟亞修女站在身邊，甚得信友感戴。

聖母在法蒂瑪顯現五十周年金慶上，教宗不僅給靈像送一枝金玫瑰，也給整個法蒂瑪聖地「鍍了金」。

1981年5月13日（5月13日中午），教宗若望保祿二世在伯多祿廣場遇刺，很清楚地覺得一隻母親的手挑過子

彈，救他一命；遂於次年5月13日前赴法蒂瑪謝恩朝聖；
再把世上各族各國奉獻與聖母無玷聖心。

1984年3月24日，教宗若望保祿二世，將法蒂瑪聖母
靈像請去伯多祿廣場，當眾偕同世界一切主教，再把全球
（連俄國）奉獻給聖母無玷聖心，滿全聖母的要求。

1991年5月13日，教宗遇刺十週年，聖父再赴法蒂瑪
謝恩朝聖。

2000年5月13日，教宗若望保祿二世第三次蒞臨小法
蒂瑪，在幾十位主教、一千兩百多位神父和一百多萬信友
面前，隆重地宣佈二位小牧童方濟各和雅新達為真福。

法蒂瑪聖母敬禮還要如何發展？且拭目以待！可以確
定的是，聖母無玷聖心終將凱旋！

法蒂瑪聖母靈像王冠

全部質料都是葡國婦女捐獻的純金打造，重 1.2 公斤，
鑲有 313 顆珍珠、2679 粒寶石；12 位銀匠免費工作近三個月。

請注意圓球下方的子彈

（教宗若望保祿二世於 1981 年 5 月 13 日遇刺時，落在吉普車中的一顆）

法蒂瑪聖母歌

G 3/4

```
5 |  1  1  3 |  5  5  3 |  5  5  3 |  2  2  3 |
```

1. 天　　主　母，世　　人　母，童　　貞　聖　瑪　　利　亞。慈
2. 瑪　　利　亞，慈　　母　心，多　　麼　憐　愛　　世　人。酷
3. 好　　聖　母，囑　　世　人，悔　　罪　祈　禱　　虔　誠。可
4. 珍　　貴　的　玫　　瑰　經，誦　　唸　持　之　　以　恆。仁
5. 嘆　　世　界，作　　惡　人，面　　向　地　獄　　狂　奔。好
6. 我　　中　華　仁　　慈　后，童　　貞　聖　瑪　　利　亞。請

```
4  4  2 |  3  3  1 |  2  2  5 |  1     1̇ ‖
```

1. 祥　的，曾　　顯　現　於　　葡　國　法　　蒂　　瑪。
2. 戰　中，特　　求　主，提　　早　賞　賜　　和　　平。
3. 望　主，發　　慈　心，寬　　恕　罪，賜　　洪　　恩。
4. 慈　主，得　　賜　予　世　　界　永　久　　和　　平。
5. 信　友，想　　得　救，速　　獲　聖　寵　　神　　恩。
6. 垂　手，急　　援　助，災　　難　遍　地　　中　　華。

```
5 |  3  -  2 |  1  -  1 |  2  3  4 |  2  -  5 |
```

萬　　福，萬　　福，萬　　福瑪利　　亞，萬

```
5  -  4 |  3  -  1 |  2  5̇  3 |  1  —  ‖
```

福，　　萬　福，　　萬　福，瑪　利　亞！

參考書目

ENCICLOPEDIA CATTOLICA　　　　　　　梵蒂岡版　1954

BOHR, P. Dr. Otto SVD: *ROM MOSKAU FATIMA*　　　1977

CALABRESI, Cecilia: *Francisco and Jacinta of Fatima*　　2000

FONSECA, Rev. L. Gonzaga da: *LE MERAVIGLIE DI FATIMA*　1951

　　　　　中文譯本：劉鴻遜譯作《天國和平之后》　1952

　　　　　袁意可神父譯作《警告　法蒂瑪的奇蹟》　1958

　　　　　　　　　　MARIA SPRICHT ZUR WELT　1949

KONDOR, Rev Luis SVD: *THE SPIRITUALITY OF THE LITTLE
　　　　　　　SHEPHERDS FRANCISCO AND
　　　　　　　JACINTA MARTO*　　　　　　　　1999

LUCIA, Irma: *MEMORIAS DA IRMA LUCIA I + II*
　　　　英譯作：FATIMA in Lucia's Own Words
　　　　德譯本：Schwester Lucia Spricht über Fatima
LEITE, Fernando: *Francisco de Fatima*　　　　　1986

　　　　Jacinta de Fatima　　　　　　第五版　1991

MACHADO, A.A.Borelli: *Die Erscheinung und die Botschaft von
　　　　　　　FATIMA*
MARCHI,Rev. John de, SJ: *FATIMA*

　　　　From the Beginning　　　　　　　　1980

　　　　*THE CRUSADE OF
　　　　FATIMA
　　　　The Lady More Brilliant Than the Sun*　　1984

MADIGAN, Leo: *A PILGRIM'S HANDBOOK TO FATIMA*　　2001

MIKOCKI, P. Benno OFM: *FATIMA* 大畫冊, *NUMBERGER* 等插圖　　1982

WEGENER, P. Josef: *FATIMA*
　　　　　　　Geheimnisse, Wunder und Gnaden　　1946

WALSH, Williom Thomas: *OUR LADY OF FATIMA*　　1955

施安堂神父：《法蒂瑪聖母　顯現＋勸告＋勝利》　　1994

姚安麗譯作：《來自天上聖母的訊息》　　1991

其他小冊子和文件從略。

國家圖書館出版品預行編目資料

最年幼的精修眞福：法蒂瑪的方濟各和雅新達 /
待示村魯著. -- 初版. -- 臺北市 ： 至潔，
2005[民94]
　　面： 　　公分
參考書目：面
ISBN　986-7632-15-X（平裝）

1. 聖母瑪利亞（Mary, Blessed Virgin, Saint）
2. 天主教 － 傳記

242.291　　　　　　　　　　　　　　93017342

最年幼的精修眞福

法蒂瑪的方濟各和雅新達

著　者：待　　示　　村　　魯
准印者：鄭　再　發　總　主　教
發行人：黃　　　金　　　瑜
出版者：至　潔　有　限　公　司
　　　　地址：108台北市桂林路28-3號2樓
　　　　電話：(02)2302-6442,2302-6447
印刷者：至　潔　有　限　公　司
　　　　電話：(02)2302-6442,2302-6447
　　　　傳真：(02)2302-7562
初版一刷：主 曆 ２ ０ ０ ５ 年 ７ 月
初版三刷：主 曆 ２ ０ １ ３ 年 ８ 月
定價：新台幣 450 元